L'ENFANT PROMIS

Maureen Martineau

L'enfant promis

la courte échelle

Les éditions de la courte échelle inc.
160, rue Saint-Viateur Est, bureau 404
Montréal (Québec) H2T 1A8
www.courteechelle.com

Révision : Thérèse Béliveau

Dépôt légal, 4ᵉ trimestre 2013
Bibliothèque nationale du Québec

La courte échelle reconnaît l'aide financière du gouvernement du Canada par l'entremise du Fonds du livre du Canada pour ses activités d'édition. La courte échelle est aussi inscrite au programme de subvention globale du Conseil des arts du Canada et reçoit l'appui du gouvernement du Québec par l'intermédiaire de la SODEC.

La courte échelle bénéficie également du Programme de crédit d'impôt pour l'édition de livres — Gestion SODEC — du gouvernement du Québec.

Catalogage avant publication de Bibliothèque et Archives nationales du Québec et Bibliothèque et Archives Canada

Martineau, Maureen
L'enfant promis
(Les enquêtes de Judith Allison)
ISBN 978-2-89695-288-5
I. Titre. II. Collection : Martineau, Maureen. Enquêtes de Judith Allison.

PS8626.A773E53 2013   C843'.6   C2013-941962-4
PS9626.A773E53 2013

Imprimé au Canada

À mes enfants, Francis et Justine

Dance me to the end of love
Dance me to the children who are asking to be born

Leonard Cohen, chanson « Dance Me to the End of Love »,
album *Various Positions*

Note au lecteur

Une partie de ce roman s'inspire librement d'une affaire criminelle survenue au Québec dans les années 1980. Toutefois, le contexte, les faits tels que racontés, de même que les personnages, leurs actions et leurs propos, sont purement fictifs.

Stella

1

Maine, lundi 20 juin 2011, 10 h

Lorsque le shérif Ken McLunnan laissa choir ses deux cent soixante-cinq livres sur la chaise pivotante, il entendit un couinement qui l'alarma. Il était attaché à cette pièce de mobilier de chêne. Elle avait l'âge de la bâtisse en briques qui hébergeait son bureau, le Département de police d'Augusta. La hauteur parfaite de ses accoudoirs et la solidité de son mécanisme lui permettaient de bercer ses idées lorsqu'il réfléchissait. Il reportait le moment de troquer sa vieillerie contre une chaise ergonomique dont la durée de vie ne dépasserait pas cinq ans. Or, le siège gémissant menaçait de rendre l'âme sous les kilos qu'il avait accumulés comme des points *miles* pendant les trente-cinq dernières années. Il était toujours le meilleur enquêteur du comté de Kennebec, mais sa démarche balourde le handicapait de plus en plus sur le terrain.

Et ce matin ? Allait-il être à la hauteur de ce qu'on attendait de lui ?

La fenêtre de son bureau donnait sur la rue principale du quartier historique. C'était toujours par là qu'elle s'amenait. Doris Cousineau. Une belle femme dont la tristesse avait aggravé la beauté, et qui portait un nom

13

francophone, héritage d'une lignée de tisserandes qui avaient immigré du Canada français vers les années 1900 pour venir travailler dans les filatures du Maine. Depuis trois ans, à chaque fin de juin, comme pour célébrer un anniversaire, elle lui rendait visite. Cette fois encore, il s'était efforcé de mettre de l'ordre sur son bureau. La chemise de carton consacrée aux disparitions était placée devant lui, ouverte sur la photo de Stella qui lui souriait.

Une demi-heure plus tard, lorsque Doris Cousineau franchit sa porte, McLunnan faillit basculer par-derrière. Il s'était assoupi. Embarrassé d'avoir été surpris à ronfler, il fit un effort pour s'extirper de sa chaise avec un minimum d'élégance.

— Bonjour, Ken. Excuse-moi, j'aurais dû frapper, dit la femme sans manifester de réel remords.

— Je t'attendais. Assieds-toi, s'empressa d'ajouter le policier qui pointa l'intrigante chose que Doris tenait. Qu'est-ce que c'est?

— Pour toi. Essaie de deviner.

McLunnan saisit le pigeonnier de métal pour l'examiner à son aise. Mesurant à peine un mètre, l'objet était léger et long, doté d'une vingtaine d'étroits compartiments.

— Un *case* pour les cartes de *punch* des ouvrières! s'exclama l'enquêteur, admiratif.

— Il vient du Edwards Cotton Mill.

— Où l'as-tu déniché?

— À Camden, chez un ami *picker*. J'ai pensé que ça pourrait t'intéresser. Pour le Heritage Center. Vous allez rouvrir cet été?

— Oui, oui.

Ken se remémora leur conversation de l'année précédente. Pour faire diversion, il lui avait décrit son travail comme bénévole dans la restauration de la vieille manufacture à Mill Park. Doris s'en était visiblement souvenue, qu'allait-il lui raconter cette fois-ci ?

— C'est la première fois que je vois un truc du genre, s'étonna-t-il. On peut même y lire certains noms : Marguerite Crépeau, Gwendeline Derden, Sophie Éliase, Antoinette… « Cousineau »… Comme toi !

— Mon arrière-grand-tante. C'est pour toi, enfin, pour votre exposition.

— Merci, Doris. Je vais en prendre grand soin et te le remettre à la fin de l'été.

Il jugea sa phrase inconvenante. Comment cette mère pouvait-elle s'intéresser à cette antiquité alors que son présent l'opprimait ? Son ancêtre avait la chance de reposer en paix, alors qu'elle-même ne dormait plus depuis la disparition de sa fille. Depuis trois ans que l'enquête était ouverte, ils n'avaient reçu aucun signalement ni témoignage, ce qui était rare dans des cas semblables.

Un silence embarrassé s'installa entre eux. McLunnan regagna sa place. Le couinement de sa chaise à nouveau. Il en fut gêné comme d'une flatulence.

— Elle a vieilli, attaqua Doris en s'emparant de la photo de sa fille qui dominait la pile de feuilles. C'est pour ça que personne ne l'a reconnue.

— C'est certain, à cet âge-là…

— Plus le temps passe, moins on pourra l'identifier.

McLunnan reprit la photo des mains de Doris et se mit à l'examiner.

— En la numérisant, on pourrait la retravailler.

Il n'était pas très habile avec Photoshop, son jeune stagiaire Trevis l'aiderait sûrement.

Le silence encore, plus léger cette fois. Un geste serait tenté. Un nouvel essai. McLunnan sentit l'espoir que

Doris mettait en lui. ~~Comme le rapport~~ étalé sur son bureau, le dossier de sa fille était toujours ouvert. Il s'en occupait.

— Rien d'autre ? s'enquit-elle en baissant les yeux.

— Non, rien de neuf. Je t'aurais appelée, Doris, ajouta-t-il avec toute l'empathie dont il était capable.

— Je le sais.

Lui aussi savait. Même si l'enquête n'avait pas avancé d'un seul pas, ce rituel était important. C'était la seule façon de continuer de faire exister Stella. Stella Cousineau, une jeune Américaine âgée de seize ans quand elle s'était volatilisée sans laisser la moindre trace derrière elle. La seule affaire que McLunnan n'avait pas réussi à résoudre depuis qu'il avait été affecté aux enquêtes criminelles.

2

Niché au creux des Montagnes Vertes du Vermont, le petit village de Barton s'éveillait. À cette heure matinale, le soleil de juillet se faisait déjà accablant. Dans la cuisine mal aérée de l'appartement vétuste qu'il habitait, le jeune Derek tassa sa chaise pour échapper aux rayons aveuglants. Il tentait de lire une inscription sur la boîte de céréales. On y promettait le jeu de PlayStation 3 que sa mère s'entêtait à lui refuser. Exaspérée, elle lui arracha la boîte des mains.

— Tu vas me mettre en retard ! Allez, finis ton bol.

Déjeuner l'ennuyait. Derek aimait lire en mangeant. Comme sa bande dessinée lui avait été confisquée quelques minutes plus tôt, il jeta son dévolu sur la pinte de lait devant lui.

Malgré ses quatorze ans, décrypter de simples phrases représentait pour lui un réel défi. Ce ne furent pas les mots *disappeared child* qui captèrent son attention, mais la jeune fille qui apparaissait sur le carton imprimé. Elle souriait comme pour le narguer. Peu de gens osaient l'approcher en raison de son infirmité. En dépit de son intelligence endormie, Derek savait qu'il faisait peur.

17

Cette fille lui avait tout de même parlé en lui touchant l'épaule, ce qui n'arrivait jamais. Il s'en souvenait bien. Elle avait chaud, très chaud. L'eau ruisselait le long de ses bras dorés par le soleil. Sa sueur odorante prenait sa source dans un nid de poils noirs au creux de ses aisselles. Jamais il n'avait vu de femmes avec de la barbe à cet endroit. Était-ce beau ou laid ? Il ne le savait pas. Les idées de Derek se brouillèrent. L'émotion le gagna. Sa mère allait encore le gronder, comme chaque fois qu'il s'excitait. Ce n'était pas bon pour lui, elle se fatiguait à le lui répéter. Tant pis. Le cri était déjà en route vers sa bouche pleine de Cheerios au miel.

— Maman ! Maman ! fit-il en bavant sur son chandail. C'est la dompteuse de lions !

3

Vêtue de jeans usés et d'une vieille chemise ayant appartenu à son père, Judith Allison vibrait de tout son corps au rythme de la sableuse qu'elle manipulait à bout de bras. La buée qui perlait dans son masque l'empêchait de pister les lézardes de peinture incrustée dans la poutre de plafond qu'elle s'acharnait à décaper. En rogne, elle débrancha l'outil et secoua ses cheveux où du bran de scie s'était logé. Ce n'est qu'une fois rafraîchie par quelques rasades d'eau pétillante qu'elle apprécia le silence qui s'était répandu comme un nuage dans la petite maison.

SA maison. Enfin, ce qui allait devenir son chez-soi une fois les travaux terminés. Elle avait visité plus d'une vingtaine d'habitations sans arriver à se décider. Sur quoi se baser pour faire un choix ? Le prix, l'emplacement, la beauté, la solidité des structures ? Eugène Noël, l'agent immobilier avec lequel elle transigeait, lui avait révélé une vérité toute simple : « C'est comme un coup de foudre. Tu sens que c'est la tienne. Même si elle est à trente minutes de ton travail, tu auras envie d'y retourner chaque soir, comme vers quelqu'un qu'on aime. »

L'aimer. Voilà. Tout s'expliquait. Comment aurait-elle pu arriver à ressentir quoi que ce soit pour une bâtisse alors qu'elle éprouvait déjà si peu de sentiments pour les hommes? Comme le lui avait promis Eugène Noël, SA maison l'attendait quelque part. Il avait suffi de savoir attendre.

En avril dernier, alors qu'elle se rendait à Tingwick pour enquêter sur le vol d'un quatre-roues, une pancarte avait attiré son attention. Quelqu'un avait biffé au feutre noir le «le» de l'usuel «à vendre par le propriétaire» et l'avait remplacé par un «la». La pose de l'affiche était récente. La pluie n'avait pas délavé la correction.

Judith connaissait cette maison. C'est là, au 54, rue Sainte-Marie, qu'elle avait interrogé Nickie Provost deux ans plus tôt, lors de l'affaire Morin, sa première enquête. Le service de la police régionale d'Arthabaska venait tout juste d'être mis sur pied. Elle s'était attachée à cette famille éprouvée par celui qu'elle surnommait «l'Ogre». Depuis, Nickie Provost et sa sœur Alexandra avaient quitté la région pour se refaire une vie à Sherbrooke.

Même s'il ne toucherait rien de la transaction, Eugène Noël avait reconnu que cette maison lui était destinée. Pourquoi «la» propriétaire voulait-elle se départir aussi vite de son acquisition? Y avait-il un problème de fondation? Trop de mauvais souvenirs hantaient-ils cette scène où s'était jouée la tragédie de Marie-Paule et de ses filles?

En visitant les lieux, elle apprit que cette vente précipitée était attribuable à une bête chicane de ménage. Lorsque le couple voisin, les jeunes Provencher-Ouimet, s'était séparé, Élise avait acquis la propriété d'à côté de façon à ce que leurs deux enfants puissent aller et venir entre leurs domiciles. Au bout de six mois, l'acheteuse était retombée enceinte d'un Bernard redevenu follement amoureux de sa femme. Fin de l'histoire qui n'avait pas tardé à devenir une légende rurale dans le village.

Un bruit de voiture sortit Judith de sa rêverie. La Saturn de John Allison dans son entrée annonçait la reprise imminente du chantier. Ravalant sa déception de voir son père se pointer si tôt, Judith le suivit à l'intérieur. Il inspecta la nouvelle poutre que sa fille avait tenté de remettre sur le bois.

— Il reste encore du blanc ici. Tu dois mettre plus de pression. Si tu polis la vieille peinture, tu la cuis et la rends plus difficile à enlever.

Judith réprima une réplique. Quitter le toit paternel à l'âge de trente-deux ans avait un prix. Pour consoler son père attristé par son départ, elle lui avait confié les rénovations de sa nouvelle demeure. Il s'entêtait pourtant à la questionner. Pourquoi déménager ? Elle avait tout le confort et l'intimité voulus chez lui. Devant l'échec de sa vie amoureuse, Judith s'était persuadée qu'habiter avec son paternel nuisait à ses rapports avec les hommes.

Elle monta à sa chambre troquer ses habits contre une robe courte. Son père s'était installé dans le coin de la pièce pour gratter le plancher. Chaque planche était une œuvre d'art. Il s'appliquait à la nettoyer en y laissant transparaître les vieilles couleurs. Le résultat bigarré était magnifique. Par contre, au rythme où il travaillait, rien ne serait terminé avant cet automne. Les deux semaines de congé de Judith commençaient lundi et elle s'était bien promis qu'on la verrait sur une plage.

Lorsqu'elle regagna le salon, l'odeur du décapant la prit à la gorge. Elle ouvrit les fenêtres à leur pleine grandeur, gronda John et se réfugia à l'extérieur pour s'aérer les poumons. Debout sur sa grande galerie, elle aspira à fond en s'étirant. Son barbecue tout neuf scintillait dans la lumière du matin. C'était là qu'elle avait installé sa cuisine temporaire. Elle adorait sa cour. D'immenses arbres la clôturaient. Elle pourrait prendre du soleil à son aise. Judith fut prise d'émotion en observant les deux lucarnes incrustées dans la toiture arrière. « Les yeux de la maison », pensa-t-elle. Elle appréciait la lumière qu'elles laissaient pénétrer à l'étage, là où elle avait établi les quartiers de son bureau et sa grande chambre à coucher. Pour son père, ce rajout, qui datait d'une vingtaine d'années, était une offense à la beauté virginale de cette relique des *townships*.

Un camion diesel de la Coopérative agricole ralentit devant la maison en décompressant. Le conducteur s'annonça d'un coup de klaxon. Judith l'interpella.

— Veux-tu que je libère l'entrée ?

— J'cré ben que m'a t'être capable de passer.

Fier d'avoir l'occasion d'offrir à la jeune femme une démonstration de son adresse, le grand André Comtois fit marche arrière, en évitant de justesse l'aile rutilante de la Saturn mal stationnée et la bordure fraîchement peinte de la galerie.

Il débarqua seul, avec une agilité remarquable, le bac Rubbermaid gris qu'elle avait commandé. En lui présentant, d'une main mal assurée, l'avis de réception à signer, le garçon trouva le courage de lancer la question que les autres gars de la Coop l'avaient défié de poser :

— Cent livres de capacité ! As-tu l'intention de te mettre à l'élevage de veaux, avec ton auge ?

Judith choisit de ne pas répondre. Sous son teint bronzé, André rougit. Il grimpa à toute vitesse dans la cabine du camion et repartit sans jeter un regard dans le rétroviseur. Judith s'en voulut d'avoir été hautaine. Dans une petite place comme Tingwick, les nouveaux venus avaient intérêt à se faire accepter. Pour l'instant, la rumeur qu'une policière s'était installée parmi eux ne s'était pas encore ébruitée. Quelle serait la réaction quand on saurait pour qui elle travaillait? Elle préféra ne pas y penser, tout excitée par sa nouvelle acquisition. Installée près de la talle de framboisiers, à l'abri des regards, cette cuve de plastique la dépannerait durant la canicule qui avait déjà commencé à sévir.

***

John était reparti vers Warwick pour acheter d'autre laine d'acier. Judith savourait un moment de répit et trempait, l'eau jusqu'aux épaules, dans son bain glacial. Comme une traîne, ses cheveux bruns mi-longs flottaient à la surface de l'eau. Son corps mince paraissait plus enrobé sous le miroir déformant des vaguelettes. Le soleil du matin lui chauffait le visage. Elle ferma les yeux et s'imagina dans le bassin d'une rivière. Vêtue d'un simple pagne noué à la hauteur des seins, elle flottait, en apesanteur, dans un bonheur total. Elle bougea légèrement les jambes, pour permettre à l'eau fraîche de pénétrer entre ses cuisses. Un doux frisson la secoua. Depuis combien de temps n'avait-elle pas fait l'amour? Des mois. Six au moins. Un record dans sa vie de jeune femme, qu'elle avait l'intention de briser à la première occasion. Les dernières semaines avaient été particulièrement difficiles. Son imagination et ses pauvres doigts avaient leurs limites.

La sonnerie retentit. Le téléphone se trouvait sur la table de jardin, à distance de bras de sa piscine improvisée. Elle prit l'appel sans se lever, tout en se questionnant sur le danger de manier un cellulaire si près de l'eau.

— Salut. On monte à une ou deux voitures ?

Judith avait presque oublié la patate chaude que leur patron, Claude Métivier, leur avait refilée juste avant son départ en vacances. Comme chef de police, on ne faisait pas mieux.

— Est-ce que j'ai vraiment besoin d'être là ? hasarda-t-elle d'une petite voix.

Se taper la surveillance de l'entrée d'un chapiteau au Festi-Force de Warwick était, de beaucoup, en dessous de ses qualifications. D'un autre côté, elle ne voulait pas laisser tomber son collègue. Carl Gadbois était son bras droit et il faisait appel à elle de temps à autre pour ses dossiers, dont la corvée qui lui incombait ce soir. La bonne entente était revenue entre eux. Il avait fini par se faire à l'idée de travailler sous les ordres d'une femme, celle-là même avec laquelle il avait copatrouillé durant cinq ans. Ce n'était pas le temps de profiter de la supériorité de son grade de chef-détective pour se désister.

— C'est une manif de femmes. Ils attendent une centaine de « madames » pas contentes. Tu seras mieux placée que moi pour les raisonner, insista-t-il. Et tant qu'à me taper le combat des femmes dans l'huile, je trouve ça plus drôle avec toi. C'est cette partie du programme qui risque d'être perturbée. Il devrait y avoir de l'action.

— D'accord, lui concéda-t-elle.

— J'entends un bruit d'eau. Tu es dans le bain ?

— Je fais la vaisselle.

— Dommage, j'avais déjà des images.

— Passe me prendre à 18 h, coupa-t-elle. Si tout va bien, on sera chez nous en début de soirée.

— Chez nous ? Chez nous ou chez vous ?

Il raccrocha en riant.

Depuis quelques jours, Carl Gadbois s'était mis à lui faire des avances explicites. Était-ce en raison du beau temps ? Durant leur longue relation, ils avaient été amants à deux reprises. Cependant, le matin où il s'était présenté au bureau avec Victor, son troisième fils, Judith avait décidé de mettre un terme à leurs dangereux écarts. Elle était demeurée insensible aux lamentations de son collègue qui déplorait le peu d'enthousiasme de sa femme, Nathalie, pour le sexe. À cette époque, Paul Décotret avait été son issue de secours. Aujourd'hui, elle se morfondait dans son bac d'eau froide et redoutait le samedi soir qu'ils s'apprêtaient à passer ensemble. Carl était bel homme et séduisait avec sa stature sportive et sa nouvelle coupe de cheveux ras. À quarante ans, il avait conservé l'air défiant de la vingtaine, dont il avait la démarche agile et un style vestimentaire décontracté.

Judith s'imagina à ses côtés, attisée par la sensualité de corps à moitié nus exhibant leurs chairs ruisselantes sous leur nez. Mais est-ce que ce type de spectacles excitait vraiment ? N'était-ce pas, somme toute, qu'une manière un peu primitive de s'amuser ? Les gens avaient besoin de divertissement. Qu'est-ce que les détractrices de la manifestation annoncée en soirée y voyaient de si dégradant ? Les acteurs étaient payés et consentants ; en fait, elle ne savait trop qu'en penser. La dernière fois qu'elle avait assisté à ce genre de prestation datait déjà de quelques années. C'était au motel Valentine à Victoriaville. On l'y avait envoyée faire un tour, habillée en civile, dans le but de retracer un homme qui avait contrevenu à un ordre de la cour en débarquant chez son ex-petite amie pour la tabasser. La majorité des mâles qui fréquentaient le bar de danseuses portaient la moustache à la Burt Reynolds, seul trait distinctif qu'on lui avait prodigué pour retrouver son suspect.

— Judith la petite sirène ! s'esclaffa Élise Provencher en se pointant dans la cour. Qu'est-ce que tu fais à patauger dans ta barboteuse? Tu n'as pas à te priver si tu veux faire un saut dans notre piscine. Viens nous brasser l'eau. Moi, je n'ai jamais le temps de me saucer.

— Je ne dis pas non, répondit Judith, un peu gênée.

Elle hésitait à se lever. La transparence de son voile l'en dissuada. Élise sembla comprendre son malaise.

— Ne te dérange pas. Je ne faisais que passer pour confirmer notre barbecue de voisins demain soir.

— À part les grillades, j'apporte quoi?

— Ta boisson. Je m'occupe des salades. Le jardin regorge de laitues et de bons concombres. Tu viendras te servir.

— Merci.

— Je me trompe ou tu as l'air d'une fille en vacances?

— Bientôt. Il me reste une dernière soirée.

Élise attendit la suite avec intérêt en caressant sa grosse bedaine de femme enceinte. Judith se sentit obligée de préciser:

— On doit aller faire un tour au Festival de Warwick.

Avec gravité, Élise prit une chaise de jardin et l'approcha de la cuve. La salopette de coton indien qu'elle portait l'obligea à s'asseoir en écartant les jambes. Son allure de cowboy s'harmonisait mal avec sa blondeur et ses rondeurs si féminines.

— Le désordre ne viendra pas de nous autres. On se contente de distribuer des dépliants dans le stationnement, expliqua-t-elle en lui en tendant un exemplaire sorti par magie de sa poche.

Judith prit la feuille de papier en évitant de la mouiller. Le slogan la fit sourire. « Il suffit d'une seule petite tache d'huile pour ruiner une chemise blanche. »

Élise poursuivit. Elle s'emportait.

— On ne se connaît pas beaucoup, et j'imagine que tu ne connais pas non plus Warwick et son conseil municipal. Gilles Bérubé, le conseiller qui s'occupe de la culture et des loisirs, est un gars bouché. Il n'a pas accepté de se faire attaquer dans les journaux sur son choix de soutenir avec des fonds publics la programmation érotique du festival. À la dernière assemblée municipale, le Comité d'action citoyenne a déposé une pétition exigeant qu'on retire la subvention à l'événement. Bérubé est monté sur ses grands chevaux, arguant que les taxes des Warwickois ne finançaient pas les combats de femmes, simplement la location du chapiteau qui les hébergeait! J'ai hâte de voir sa réaction quand il apprendra qu'on a réussi à convaincre la caisse populaire de retirer ses billes comme commanditaire si rien ne change l'an prochain.

— Vous n'avez pas peur de jeter de l'huile sur le feu?

— De l'huile, c'est eux autres qui en répandent pour humilier les femmes.

— Il s'agit de professionnelles dont c'est le métier, glissa en douce Judith.

Élise inspira profondément. La voir se tenir le ventre à deux mains inquiéta Judith.

— Je n'ai rien contre les lutteuses. Reconnais quand même qu'on frôle la barbarie. La SPCA interdit les combats de coqs et de chiens parce que ce n'est pas humain, alors que deux femmes qui essaient de s'arracher le maillot avec leurs dents, ça, c'est correct!

— Ça se déroule dans un lieu fermé. La police va être sur les lieux pour contrôler. C'est quand même des rentrées d'argent importantes pour la région, non?

Le visage d'Élise s'empourpra. À présent, elle faisait les cent pas autour du bassin comme un bourdon prêt à piquer. Éna, le voisin de gauche qui astiquait son bateau, l'air de ne pas écouter, étirait le cou à chaque éclat de voix en provenance de la cour.

— L'argent! On croirait entendre le conseil municipal. Est-ce que le profit doit tout excuser? Si on est prêt à se traîner dans la boue pour ramasser quelques piasses, allons-y au moins pour la peine. Il y a des commerces bien plus payants! Le trafic sexuel, la vente d'armes à feu, *let's go*! Accueillons un site d'enfouissement de déchets toxiques, un bunker de Hells en plein village, des méga-porcheries, la construction de la prochaine prison fédérale. Ils cherchent justement un endroit où les citoyens ne sont pas trop regardants. Où sont nos valeurs?

— Tu devrais te présenter aux prochaines élections.

— Ce n'est pas l'envie qui m'en manque. Mais comme me l'a fait remarquer si délicatement monsieur Bérubé, je devrais plutôt me mêler de mes affaires. Je suis de Tingwick. Avec le concours de tee-shirts mouillés du Rodéo Mécanic, je n'ai pas de leçon à donner aux voisins.

Élise regarda l'heure à son poignet et se souvint de ses obligations familiales. Sa respiration se calma et son beau visage ovale reprit sa pâleur.

— Je dois filer. J'ai une promesse de crêpes à tenir. Donc, demain?

— J'y serai.

Judith la regarda partir à la hâte en jugeant son emportement excessif. Elle s'immergea dans son bain. L'eau avait eu le temps de réchauffer. Elle réussit à retenir sa respiration durant quarante secondes. L'être humain peut-il réfléchir sans oxygène? Quelques pensées nébuleuses lui traversèrent l'esprit. Par exemple, combien il était surprenant de voir des gens réagir de façon si différente aux événements. Elle-même avait peu d'opinion sur la condition des femmes et encore moins sur l'état du monde. Le printemps arabe qui bouleversait une importante partie de la planète ne l'atteignait pas, pas plus que la famine dans la Corne de l'Afrique. Trop loin d'elle, trop complexe à décoder tout ça. Durant ses cinq dernières secondes sous l'eau, Judith eut une bouffée d'admiration pour sa nouvelle voisine. Elle envia son lien amoureux avec la société dans laquelle elle avançait en faisant du tapage. Elle portait en elle le sort du monde avec autant de soin qu'elle portait, dans son ventre, son nouvel enfant.

4

Le Vestiaire de Warwick était vide. La direction avait fait le mauvais choix. Elle aurait dû fermer la friperie durant le congé de la construction au lieu de miser sur l'affluence touristique du Festi-Force. Les sportifs n'étaient pas sa clientèle.

En nage, Gisèle Houle rangea les ciseaux sous le comptoir du tiroir-caisse. Les sacs-poubelles verts qu'elle venait de coller dans la grande baie vitrée empêcheraient vendeuses et clients de cuire. On annonçait des records de chaleur. Elle avait prévu ses vacances au bon moment. Elle savourait l'idée de les passer chez elle.

La petite femme regarda sa montre. Plus que quinze minutes avant de fermer boutique. Elle avait beau se tenir dans la mire des ventilateurs, rien n'apaisait ses bouffées de chaleur. Elle refusait d'y reconnaître les signes de la préménopause et attribuait à la canicule la sueur qui lui trempait le dos et traçait deux croissants mouillés sous ses seins. Un autre fléau qui lui tombait dessus. Déjà, les dix kilos accumulés depuis un an lui dessinaient une silhouette courte et carrée, dans laquelle elle ne se reconnaissait plus. Une autre trahison

31

qui s'additionnait à celles qu'elle vivait depuis son tout jeune âge. Elle était née avec un grondement dans le cœur et ne s'en était jamais départie. L'impression que la vie lui devait quelque chose. Un bonheur en déficit qui exigeait qu'elle en vole un peu aux autres, seule façon d'apaiser ce sentiment d'injustice qui lui collait au corps comme une deuxième peau.

Gisèle tripota les deux chandails qu'elle avait subtilisés plus tôt dans le rayon des vêtements de garçons. Il ne lui restait que quelques minutes pour les glisser dans son sac. Si on les retrouvait près de la caisse, elle aurait à se justifier. Son mensonge était prêt : une cliente avait changé d'idée à la dernière minute. À 2 $ l'article ? Cela était fort possible. Elle-même n'avait pas toujours les moyens de se payer des robes pour sa petite Béatrice. Les enfants coûtaient cher, et pour les gens à faible revenu comme elle, chaque dollar comptait.

Des rires fusèrent près des bacs à sous-vêtements. La patronne, Céline Dufresne, et son adjointe, Annie Potvin, semblaient en pleine récréation. Gisèle profita de leur inattention. Nerveuse, elle fourra les deux pièces dans sa sacoche. La fermeture éclair lui résista. Au bout de quelques essais, elle parvint à la faire glisser. Aussitôt son sac fermé, une inquiétude l'assaillit. Le duo avait l'habitude de l'accompagner au stationnement. Comment allait-elle récupérer son trousseau de clés sans éveiller les soupçons ?

— Gisèle ! On a trouvé ta taille ! lui cria Céline en brandissant un soutien-gorge en dentelle au bout de son gros bras.

— J'espère que tu aimes le rose, ajouta Annie. J'ai trouvé la petite culotte assortie.

— Si tu ne la veux pas, moi, je vais la prendre, pouffa la patronne.

Malgré l'absence de lien de parenté entre elles, ses deux collègues se ressemblaient énormément. En effet, elles habillaient les mêmes tailles, du X-large pour la poitrine et du *small* pour les fesses. Elles arboraient les mêmes mèches teintes et le même ventre débordant sur des jambes trop fines que le port du *legging* n'avantageait d'ailleurs pas.

Annie acheva de distribuer les strings et les brassières.

— Tenez, avec ça, on est *greyées* pour la soirée.

Gisèle rougit. Sans trop comprendre, elle glissa sa part du butin dans sa poche de pantalon. Se moquait-on d'elle ? Elle ne travaillait au Vestiaire de Warwick que depuis trois mois et discutait peu avec les autres employées, qui jusqu'ici avaient toléré son genre réservé. Elle se força à sourire en attendant que l'horloge sonne la fin du supplice. À moins cinq, les deux femmes l'encerclèrent avec un air de conspiration.

— Donne-moi tes clés de char, la somma Céline du haut de son autorité.

Gisèle se pétrifia sur place.

— Je ne comprends pas…

— Tes clés !

— Avec ce qu'on va te faire boire ce soir, il est hors de question que tu chauffes ! rétorqua la patronne.

— Boire ? Je ne bois pas, protesta Gisèle, le regard tourmenté.

— Ce soir, oui. C'est ta fête, non ?

Annie en profita pour entonner « bonne fête » de sa voix de crécelle.

Gisèle avait complètement oublié. Le 23 juillet était effectivement la date de son anniversaire, mais depuis une dizaine d'années, elle avait rayé de son agenda cette journée célébrant son vieillissement.

— Tu laisses ta voiture ici et tu nous suis, lui intima Céline en éteignant les néons.

— Je ne peux pas. Je n'ai pas de gardienne.

— T'as un mari, par exemple, répliqua Annie. Il te, doit bien une petite sortie entre filles. Appelle-le. On ira te reconduire avant minuit, promis.

— S'il rouspète, tu me le passeras, la défia Céline en riant.

— Ohhhhh! Je ne voudrais pas être à sa place, gesticula sa complice.

Les deux femmes fixaient le sac de Gisèle en attendant qu'elle se décide à y prendre son cellulaire.

— Mes batteries sont à terre. Je peux? demanda-t-elle en pointant le bureau à l'autre bout de la pièce.

— Vas-y. Victoriaville, ce n'est pas un interurbain à ce que je sache. Fais ça vite, il fait chaud et on a soif!

Dix minutes plus tard, les trois femmes étaient attablées à l'auberge Bois-Francs, de l'autre côté de la rue. Dans la cour arrière, une piste cyclable longeait la terrasse. À chaque jeune homme qui filait sous leur nez, Céline et Annie y allaient de remarques salaces.

— Lui as-tu vu les mollets? siffla Annie.

Céline s'étouffa avec sa bière. Elle arriva tout de même à placer son commentaire.

— Je me demande s'il a les fesses aussi musclées…

— Je suis déjà sortie avec un athlète, se vanta Annie. Un médaillé des Jeux du Québec. Après l'acte, je lui avais demandé ce que l'amour pouvait signifier pour lui.

— Hum… les questions au lit, ce n'est jamais bon.

— Tout sérieux, il a répondu: «Pour moi, faire l'amour est un entraînement obligatoire. Le pénis est un muscle comme un autre.»

— Pas très romantique.

— La suite de notre histoire a été aussi courte que sa petite affaire, fit Annie en branlant son auriculaire dans la direction de la fêtée.

Gisèle baissa les yeux. Elle avait en horreur les farces sexuelles de tout genre. Et ce qu'elle redoutait le plus, c'était que le serveur surgisse avec un gâteau comme celui servi le mois dernier à Lucie Royer. Des chandelles roses en forme de pénis le décoraient. L'idée de souffler des glands en feu lui leva le cœur. Elle déposa dans son assiette l'aile de poulet trop épicée qu'elle avait à peine grignotée.

— Pis toi, Gisèle ? Ton mari ? Dans quelle catégorie ? Sportif ? Fonctionnaire ? Agriculteur ? s'enquit Céline pour briser le malaise.

— Il a sa compagnie d'asphaltage.

— Tu dois avoir un bon détergent, en déduit Annie.

La conversation s'épuisa. Céline décréta la fin de l'apéro.

— Je suggère qu'on se bouge et qu'on aille manger un morceau chez Mikes.

Gisèle n'écoutait plus, occupée à réfléchir à la façon de se dépêtrer du piège dans lequel elle était tombée. Il fallait régler la facture. Heureusement, elle était invitée. Si les filles payaient aussi son souper et son droit d'entrée au Festival, elle n'aurait pas à ouvrir son sac, qu'elle tenait replié près de son cœur comme une faute grave.

5

Dans son salon mal ventilé, Charlaine Blondin étouffait sous le poids de son amant. Ses maigres quarante-six kilos et son ossature de chat allaient-ils supporter bien longtemps la fougue de ce géant qui lui martelait le corps à grands coups ? Hors l'effet de chaleur bienfaisant de la peau de Bigfoot sur la sienne et le chatouillement de sa barbe nattée, Charlaine ne ressentait rien. Elle n'avait jamais éprouvé de plaisir à laisser un homme la pénétrer. Même les baisers mouillés, déposés avec tendresse dans son cou, la laissaient froide. Ce n'était pas une raison pour refuser les avances de son nouveau *chum*, un ange apparu sur sa route le jour de son déménagement à Tingwick. Il avait été si gentil avec elle. Compréhensif surtout, lorsqu'elle s'était plainte de n'être plus capable de nourrir Lucas. En raison de son récent changement d'adresse, son chèque de B.S. ne rentrerait que le mois prochain. Comment tenir jusque-là ? Bigfoot lui avait avancé les sous en lui expliquant qu'il était déjà passé par là, quelques années plus tôt, avant de joindre le mouvement. Les AA l'avaient aidé. Il était sobre depuis deux ans et il lui avait offert de

37

l'accompagner à la prochaine réunion. Il pourrait être son parrain.

Charlaine lui avait promis d'y réfléchir, bien que la perspective d'affronter la réalité à sec lui paraissait insupportable. Chacune de ses journées était une victoire qu'elle remportait dans une partie dont les adversaires étaient redoutables. Son Jack Daniel's lui assurait le carburant dont elle avait besoin pour continuer de se battre contre l'armée de professionnels qui l'avaient prise en otage depuis son enfance. Comme elle les avait en horreur, tous ces psys, intervenants, éducateurs, travailleurs sociaux, gens du gouvernement! Une cavalerie à ses trousses comme si elle représentait l'ennemi numéro un du système. Ils étaient passés en mode attaque lorsqu'elle avait eu l'audace de procréer. Comment avait-elle osé mettre un enfant au monde avec la vie éhontée qu'elle menait? Depuis cinq ans, le petit Lucas était devenu la justification de toutes leurs intrusions dans sa vie privée. L'automne dernier, ils avaient profité de son état dépressif pour lui ravir sa seule raison de vivre. Mais elle avait réussi à le leur reprendre. Jack Daniel's lui en avait donné le courage. Il était son seul ami. Pas question de le trahir pour suivre un homme qui, comme les autres, ne serait que de passage. Et puis, Bigfoot se trompait sur son compte. Elle n'était pas alcoolique. Elle était mille fois plus intelligente que tous ces soûlons qu'elle côtoyait. Elle savait boire. Le whisky devait se prendre comme un médicament: plusieurs fois par jour, à petites doses, juste ce qu'il fallait pour maintenir le nuage qui lui permettait de flotter au-dessus de ce monde trop cruel pour ses vingt-trois ans.

Du divan où elle était étendue, Charlaine suivait l'aiguille des minutes sur l'horloge de la cuisine. Dix-huit heures moins quatre. Lucas était toujours au terrain de jeu. Elle devait passer le prendre, sinon il serait exclu du service de garde. Bigfoot ne semblait pas très pressé d'en terminer avec son va-et-vient du bassin. Pour éviter d'avoir à le finir à bouche ou à bras, la maigre femme se décida à y mettre du sien. Elle contracta son vagin du mieux qu'elle le put et serra les cuisses. Au changement de cadence de l'homme, elle sentit que la délivrance approchait. Après avoir atteint son pic, il s'affaissa sur elle en poussant un gémissement pareil au dernier souffle d'un mourant. Cette fois, il lui brisait vraiment les os.

***

Charlaine Blondin roulait en direction de Warwick dans sa vieille Nissan rouillée. Elle avait réussi à se débarrasser de son amant en lui promettant de venir le rejoindre au bar Tingwick en fin de soirée. «Autour d'un Coca-Cola, mais pas diète», avait-il lancé sans rire, lui rappelant la mission qu'il s'était donnée de lui faire prendre quelques kilos. Il avait raison, elle était nettement en dessous de son poids pour son mètre six. Les os saillants de ses hanches et son absence totale de seins lui donnaient l'apparence d'une anorexique. Elle aimait pourtant manger; elle appréciait le goût du salé surtout. Avec une attention dont elle n'avait jamais fait l'objet, son nouveau *chum* vérifiait scrupuleusement la quantité de nourriture qu'elle avalait. Son réel souci valait largement l'amour, mot jamais prononcé entre eux. Elle savait ce terrain miné, pour lui comme pour elle. Prendre soin l'un de l'autre leur suffisait. Elle revit Bigfoot grimpant les escaliers de son appartement, plus tôt dans la soirée, avec les hamburgers rapportés de la cantine. Un sentiment de sécurité l'envahit. Elle lui accordait sa confiance. Par contre, le peu d'affection dont elle était capable, elle le réservait pour Lucas. Il occupait tout son cœur, qui était déjà petit.

C'était avec sa tête, qu'on lui reprochait trop forte, qu'elle avançait dans la vie. Chaque problème avait sa solution et, ce soir, elle en avait trouvé une à son manque d'argent. Tout était sous contrôle. Son gars lui avait épargné sa crise habituelle du souper et dormait déjà à poings fermés. Elle devait faire vite. Cinq cents dollars, c'était une somme assez difficile à amasser. Si elle arrivait à temps et se démarquait, elle avait de bonnes chances d'empocher le magot qui la sortirait du tas d'emmerdes où elle se trouvait. « Pour Lucas ! » se répétait-elle pour s'encourager en doublant un camion qui ralentissait sa course.

6

Au Festi-Force de Warwick, l'atmosphère était à la fête depuis qu'on avait dévoilé le nom du grand gagnant québécois, Jean-François Caron, un jeune Rimouskois de vingt-deux ans. S'il avait perdu quelques points à la prise d'Hercule en échouant à retenir les deux voitures de deux mille livres qui l'écartelaient, il s'était repris à la septième épreuve, y défiant l'ancien champion Christian Lavoie, de Windsor, avec le lever d'un billot de trois cent soixante livres. Une fois de plus, les hommes forts du Québec avaient eu raison de champions canadiens aussi redoutables que Jessen Paulin, titulaire du North America's Strongest Man en 2008, ou de médaillés américains comme Chad Coy ou Ricky La Rocca.

Le succès de cette septième édition était total. Le public ne s'était pas laissé distraire par la polémique entourant la programmation des spectacles érotiques qui débutaient à l'instant sous le grand chapiteau. En dépit de la chaleur étouffante, les amateurs faisaient la queue en tripotant la pièce de deux dollars qu'on exigeait d'eux pour assister à la représentation.

Les mains dans les poches, le conseiller municipal Gilles Bérubé observait la scène en savourant sa victoire. Les fauteuses de troubles du Comité d'action citoyenne avaient perdu. Il rajusta sur son crâne dégarni sa casquette arborant le logo du festival, fit quelques pas vers la grande tente, puis s'arrêta. Allait-on lui faire payer son entrée? La situation était embarrassante. Il avait tellement défendu cette activité qu'il se devait d'aller jusqu'au bout. Quelle attitude afficher? Son regard sur les combattantes serait scruté à la loupe. Peut-être le prendrait-on en photo?

***

À quelques mètres de là, dans le stationnement, la sergente Judith Allison saisit un des dépliants que le groupe de protestataires avait posés sur les pare-brise. Elle poussa un cri qui fit réagir son collègue. Ce n'était pas du tout le pamphlet qu'Élise Provencher lui avait remis plus tôt dans la journée.

L'agent Carl Gadbois retira ses verres fumés pour mieux lire le grand titre : « Et si c'était ta femme... ta fille... » La tête des lutteuses avait été remplacée par le visage de la femme du conseiller municipal et celui d'une jeune ado qu'on devinait être sa fille. Dans un coin, Gilles Bérubé jouait le rôle de l'arbitre.

Judith donna immédiatement l'ordre aux deux autres agents qui les accompagnaient de retirer les tracts coincés sous les essuie-glaces. Durant la demi-heure qui suivit, elle négocia avec la responsable de la manifestation, une certaine Marie Dufour, pour qu'elle persuade les manifestantes de rentrer chez elles. Elles s'en étaient prises à la personne d'un homme public et les forces de l'ordre étaient en droit de penser que leurs intentions représentaient une menace au déroulement des activités. On lui obéit sans broncher. Carl semblait plutôt se marrer.

— Le montage du feuillet est quand même réussi, commenta-t-il en cherchant une poubelle pour y jeter son verre de bière.

— Tu les as laissé faire sans prendre la peine d'examiner les dépliants, lui reprocha Judith.

— Je ne pouvais quand même pas les leur enlever des mains. M'as-tu vu l'air? fit-il en écartant les bras.

Avec son bermuda et son polo rayé, il arborait l'allure du parfait vacancier. On leur avait demandé de se présenter en tenue civile pour ne pas effaroucher la clientèle du festival.

— La bière était de trop, grogna Judith.

— Voyons, Judith! Relaxe! On est en vacances dans une couple d'heures. *Slaque* un peu, dit-il en l'entraînant vers la tente. Après, on se tape l'hommage à AC/DC.

Judith lui rendit son sourire. Carl n'avait pas tort. En vérité, elle était surtout préoccupée par Élise, qu'elle n'avait pas encore aperçue. Sa voisine lui avait-elle remis un faux dépliant pour la tromper? Le Comité d'action citoyenne avait-il prévu d'autres offensives-surprises? Il était déjà 20 h 15. Le combat des femmes allait commencer.

— Allons-y, répliqua Judith. Je te rappelle que ta *job*, c'est de regarder la foule, pas les pitounes en bikini.

— *Yes, boss!*

Ils se faufilèrent à l'intérieur du chapiteau. Carl prit place près de l'entrée, alors que Judith se dirigea vers l'autre extrémité de la tente. Sous la grande toile blanche, des centaines de spectateurs remplissaient les gradins. «On dirait un cirque», pensa-t-elle. Au milieu de la piste se trouvait une piscine gonflable jaune canari à peine plus grande qu'une pataugeuse d'enfant. La quantité d'huile dont elle était remplie la surprit. Elle s'était toujours imaginé que les femmes s'enduisaient le corps d'un produit crémeux comme à la plage. Les combattantes allaient se vautrer dans ce liquide visqueux et s'en prendre plein les yeux et les cheveux.

Judith balaya la scène du regard. Chaque candidate attendait le signal de départ dans son coin de l'arène miniature, les poings sur les hanches, l'air défiant. Sans réussir à duper qui que ce soit, toutes deux promettaient au public un match redoutable. Leur costume de scène trahissait leur complicité. Elles portaient le même type de culotte bikini et un haut de plage très court, plutôt ample, facile à enlever. Le scénario était prévisible : le bas résisterait à leurs empoignades, mais le soutien-gorge prendrait le bord à la première occasion. L'arbitre apparut, complètement ridicule dans son accoutrement à la Elvis Gratton. Le cri strident d'un sifflet déchira l'ambiance surchauffée. Le combat débuta.

Soudain, Judith repéra les militantes dans l'assistance. Elles étaient quatre. Les seules à ne pas rire. Parmi elles, Élise Provencher. La femme enceinte jouait avec le bouton de sa chemise. Qu'est-ce qu'elle pouvait bien cacher sous ses vêtements ?

Les cris de la foule ramenèrent un instant l'attention de Judith sur le combat en cours. La noiraude, à cheval sur son adversaire, lui talochait sensuellement les fesses. L'autre choisit cet instant pour la faire basculer et l'étrangler de ses larges cuisses. D'un solide coup de reins, la femme immobilisée attrapa la tête de sa rivale qu'elle coinça dans son entrejambe. Ainsi prises l'une dans l'autre, face contre sexe, les deux filles tressautaient dans leur mare d'huile comme des truites privées d'eau.

Judith reporta son regard sur les quatre femmes. Élise avait disparu. Les trois autres se ruaient vers la sortie. Judith chercha Carl des yeux. Il se pressait vers le siège, un peu à l'écart, du conseiller Gilles Bérubé et tentait de l'atteindre avant le trio des manifestantes. Judith était trop loin pour intervenir. Sous les cris de l'auditoire qui encourageait les deux lutteuses à s'arracher ce qui leur restait de vêtements, elle se tailla un chemin dans la cohue.

Ils arrivèrent trop tard. Les femmes s'étaient faufilées derrière l'estrade. Gilles Bérubé resta figé, incapable de comprendre ce qui venait de se produire.

— Je suis la sergente Allison, du Service des enquêtes de la police régionale d'Arthabaska. Voici l'agent Carl Gadbois. Vous n'avez rien?

Pour toute réponse, l'homme baissa les yeux vers son pantalon. Un liquide blanchâtre qui dégageait une fétide odeur de mélange à crêpes en tachait la fourche.

— La salope! Elle a même eu l'effronterie de me dire «excusez-moi». J'ai pensé que c'était de la bière, ragea Bérubé.

— On peut vous escorter jusque chez vous, lui offrit Carl.

— Elles ne m'auront pas! J'ai payé ma place, je vais rester jusqu'à la fin.

Il reporta son regard méprisant sur Judith.

— Va me chercher une guenille, pis je vais être correct.

Judith se défila de la commission, plus dégoûtée de l'attitude de Bérubé que du spectacle qu'elle venait de se taper. Elle remonta à Tingwick avec un des agents qui les accompagnaient. Lorsque Carl Gadbois revint sous la tente avec le premier torchon qu'il avait trouvé, le deuxième programme de la soirée, «le spécial pour dames», débutait.

7

Le crépuscule tombait lorsqu'ils s'étaient mis en route. Le thermomètre de la voiture indiquait 80 degrés Fahrenheit, en cette soirée à peine rafraîchie par une légère brise du nord. Ken McLunnan savourait son bonheur. Son travail lui réservait parfois des moments agréables comme celui-ci. Sans lui demander son avis, sa vieille amie, la shérif Brenda Mitchell, avait baissé le toit ouvrant de sa Cherokee et conduisait sa jeep comme elle serait montée à cheval, avec fougue. Il s'agrippa à la barre de soutien. Brenda n'avait pas eu de difficulté à le convaincre. Pourquoi tenir leur réunion dans son bureau ? Elle connaissait un bien meilleur endroit. Newport était une petite ville du Vermont et son poste de police, proportionnel au faible nombre de citoyens qu'il desservait. Brenda y dirigeait une équipe réduite de policiers, aussi pouvait-elle aller et venir comme elle l'entendait. Elle aimait son coin de pays, le Northeast Kingdom, cette pointe du Vermont oubliée, au nord des États-Unis. Elle en connaissait les moindres recoins et elle y resterait en poste tant que sa santé le lui permettrait. C'est du moins ce qu'elle racontait à McLunnan en conduisant trop vite sur la Boar Road à Barton, une route que les inondations d'avril avaient crevée en plusieurs endroits.

— Moi non plus, je ne me vois pas ailleurs qu'à Augusta, renchérit le vieil homme. Avec le temps, tu fais partie du paysage.

— Justement, avec la réforme, ils veulent favoriser la rotation, éviter qu'on s'ancre. Ils redoutent qu'à force de côtoyer le même monde, on devienne trop « compréhensifs ».

— Trop mous ! s'exclama McLunnan en encaissant les soubresauts du chemin cahoteux. C'est quand tu connais ton terrain comme le fond de ta cour que tu sais où fouiller. Chaque crime a sa couleur. Le danger, c'est ailleurs que je le vois.

Il laissa volontairement sa phrase en suspens. Il savait que sa collègue se retournerait vers lui, intriguée. Ses yeux. Déjà il s'ennuyait de ses yeux.

— Où ça le danger, Kenny *dear*? fit-elle en le défiant avec un air faussement boudeur.

Il adorait ses expressions faciales. Il y avait tant de chaleur dans sa façon de communiquer. Il était si terne à côté d'elle.

— Les enquêtes deviennent trop routinières. La paresse s'installe, tu perds ton flair. Les petits voleurs, tu les vois venir. Tu les a vus grandir, à la garderie, à la petite école. Ça commence par une bicyclette, un carton de cigarettes à la pharmacie, ça finit par une remise défoncée. Tu attends. Tu suis leur trace, la même que celle de leurs parents, de leurs grands frères.

— Il n'y a pas de filles dans ton histoire ? demanda-t-elle en donnant un coup de volant pour éviter un nid-de-poule.

— De plus en plus, répliqua McLunnan, crispé sur son siège. Des filles et des jeunes, de plus en plus jeunes, mais toujours les mêmes scénarios.

Brenda éclata d'un grand rire chantant.

— Tu es déçu de nos petits bandits américains ? Tu trouves qu'ils manquent d'imagination ?

McLunnan rit à son tour.

— Ou c'est moi qui finis par en manquer.

La curiosité était la force de McLunnan. Les voies pour dénouer l'énigme des crimes étaient multiples. Le jeu infini de probabilités lui avait appris à s'aventurer là où ses collègues refusaient souvent de le suivre.

Mais depuis trois ans, pour retrouver la jeune Stella, un seul tunnel s'était ouvert à lui, et il était noir et froid. Il refusait d'y poser le pied, attendant toujours qu'une autre piste se dessine et le délivre de son macabre pressentiment.

Il y avait quelques jours, ce signe était venu. Un enfant avait reconnu le portrait de la jeune disparue sur une pinte de lait. Son chef de département ne prêtait pas grand foi à ce signalement. Que valait le témoignage d'un jeune handicapé, autiste de surcroît ? Pouvait-il seulement s'exprimer clairement ?

Brenda, elle, l'avait écouté sans juger. Elle lui avait offert son aide pour l'entrevue avec la mère et le fils. McLunnan avait peur d'effrayer l'enfant. Il se savait intimidant avec son teint rougeaud et ses six pieds bien enrobés. Il ne fallait surtout pas brûler le mince fil qui pourrait faire sortir de l'ombre la jeune Stella.

En débouchant au bout de Stevens Road, ils aperçurent enfin une maison blanche arborant une enseigne défraîchie : Lake Parker Country Store.

— Tu ne m'avais pas parlé d'un restaurant ? s'inquiéta McLunnan, dont le ventre gargouillait.

— Il est à l'arrière du magasin général, lui apprit Brenda en se garant devant la pompe à essence.

Dès que le moteur cessa de tourner, l'odeur de purin les prit à la gorge.

— Mmm, c'est parfait pour se mettre en appétit, ironisa Brenda.

Les deux policiers se dirigèrent vers la porte latérale qui s'ouvrait sur le restaurant Pork and Pine Pizza. À leur entrée, le babillement des clients dispersés autour des longues tables de réfectoire baissa d'un cran. Un grand barbu en profita pour s'esquiver par la sortie arrière. Les autres prirent le risque de finir leur bière. Jerry, le propriétaire, offrait une sélection très prisée et son houblon n'était pas bon marché.

Lorsque sa collègue se dirigea vers le cuisinier pour commander leur pizza, Ken McLunnan put la reluquer à son aise. Il détailla sa courte silhouette jupée accotée au comptoir et se sentit ému. Ces mêmes belles rondeurs l'avaient séduit une vingtaine d'années plus tôt. Malgré la cinquantaine avancée, Brenda n'avait rien perdu de son charme. Au contraire, son assurance lui prodiguait un insidieux pouvoir de séduction et McLunnan était seul, à deux pas de la retraite, dans le dernier chapitre d'une vie où son corps avait connu trop peu de joie.

Ce n'est qu'une fois leurs huit pointes avalées qu'ils se remirent en mode travail. McLunnan sortit son calepin et sa plume, dont l'encre avait coulé sur la poche de sa chemise. Une marque indélébile, l'insigne de son célibat.

— Tu n'auras pas besoin de rencontrer l'enfant. J'ai déjà tout ici, l'informa Brenda en lui tendant un CD. Si tu n'as pas de lecteur, on peut passer à la maison.

McLunnan lui décocha un regard glacial. Un coup de sang l'empêcha de saisir l'invitation tant espérée qui venait de lui être lancée.

— Quoi ? Tu as déjà interrogé le garçon ?

— Et sa mère...

Le shérif serra les dents. Brenda se pencha vers lui.

— Ne fais pas cette tête-là ! Il n'y avait rien de bien sorcier. Le jeune a vu notre petite Stella, enfin celle qu'il croit être Stella Cousineau, au spectacle du Bread and Puppet Theater, l'an dernier. Ta dompteuse de lions, c'est une actrice. La troupe joue demain à 15 h, en plein air, pas loin d'ici. On va aller dans les coulisses se farcir quelques acteurs pour se renseigner.

McLunnan était hors de lui. Il n'arrivait pas à mettre le doigt sur ce qui le choquait. Était-ce d'entendre le nom de Stella dans la bouche de son interlocutrice comme si la jeune fille était devenue tout à coup « sa » protégée ?

— Excuse-moi, Ken, j'ai voulu te sauver du temps, tempéra Brenda, qui avait noté le désarroi de son compagnon. Le témoin est sous ma juridiction, j'ai simplement procédé.

— J'aurais aimé être là. C'est un moment important, que j'attends depuis trois ans.

— Je comprends. Excuse-moi encore, murmura-t-elle en lui prenant les mains.

Le geste fit rigoler le couple de jeunes à la table voisine et rajouta une couche au malaise de McLunnan. L'envie de pisser le tira d'embarras. Il se dégagea avec brusquerie de la douce étreinte de sa compagne.

— Les toilettes sont là-bas, j'imagine, grommela-t-il en s'esquivant.

Brenda en profita pour régler la facture et sortir. McLunnan la rejoignit quelques minutes plus tard. Il avait pu retrouver la maîtrise de ses émotions et se retrancher derrière un air impassible. Sa collègue l'attendait, appuyée sur la Cherokee, les bras croisés.

La peine qu'elle venait de lui causer avait ramolli ses ardeurs et dégonflé le peu de courage qu'il avait déterré pour l'inviter à prendre un verre.

— J'ai un budget, je vais payer pour le souper, offrit-il en sortant un vingt dollars de son portefeuille.

— Laisse faire. Je t'invite.

— Tu essaies de te racheter.

Brenda s'avança vers lui et lui tapota maladroitement le bras.

— Peut-être. Ken… si j'avais su que tu y tenais à ce point-là, jamais je n'aurais osé.

La nuit était tombée, mais la chaleur demeurait suspendue dans l'air comme les dernières bribes de leur conversation.

— Monte, dit-elle. Je vais aller te reconduire. On a une grosse journée demain.

8

Le gradin de métal où était juchée Gisèle Houle lui
sciait les fesses. Les deux dernières heures du spectacle
avaient été pénibles : le combat des femmes dans l'huile
avait été suivi du numéro de danseurs nus. Aucune brise
ne pénétrait dans l'espace étouffant de la grande tente.
Gisèle avait si chaud qu'elle n'arrivait plus à penser clairement. Quel prétexte pourrait-elle inventer pour semer
ses collègues et retourner à la maison ? Elle s'en voulait
de s'être laissé entraîner dans cette foire où les gens se
comportaient comme des animaux. Les rires de la foule
la ramenaient brutalement à sa solitude. Elle n'était pas
comme eux.

Elle haïssait attirer l'attention sur sa personne. Plus
tôt, durant le numéro érotique destiné aux dames, elle
avait croulé de honte. Attiré par les simagrées de Céline,
le beau Jimmy s'était dirigé vers leur trio. Sourde à ses
protestations, sa compagne avait dansé, debout sur son
siège, au son de la musique techno, avec le candidat
d'*Occupation Double*. Quand ce dernier avait fait glisser
le long de ses cuisses ce qui lui servait de short, Céline
avait éjecté un slip de dentelle de son jeans. Sous les

encouragements de la foule, elle avait continué son faux strip-tease en extirpant un soutien-gorge de son t-shirt. Humant les sous-vêtements féminins qu'on lui avait lancés à la figure, la vedette s'était déchaînée devant elles.

Tout cela était dégoûtant. On l'attendait à la maison. Heureusement, le spectacle tirait à sa fin. Il ne restait que quelques affrontements entre des lutteuses amateurs. Des gens se levaient. Gisèle voulut profiter de l'entracte pour s'esquiver.

— Où tu penses que tu t'en vas? la héla Annie en lui bloquant le passage.

— Je suis vraiment fatiguée, je dois rentrer.

— Tu ne te coucheras quand même pas à 10 heures le jour de ta fête, renchérit Céline. Ton mari s'occupe de la petite, et nous on s'occupe de toi.

Annie la gronda d'un air sévère.

— La compétition va commencer, ce sont des filles du coin. Allez, assis-toi. Après, on va aller boire un verre.

Gisèle se sentit prise au piège. Ses compagnes ne cherchaient pas à lui faire plaisir. Une autre partie se jouait. On lui faisait payer quelque chose. Quoi? Son attitude trop sage? On lui en voulait de ne pas joindre sa voix au chœur de commérages contre la clientèle qui fréquentait le Vestiaire. De ne pas approuver les petits vols quotidiens quand le matériel donné était trop beau. Leur maigre salaire justifiait bien quelques petits écarts. Gisèle s'était toujours tenue en dehors de leurs combines. Elle avait la sienne et opérait seule, cela lui suffisait. Lui en voulait-on pour la menace qu'elle représentait?

Résignée, elle reprit sa place.

Au centre de la piste, deux jeunes femmes s'avançaient. La première, une jolie brune, parada en décrivant un large demi-cercle. Sûre d'elle, elle se déhanchait, bravant l'assistance de ses longs bras musclés et ses grandes jambes effilées. Une habituée des clubs culturistes de la région. Aux encouragements soutenus de l'auditoire, on devinait la présence de son fan-club.

Les applaudissements firent place à un murmure hésitant lorsque sa rivale fut présentée. Une maigrichonne, dont le mince bikini camouflait peu d'attraits. Sa démarche claudicante trahissait un état d'ivresse avancé. Au lieu de la pitié, le public opta pour le mépris. On n'avait pas le droit de leur mettre sous le nez la misère humaine qui se cachait derrière cette course à l'argent.

Sous les huées de la foule, Charlaine Blondin fit quelques pas. Au lieu de l'abattre, cette hostilité lui fit gonfler les flancs. Elle était prête à mordre.

À peine Céline et Annie reconnurent-elles la jeune cliente de leur friperie qu'un haut-le-cœur irrépressible força la fuite de Gisèle Houle aux toilettes.

9

Les cloches résonnèrent dans le cerveau embrouillé de Charlaine Blondin. Elle s'enterra sous ses deux oreillers en maudissant son choix de s'être installée dans un appartement si près de l'église. De toute façon, elle déménagerait bientôt. Pour la nième fois. Elle s'esquiverait en douce sans payer le loyer. Pas question de verser à son rat de propriétaire les quelques dollars qu'elle avait gagnés la veille au prix d'une humiliation sans nom. Comme un appel, le carillon reprit de plus belle. Malgré ses tempes qui bourdonnaient, Charlaine réussit à se lever pour aller fermer la fenêtre.

En faisant coulisser la vitre, un vague souvenir prit forme dans son esprit. Sa voiture ? Comment était-elle remontée jusqu'à Tingwick ? Avait-elle pris le risque de conduire ? Elle écarta le drapeau du Québec qui lui servait de rideau. Son auto était bien dans le stationnement. Quelqu'un avait dû la ramener. Bigfoot sans doute. Était-il resté à dormir ? Cela n'était pas important. Elle avait empoché le magot, voilà tout ce qui comptait. Elle se précipita sur son jeans et fouilla avec empressement dans sa poche arrière. Deux cent vingt

57

dollars. Elle se mordit les lèvres. Elle avait flambé plus de la moitié de son gain. Le tournis la fit chanceler et l'obligea à s'étendre. Elle se recroquevilla en gémissant sous sa couverture. Dormir. Dormir toute la journée. Le silence enfin dans la chambre.

Pendant qu'elle sombrait dans les vapeurs de l'inanition, une alarme sourde se mit à battre comme un tambour dans son ventre. Un son de l'intérieur lui monta jusqu'à la gorge. Le grondement de la peur. La messe. La messe avait sonné 10 h. Il était 10 h du matin! Lucas. Le silence résonna en elle comme un tonnerre. Elle poussa un cri qui ne réussit pas à anesthésier la douleur qui lui déchirait la tête.

10

Assis en plein champ, sous un soleil de plomb, Ken McLunnan peinait à se trouver une position confortable. Son uniforme le gênait. Une tenue plus discrète aurait été plus appropriée. Rayonnante dans son pantalon de lin et son ample blouse vert pomme qui mettait en valeur les rousseurs de sa peau laiteuse, la shérif Mitchell se fondait sans problème dans la foule aux habits bigarrés qui était venue assister nombreuse au spectacle du Bread and Puppet Theater.

Jusqu'ici, aucune comédienne répondant au signalement de Stella n'était apparue dans les parodiques numéros de cirque qui s'enchaînaient. Le rire de Brenda fit tourner la tête à McLunnan. Une fois de plus, il fut renversé par sa beauté. Prise comme une enfant par le feu roulant du spectacle, elle avait baissé sa garde. De sa position légèrement en retrait, McLunnan pouvait l'observer à son aise. Ses yeux. Rivés à la scène comique qui se jouait, ils laissaient transparaître toute la candeur de la jeune femme qu'il avait jadis tellement aimée. Il n'eut pas le temps de regretter les rapprochements ratés de la veille que Brenda agrippa sa main. Lorsqu'elle se

59

retourna vers lui, c'est le regard affûté de l'enquêtrice qu'il rencontra.

— Les lions !

Il se concentra sur le numéro qui débutait. Ce n'était pas des lions, plutôt un cortège de comédiens en costume de tigres qu'il vit déambuler. Est-ce que le jeune Derek s'était mépris ou s'agissait-il d'un autre sketch ? Il était peu probable que la troupe reprenne les mêmes scènes d'une année à l'autre. Lorsque le maître de cérémonie annonça en grande pompe l'entrée de la dompteuse, McLunnan cessa de respirer.

Il pria Dieu, lui offrit les trois années d'efforts qu'il avait mises dans cette enquête et rajouta dans la balance toute la peine de la mère dont l'âme avait disparu en même temps que son enfant. Il espéra un miracle. Le seul qu'il eût jamais quémandé en trente-cinq ans de service. Les choses pouvaient-elles être aussi simples ?

***

Le retour au bureau de police de Newport fut lourd. Affalé à la table de la cafétéria, McLunnan égrainait les restes d'un muffin, complètement sonné par les quelques renseignements qu'ils avaient soutirés aux comédiens. Il n'avait pas dit un mot depuis qu'ils avaient quitté Glover.

— Tu ne vas pas baisser les bras maintenant, fit Brenda en s'assoyant près de lui. Ce qu'on a trouvé...

— Qu'est-ce qu'on a trouvé ?

McLunnan lui avait coupé la parole. Il était brutal, mais sa déception l'était davantage.

— On n'a rien, balaya-t-il, geste à l'appui. Elle aurait travaillé avec l'équipe de théâtre jusqu'à l'an dernier. Ils ne l'ont jamais revue. Disparue. Encore disparue.

Il prit une gorgée de café qui lui brûla la langue, puis repoussa sa boisson en grimaçant. Il en voulait à Dieu. Pourquoi ne l'avait-il pas écouté ? Il avait joué sa foi, misé sur un miracle boni, et comme un mauvais joueur, il avait perdu.

— J'ai souvent collaboré avec la SQ à Montréal, glissa délicatement Brenda en se penchant vers lui. Je peux m'occuper de leur transmettre le rapport.

— Si tu veux.

Son ton détaché exaspéra sa collègue. Elle fit tinter sa cuillère contre la porcelaine de sa soucoupe.

— Tu n'as pas l'air de croire qu'elle puisse être au Canada !

— Peut-être.

Le silence retomba entre eux, lourd comme une pierre. En signal de son départ, McLunnan enfila sa veste. Sans rien ajouter, Brenda alla le reconduire à sa voiture, dans le stationnement.

En ouvrant la portière, le shérif ne trouva pas les mots. Des années de solitude l'avaient conditionné à taire ses idées sombres. Comment formuler son sentiment de défaite ? Tous les comédiens interrogés corroboraient la même version des faits : Stella avait quitté la troupe il y avait près d'un an et demi, lors d'une tournée à Montréal. Elle avait donc réussi à passer la frontière sans être signalée au registre des mineures disparues. Elle vivait clandestinement hors des États-Unis, probablement sous un nom d'emprunt. La retrouver serait très difficile, voire impossible. L'enquête venait de se terminer pour lui.

— Tu ramènes au moins une bonne nouvelle à la famille, insista Brenda en tentant de lui arracher un regard.

— Ah oui ? Laquelle ?

D'un geste qu'il ne vit pas venir, elle l'empoigna par le collet et l'obligea à la regarder. Deux grands yeux verts l'attaquèrent.

— *Fuck*, Ken ! Arrête de penser à toi ! La petite a quand même été vue plus d'un an après sa disparition. En vie ! En pleine forme ! Heureuse ! Si elle n'a pas fait signe à sa mère quand elle était dans l'État voisin, c'est bien possible qu'elle continue de se faire discrète au Québec. Elle a quoi maintenant ? Dix-neuf ans ?

La colère avait rosi les joues de Brenda. Ken éclata.

— J'ai juré à la mère de lui ramener sa fille. Je ne peux pas échapper à ma promesse. Le père de Stella était policier. C'était… quelqu'un de chez nous.

L'aveu lui avait échappé. Des images de la petite le submergèrent. Depuis le décès de son ami, il avait toujours été là pour Stella. Brenda eut un geste de tendresse qu'il esquiva en se glissant derrière son volant. La moue boudeuse, elle fit claquer la portière et ondula du bassin en regagnant son bureau. McLunnan donna un coup sur le volant. Sa collègue ne lui reprochait pas seulement son apitoiement sur lui-même, mais sa froideur. Elle avait raison. C'était bête de se quitter ainsi après s'être perdus de vue si longtemps.

11

Judith avait bu trop vite. La tête lui tournait. Pour reprendre ses esprits, elle plongea dans la piscine sous les cris admiratifs des invités qui grelottaient. Cette diversion alimenta la conversation qui s'essoufflait depuis le dessert. La mousse aux fraises concoctée par Élise Provencher avait donné lieu à quelques échanges de recettes, mais depuis, rien d'intéressant n'émergeait de la réunion de cette dizaine de voisins disparates qui n'avaient en commun que d'habiter la même rue.

Au cours du souper, chacun s'était trouvé un rôle dans le groupe. Jean-Guy, un barbu d'un âge indéfinissable qui gagnait sa vie en gardant des déficients intellectuels chez lui, écoutait sans dire un mot. Hector, retraité d'Hydro-Québec, menait le bal en jetant en pâture aux convives des anecdotes de la place. Et un peu à l'écart pavoisait le beau Philippe au teint brûlé par le soleil, comme l'est celui de tous les agriculteurs en pleine saison des récoltes. Ses terres commençaient là où la rue Sainte-Marie devenait le chemin Craig. Judith l'avait déjà vu s'affairer autour de son étable, au petit matin, alors qu'elle faisait son jogging.

De la galerie, Élise claironna qu'un digestif-surprise les attendait au salon. Tout le monde s'y rendit en plaisantant. Judith sortit de la piscine en cherchant sa serviette. Philippe s'approcha d'elle et lui tendit un linge sec qu'il enroula autour de ses épaules.

— Tu n'es pas frileuse, commenta-t-il de sa voix grave.

Judith ne trouva rien à répondre, trop remuée par l'odeur épicée de l'homme près d'elle. Sa chaleur. Ne pas penser. Elle s'éloigna de quelques pas pour conjurer le désir qui la tenaillait. Cela devenait insoutenable. Il faudrait rappeler Marc ou Paul Décotret, son dernier amant.

— Je ne suis pas certain de rester, ajouta l'agriculteur. Ma sœur m'a tiré l'oreille pour que je passe faire un tour, mais les foins n'attendent pas.

Élise avait mentionné que son frère était marié. Pourquoi sa femme ne l'accompagnait-elle pas ?

— Je ne veillerai pas tard non plus, renchérit Judith.

— Je suis à pied. On peut faire un bout de chemin ensemble.

Judith surprit le regard de Philippe qui lui détaillait les jambes. La partie qui débutait serait difficile à stopper.

— Je ne crains pas grand-chose à Tingwick, même en circulant de nuit en maillot de bain, brava-t-elle.

— Je parlais de moi. J'*filerais* plus *sécure* si je me faisais escorter par une police, précisa-t-il en lâchant un rire sonore.

Judith s'esclaffa à son tour. D'autres rires fusèrent de la maison. Ils gagnèrent la galerie, là où la fenêtre du salon était ouverte. Judith se colla le front sur la moustiquaire pour mieux voir le film qu'Élise projetait à la télévision depuis son iPhone. On aurait dit une vidéo porno avec des vedettes amateurs. La scène la dégoûta.

Philippe, qui se tenait derrière, se pressa contre elle. Les lutteuses à moitié nues lui faisaient de l'effet.

C'était inévitable : Judith se retrouva chez elle, une quinzaine de minutes plus tard, avec un homme dans son salon. La pièce en rénovation n'était éclairée que par un faible jet de lumière provenant du lampadaire de la cour d'en face. Judith savoura des yeux comme des mains le corps parfait de son compagnon. Un ours qui allait la dévorer en moins de deux. Aucun mot, que des gestes courts depuis leur départ de chez Élise. Comme une chorégraphie longuement répétée. Un enchaînement de mouvements si faciles. Marcher, ouvrir la porte, verrouiller, fermer les interrupteurs, déboutonner la chemise, faire glisser la serviette puis la bretelle du costume de bain, dégrafer le pantalon, tomber sur le divan, s'abandonner.

Perséides et Lucas

12

La sonnerie de son cellulaire tira Judith d'un sommeil profond. Où l'avait-elle foutu ? Elle se força à ouvrir les yeux. Il y avait longtemps qu'elle n'avait aussi mal dormi. Sa baise de la veille ne lui avait procuré aucune satisfaction. Comme un voleur, l'homme avait pris son plaisir avant de déguerpir. Regrettant sa gaffe, elle n'avait pas insisté. En plus d'être marié, Philippe était le frère d'Élise, ce qui compliquait sérieusement les choses. Une nouvelle amie déjà trahie. Judith mit enfin la main sur son téléphone. Il avait malencontreusement glissé sous le lit.

— Oui, répondit-elle, la bouche pâteuse.

— C'est moi, dit Carl de sa voix des mauvais jours. Finies les vacances. On vient de trouver des restes humains. Tiens-toi prête, je passe te prendre.

— Qui ? Où ? demanda Judith en sautant du lit.

Elle écouta la réponse en cherchant des sousvêtements propres dans ses tiroirs.

— Un tas d'ossements près d'une cabane à sucre. Au camp Beauséjour, sur le terrain des Frères du Sacré-Cœur, à Saints-Martyrs-Canadiens.

Judith repéra mentalement l'endroit. Le lac Sunday était un de ses lieux de prédilection. Un sentier y menait à une sucrerie délaissée.

— J'arrive.

— Je suis devant ta porte.

— Laisse-moi au moins le temps de m'habiller.

— Si tu as besoin d'aide…

Judith raccrocha. Elle enfila l'ensemble sport qu'elle avait porté quelques heures, la veille. La blouse, transportée en ballot, était froissée. Elle attrapa une banane et une barre tendre, puis griffonna à la hâte un mot pour son père qui se pointerait pour poursuivre le décapage du plancher. Elle écarta les rideaux du salon et vit Carl dans l'auto-patrouille. La glace était brisée. D'ici la fin de la journée, tout le village saurait qu'elle travaillait pour la police régionale d'Arthabaska. Avant de franchir la porte, Judith s'attacha les cheveux. Elle était excitée. Une nouvelle enquête. Depuis deux ans, rien de majeur ne s'était produit dans le coin. Elle se sentit en vie. Tant pis pour ses vacances. Elle n'avait rien prévu de toute façon.

Une fois en route, elle étouffa un cri qui surprit Carl.

— J'ai oublié quelque chose, se justifia-t-elle.

— Tu veux qu'on retourne ?

— Non, ce n'est pas la peine.

La tête que ferait son père lorsqu'il trouverait le condom usagé qui traînait sur le plancher du salon.

***

La route de terre que Judith et Carl avaient empruntée traversait l'érablière et débouchait sur l'immense lac Sunday, posé là comme un écrin au cœur du paysage. L'eau noire s'abreuvait des premiers rayons du soleil.

Le camp Beauséjour était désert. Des constructions en bois aux couleurs blanc et vert pin affichaient une mine défraîchie. Même les vestes de sauvetage, mises à sécher sur le bord de la clôture en cèdre, n'étaient plus réglementaires. Ce laisser-aller général témoignait du manque de relève dont souffraient les vieux frères du Sacré-Cœur. Cette désuétude avait son charme. Le visiteur éprouvait la sensation de plonger dans une autre époque.

Ils s'engagèrent vers l'accueil. Une seule voiture y était stationnée. Une Mercedes beige. En sortant de l'auto-patrouille, Judith reconnut le grand homme en veston-cravate qui venait à leur rencontre. Patrice Talbot. Un gars prétentieux avec qui elle avait fait ses études à la polyvalente Le Boisé. On lui voyait régulièrement la binette dans le journal local. Comme plusieurs de son espèce, il était de tous les galas caritatifs. Ces dernières années, il s'était associé à la campagne de financement de l'hôpital Hôtel-Dieu d'Arthabaska. Rien de surprenant pour qui connaissait ses intérêts dans le commerce de la mort. Son entreprise funéraire marchait à plein régime, surtout depuis la construction d'un crématorium à Plessisville, il y avait trois ans. Pour fidéliser ses futurs clients, Talbot avait aussi acquis la majorité des parts dans une société de condos de luxe pour personnes âgées, Les Villas Myosotis. Voilà l'homme que Judith avait devant les yeux. Elle s'expliqua mal sa présence si tôt le matin, en souliers vernis, au milieu des bois.

— Judith Allison, s'exclama-t-il d'entrée de jeu.

— Sergente Allison, rectifia-t-elle en serrant la main qu'il lui tendait avec enthousiasme.

On aurait dit des retrouvailles étudiantes. Rien n'évoquait la macabre découverte qu'il avait faite une demi-heure plus tôt.

— Voici l'agent Carl Gadbois. On nous a informés que c'était le frère Darveau qui était en charge des lieux. Il n'est pas avec vous ?

— Laisse tomber le « vous ». Ce n'est pas comme si on ne se connaissait pas. Le frère Darveau est en route. Il ne devrait pas tarder.

— Tu peux nous conduire au corps ? le pressa-t-elle. Les spécialistes de l'Identité judiciaire sont en route. Il faut d'abord sécuriser la scène.

— Bien sûr, Judith, répondit-il langoureusement en les invitant à le suivre.

Carl fit la grimace. Judith lui expliquerait plus tard.

La cabane à sucre était accessible en voiture, bien qu'à partir du poste d'accueil on puisse s'y rendre plus rapidement par le bois. Le trio emprunta donc le sentier qui longeait la rive du lac. Il mit une dizaine de minutes à atteindre le site. Patrice Talbot leur montra du doigt l'arrière du bâtiment, où s'empilaient deux cordes de bois. Carl et Judith passèrent devant. Après quelques pas, ils aperçurent la dépouille dissimulée derrière les rangées de rondins, enveloppée d'un linceul de feuilles mortes. Judith obligea Patrice Talbot à s'immobiliser.

— Vous… tu t'es approché ? s'inquiéta-t-elle.

— Pas plus près qu'ici, expliqua-t-il, l'air cireux. Lorsque j'ai aperçu les ossements, j'ai d'abord pensé à la carcasse d'un animal. Puis quand j'ai vu les cheveux…

Il se figea au milieu de sa phrase. Emporté par un haut-le-cœur, il s'éloigna pour se vider les boyaux. Judith se surprit qu'un homme qui côtoyait la mort au quotidien fût si ébranlé à la vue d'un cadavre.

— Je vais établir le périmètre, proposa Carl qui s'affairait à trouver des arbres pour fixer le ruban jaune.

Même si l'odeur qui se dégageait des restes humains n'était pas très prononcée, Judith s'approcha en pressant un mouchoir contre son nez. Elle photographia la scène d'horreur dans son esprit. L'état avancé de décomposition révélait une mort qui n'était pas récente. La peau du visage s'était momifiée dans un masque de cuir sombre, alors que le reste du corps avait été entièrement raclé par la faune nécrophage. Entremêlés aux branches, comme s'ils faisaient maintenant partie du paysage, de longs cheveux cuivrés laissaient supposer qu'il s'agissait d'une femme. Les maigres os de la dépouille avaient été grugés par les bêtes. Étonnamment, tous les membres semblaient en place, retenus par de minces tendons desséchés. De jeunes fougères vertes s'étaient taillé un passage entre le cou de la morte et sa tête inclinée. « La terre la reprend. Déjà », pensa Judith. Des morceaux de camisole noire et une jupe déchirée enveloppaient le squelette. Ils indiquaient un habillement léger, estival peut-être. L'enfoncement du corps dans le sol et l'état dégradé des vêtements témoignaient de l'hiver que la dépouille avait passé sous la neige. D'après les bestioles qui s'affairaient sur le cadavre, les analystes sauraient dire exactement à quand remontait la mort. Mort naturelle ou meurtre ? Difficile de trancher pour l'heure. Judith s'accroupit près du cadavre. Carl la vit faire.

— Si j'étais toi, je ne toucherais à rien. Mieux vaut attendre l'équipe de l'Identité judiciaire.

Judith ignora l'avertissement de son collègue et s'approcha, armée d'un bout de bois. Délicatement, elle tassa quelques feuilles mortes. Cela déclencha une envolée de mouches furieuses. Dans la cavité de l'abdomen, une masse informe bougeait au ralenti. Ce fut au tour de Judith d'être prise d'un étourdissement.

— On va encore nous reprocher de ne pas nous mêler de nos affaires, s'impatienta Carl.

— Je ne déplace rien. J'essaie simplement de voir si elle a été violentée.

— Par des carnivores oui, par quelqu'un, impossible de savoir.

Toujours accroupie, Judith s'imposa un dernier regard. Le ventre dévoré n'était plus qu'un magma grouillant d'insectes, d'œufs et de larves. Sur le sol, près des hanches du cadavre, quelque chose de brillant attira son attention. Elle enfila un gant stérile et saisit deux petits objets en argent qu'elle montra à Carl.

— Des bijoux ? fit-il interloqué.

— Le genre dont on se perce la peau, spécifia-t-elle en détaillant les tiges.

Avant de glisser la trouvaille dans sa poche, Judith croisa le regard de Carl. Cette fois, il ne désapprouva pas son geste.

— Je les apporte au bureau pour qu'Alain en photographie les motifs.

Après avoir averti le promoteur immobilier de retourner les attendre à l'accueil pour y faire sa déposition, Carl et Judith pénétrèrent dans la cabane à sucre. Elle était ouverte. Les éléments du décor semblaient à leur place : nappes à carreaux sur la grande table centrale, réfrigérateur débranché, divan défoncé dans un coin, recouvert d'une catalogne usée, barre neuve dans le porte-savon, détergent à vaisselle rose fluo. Aucun signe de bousculade. Les chaises crevées avaient été astiquées avec une ferveur que leur état ne méritait pas. Pour un site abandonné, l'endroit était très propre.

Quelque chose manquait au portrait que Judith se faisait d'une cabane à sucre. Elle n'arriva pas à trouver.

— Les frères, c'est comme des femmes, ils sont maniaques du ménage, commenta Carl en continuant d'inspecter les lieux. As-tu remarqué comment ils cordent leur bois ? Il n'y a pas un rondin qui dépasse.

Judith n'avait pas prêté attention à la réserve de bûches derrière laquelle était dissimulé le corps déchiqueté de la jeune inconnue. Les restes humains avaient occupé toute son attention. Réussir à assimiler tant d'horreur d'un seul coup était difficile. Des détails lui revinrent. L'absence de manteau et de souliers. La camisole. Une adolescente ? La taille fine du squelette et la longueur des cheveux le suggéraient. Pourtant, personne n'était porté disparu dans la région. Quelqu'un de l'extérieur, sans doute. Le registre provincial les en informerait.

Carl revint de la salle des chaudières, l'air décontenancé.

— Aussi net que le reste. Tout brille. Je pourrais me raser en me regardant dans le fond des *pannes* à sirop.

— Ils prennent soin de leurs vieilles affaires, admira Judith en ouvrant les armoires.

Là aussi, tout était méticuleusement rangé. Les assiettes, les tasses, mêmes les guenilles tachées, qui étaient pliées avec soin.

— Faudra demander qui s'occupe de l'entretien et à quand remonte la dernière visite des lieux, ajouta-t-elle.

Judith sortit à l'extérieur, suivie de près par Carl. Que pensait-il de la scène ? Les premières impressions étaient importantes. Elle adorait ces moments d'échange avec lui.

— De la façon dont le cadavre est dissimulé, les frères ont pu avoir accès à la cabane sans rien noter de particulier, commença Carl.

— Surtout si le cadavre a passé l'hiver sous la neige, renchérit Judith en frissonnant.

— Pour l'instant, rien ne nous laisse croire que la victime a mis les pieds à l'intérieur de la cabane à sucre.

— À moins qu'on ait fait disparaître les traces. Je veux rencontrer le frère concierge.

— Il se peut qu'on soit tout simplement venu se débarrasser du corps dans le bois, avança Carl en arpentant le chemin mal entretenu qui débouchait sur le site.

— Peut-être. Alors pourquoi si près du bâtiment? s'interrogea Judith.

— Parce qu'en voiture, la route s'arrête ici. On peut s'y rendre en empruntant le chemin principal.

— L'hiver, ce tronçon est fermé. La livraison remonterait à l'automne dernier? Ce n'est tout de même pas très prudent. Pour cacher le cadavre, je me serais rendue au milieu de la forêt.

— Un membre de la congrégation aurait trouvé un endroit plus sûr en traversant en chaloupe de l'autre côté du lac.

— Ta logique tient la route si on a cherché à faire disparaître le corps, relança Judith. Toutefois, le fait qu'il n'ait pas été mieux camouflé peut signifier que le meurtre n'a pas été prémédité. Un crime passionnel.

— Faut d'abord s'assurer que c'est un meurtre, admit Carl. Elle s'est peut-être fait attaquer par un ours. L'Identité judiciaire est en route. Je suggère qu'on retourne l'attendre à l'accueil.

Judith acquiesça sans pour autant favoriser la thèse d'une attaque par un animal. L'endroit racontait une tout autre histoire. En partant, l'enquêtrice se figea sur place. Quelque chose ne cadrait pas avec le lieu. Elle trouva enfin ce qui manquait à cette cabane à sucre pour la rendre réelle. Le grésillement de fond. Elle fit volte-face, retourna à l'intérieur, se précipita vers la grande fenêtre au-dessus de l'évier et, d'un geste brusque, tassa les rideaux fleuris. Aucune mouche morte dans les carreaux. Les bestioles en hibernation avaient été délogées.

Aucune mouche vivante dans la pièce. Judith revit la colonie d'insectes qui s'était envolée lorsqu'elle avait soulevé quelques feuilles mortes près du cadavre. En tant qu'enquêtrice, elle devait se comporter comme un asticot. Les premières réponses seraient inscrites dans la chair de la victime.

Dès que l'équipe technique se pointa, Judith suggéra à Carl de l'accompagner en ouvrant les oreilles sur toute remarque intéressante qu'il pourrait surprendre. Le rapport d'autopsie mettrait du temps à leur parvenir et ils devaient amorcer l'enquête avec un maximum d'indices. Au fond de sa poche, Judith palpa le sac de plastique contenant les bijoux trouvés près de la dépouille. Cette encoche à la procédure leur permettrait une légère avance.

La policière regagna la cafétéria où l'attendait le premier témoin. Cette enquête tombait mal. Qui s'occuperait de la conférence de presse, des journalistes, de choisir avec discernement l'information à laisser filtrer ? Métivier était en vacances. Aucun supérieur au bureau pour les guider avec recul. Les frères ne manqueraient pas de voir passer le fourgon de la morgue. Judith devait les avertir d'éviter les excursions dans le secteur.

***

Attablé dans un coin en retrait près du mur vitré de la grande cafétéria du bâtiment principal, Patrice Talbot attendait Judith devant deux tisanes à la menthe.

— Je ne bois plus de café depuis dix ans, commença-t-il comme s'il se vantait d'une médaille raflée dans un prestigieux tournoi. Je m'étais mis au thé, mais on ne soupçonne pas la quantité de caféine que ça contient. Selon certaines études, la mémoire...

77

Judith ne l'écoutait plus. Elle se rappela combien Talbot lui avait toujours paru ennuyant. À la polyvalente, toutes ses conversations se résumaient à des comptes rendus de livres de science-fiction. La façon dont il se complaisait dans la description interminable des détails était insupportable.

— On va y aller chronologiquement, attaqua-t-elle en sortant son iPad. Tu vas m'expliquer pourquoi tu t'es retrouvé ici ce matin et comment tu en es arrivé à découvrir la dépouille.

— À vos ordres, mon capitaine !

— Sergente, rectifia Judith.

— Écoute, j'avais affaire ici ce matin. Je suis un lève-tôt, donc...

— Quel genre d'affaire ? l'interrompit Judith.

— J'y arrive. Es-tu toujours aussi pressée ? susurra-t-il.

— Excuse-moi.

Elle porta la tisane à ses lèvres. Pour l'accompagner, il imita son geste, tétant sa boisson avec bruit.

— J'avais rendez-vous avec le frère Darveau. C'est lui qui s'occupe des affaires de la communauté. Quand je me suis pointé, on m'a informé qu'il serait en retard, un imprévu. J'ai décidé de faire une promenade. J'ai piqué vers la grotte. Je l'avais déjà visitée avec l'école quand j'étais jeune. Mais je me suis trompé de direction. J'ai abouti dans l'érablière. J'ai voulu examiner la cabane pour en évaluer la valeur. En m'approchant par-derrière, j'ai vu le corps près des cordes de bois. J'ai d'abord pensé que c'était un tas de guenilles...

— Tu m'as dit tantôt que tu as cru à une bête.

— C'est pareil, bafouilla-t-il, mécontent d'être repris.

— Je ne trouve pas.

— Ce que j'essaie d'expliquer, c'est que je n'ai jamais imaginé qu'il pouvait s'agir de quelqu'un. Des morts, j'en vois tous les jours qui, eux, sentent bon et sont pomponnés.

Il paraissait affecté. Judith réorienta l'entrevue.

— Tu lui voulais quoi, au frère Darveau?

— Ça regarde une transaction d'affaires. Je ne peux pas en parler.

— Ils veulent vendre, c'est ça?

— Ils y pensent, bredouilla-t-il en fuyant son regard.

— Et tu veux acheter pour en faire des résidences de luxe?

— L'idée n'est pas nouvelle.

Judith se souvint du tollé de critiques qu'avait provoqué la perspective de vendre le domaine du camp Beauséjour à un consortium de Saint-Jérôme, quelques années plus tôt. Le vaste terrain bordé par les Appalaches comportait trois faces de forêt vierge donnant sur le lac. Dans les années 70, le territoire avait été concédé à la congrégation par le gouvernement du Québec. Un paradis hors de prix que les frères n'avaient plus ni l'argent ni la force d'entretenir. À part un ou deux nouveaux venus, la moyenne d'âge de la congrégation frisait les soixante-dix ans. Les frères s'étaient résolus à se délester de ce fardeau. Des groupes communautaires, pour qui le site représentait un lieu de villégiature à bas prix pour les familles démunies, avaient vivement protesté. La Corporation des lacs et des rivières s'était jointe aux manifestants qui revendiquaient le droit de la population à un accès à l'eau. Judith avait suivi l'affaire de loin, trop occupée qu'elle était à terminer son cours de police à Nicolet. Et voilà que le grand insignifiant qui lui tombait sur les nerfs au secondaire s'amenait avec ses millions, ramassés sur le dos des vieux et des morts, pour s'approprier l'un des derniers lacs d'eau claire de la région. Judith se renfrogna.

— Es-tu entré dans la cabane ?

— Je ne m'y suis jamais rendu. Qu'est-ce que vous y avez vu ? L'arme du crime ? La victime a été assassinée, c'est ça ?

— Je ne peux rien te dire. Pas avant qu'on fasse un point de presse.

— Je comprends. Tu peux compter sur ma discrétion, chuchota-t-il en s'abaissant vers Judith.

— Merci, dit-elle en se levant.

— Attends, la retint Patrice en l'obligeant à se rasseoir. Ce ne sera pas long. C'est à propos des urnes volées.

Judith resta interloquée.

— Je ne vois pas de quoi tu parles. Quelles urnes ?

— L'an dernier, j'ai porté plainte pour deux urnes qu'on a dérobées à mon crématorium. J'ai téléphoné plusieurs fois. On m'a dit que l'affaire suivait son cours, puis je n'en ai jamais réentendu parler.

— On t'a volé des urnes ? répéta-t-elle, incrédule.

Talbot avait repris un ton sérieux. Cette affaire était pour lui de la plus haute importance.

— Oui. Je sais que ça peut paraître anodin, mais j'ai des comptes à rendre à mon client. Ce sont celles de sa fille et de sa petite-fille.

— En effet, ça peut représenter une certaine urgence, dit Judith sans conviction.

— Comme tu travailles au poste, j'aimerais que tu y jettes un œil. Simplement pour m'assurer que mon dossier n'a pas été égaré.

— J'y verrai, promit Judith.

Subrepticement, Patrice lui glissa sa carte.

— Dès que tu as des nouvelles, bonnes ou mauvaises, tu m'appelles, insista-t-il.

Aussitôt qu'il fut parti, Judith jeta sa carte dans le bac de récupération.

Une tablée de vieux frères sirotaient leur café en marmonnant des messes à voix basse. Dès que Judith s'approcha, ils se turent, comme pris en faute. Elle adressa sa question à la cantonade.

— L'entretien des bâtiments, est-ce qu'il y a quelqu'un en particulier qui s'en occupe?

Comme une délation, une dizaine d'yeux se tournèrent vers le comptoir de la cafétéria. Un homme dans la quarantaine s'affairait à y nettoyer les plaques. Judith prit un plateau et se pointa pour sa commande.

— Un œuf tourné, demanda-t-elle en inspectant les lieux aussi bien astiqués que la cabane.

— Pain brun ou blanc? lui offrit l'employé, visiblement contrarié d'avoir à rallumer ses fourneaux.

— Brun sans beurre, merci.

Dix minutes plus tard, un œuf graisseux atterrit dans son assiette, accompagné de deux immenses tranches de pain maison.

— Café? s'enquit l'homme en poinçonnant le 3,25 $ qu'il avait l'intention de lui facturer. C'est compris dans le déjeuner.

— Deux. L'un avec lait. L'autre, ça dépend si vous en prenez. J'aimerais le boire avec vous. Je suis la sergente-détective Judith Allison et j'aurais quelques questions à vous poser.

***

Martin Grimard, l'homme qui lui avait préparé son petit déjeuner, ne paraissait pas nerveux d'être interrogé par la police. Il se rendit disponible comme si cette procédure allait de soi.

— Vous travaillez ici depuis longtemps ? commença Judith en crevant son jaune avec un bout de pain.

C'était le moment qu'elle préférait. Elle ne se permettait jamais d'œufs, sauf au restaurant. Celui-ci était tourné à point.

— Depuis ma réinsertion, lui apprit-il en insistant sur le dernier mot.

Judith avala de travers. Martin continua sur sa lancée, fier d'avoir attiré son attention.

— Je ne m'en cache pas. Si vous ne le savez pas déjà, vous allez l'apprendre bientôt. Avec les ordinateurs, astheure, on trouve tout sur le monde. Ben oui… J'ai déjà fait de la prison. Des niaiseries de jeunesse.

Judith déposa sa fourchette et recula. Satisfait, Martin sourit. L'état lamentable de sa dentition laissait entrevoir le peu de soin qu'il accordait à sa personne. Ou était-ce l'effet insidieux de la pauvreté ? Il n'avait pas quitté son bonnet dont le coton blanc était taché. Sa peau luisait et la sueur s'accumulait dans les fines crevasses qu'avait tracées une acné mal guérie. Judith repoussa son assiette.

— Vos *toasts* doivent être froides. Je vous en apporte d'autres avec de la confiture.

Il tendit le bras pour la délester de son plateau. Judith le stoppa dans son élan.

— Non merci, je n'ai pas tellement faim, finalement.

Elle s'essuya la bouche pour masquer le rot qui remontait de son estomac. Après une gorgée de café tiède, elle poursuivit.

— Vous disiez que vous aviez trouvé un emploi ici en sortant de prison.

— Ça remonte à loin. Dix ans. C'était dans une autre vie. Ici, dans la nature, je suis bien. Je ne pense plus à mal. Y a juste du bon monde autour. Et y a le frère Darveau. Je l'appelle « mon père ». Il trouve ça drôle. Les autres laissent faire. Ils comprennent. C'est lui qui m'a sauvé. Il me fait confiance.

Martin Grimard déposa un énorme trousseau de clés sur la table. Plusieurs offraient une découpe semblable, sans point d'identification. L'homme devait les repérer selon leur ordre.

— On vous confie beaucoup de responsabilités, le flatta Judith en détaillant l'impressionnant jeu de clés.

— Comme vous dites.

Il prit chacune des clés entre ses doigts courts et énuméra la liste des bâtiments dont il avait la gestion.

— Celle-là, c'est celle de la chapelle, celle-ci, de la résidence principale, puis celle de la cafétéria, de la salle communautaire, des chalets, des deux remises, des...

— Et la cabane à sucre? demanda Judith en tentant de capter son regard.

Il répondit nerveusement.

— On ne l'a jamais cadenassée. Y a rien de valeur dans la bâtisse.

— Vous êtes en charge de ce lieu-là aussi?

— C'est fermé depuis trois ans. Personne n'y va.

Martin Grimard promena son regard partout dans la salle comme s'il cherchait quelqu'un des yeux. La horde de frères avait disparu. Ils étaient seuls.

— La dernière fois que vous y avez mis les pieds? insista Judith

— Je m'en souviens plus. J'y vais des fois pour voir si tout est correct.

— Et?

— Et quoi?

— Tout est toujours correct?

— Oui. Tout est toujours correct, gueula-t-il. Tout ce que je fais est « correct », O.K.? Je vous connais. Vous êtes tous pareils. Avec vos lois, vous voyez du mal partout. Dieu sait et Dieu pardonne. Il comprend. Lui seul peut juger. J'ai cru en lui, il croit en moi. Pour lui, ajouta-t-il en prenant le petit crucifix d'ébène qui lui pendait au cou, je suis devenu quelqu'un. Aujourd'hui, je m'occupe de tout le matériel : l'entretien des bâtiments, les commandes, les repas. Je n'ai rien à me reprocher. Mes comptes, c'est à lui que je les rends, conclut-il en pointant le Christ en croix qui dominait la cafétéria.

Judith avait affaire à un être fragile. Elle opta pour un ton plus confortant.

— J'ai remarqué que le ménage était impeccable dans la cabane. Je me suis juste demandé quand il avait été fait.

— Dimanche.

— Dimanche dernier ?

— Tous les dimanches matin. Je lave à grande eau tous les dimanches.

— Mais…

— C'est comme ça, la coupa-t-il. On pense que rien ne se salit. Les gens ne savent pas. La poussière. La fine, c'est la pire. Les bibites d'humidité. Tout s'infiltre. On laisse aller et elles s'installent comme si elles étaient chez elles. Les coccinelles, les perce-oreilles… Et les mouches. Ce sont les pires. Vous essayez de dormir, et une seule mouche peut vous gâcher la nuit.

Une mouche, l'absence de mouches dans la cuisine…

— Vous dormez souvent à la cabane à sucre ?

Sur ces entrefaites, l'agent Carl Gadbois entra en trombe dans la cafétéria. Il fit signe à Judith. Elle s'excusa auprès de Martin Grimard et rejoignit son collègue à l'entrée de la salle. Elle put voir le véhicule de la morgue quitter les lieux.

— Ils transportent la dépouille à Montréal pour l'autopsie, l'informa Carl d'un air chaviré. Ça a été quelque chose de la garder en un morceau. Je te raconterai ça.

On est prêt à y aller. Le bureau a appelé. Métivier nous attend.

— Métivier ! Il n'est pas parti se faire aimer à Cuba, celui-là ? s'exclama Judith.

Des rumeurs circulaient qu'il avait prévu ce voyage seul.

— Il devait prendre l'avion ce soir, mais il a tout annulé.

— Dommage.

Judith retourna voir Martin Grimard. Il baissait les yeux. Quelque chose le tracassait.

— Martin, j'aimerais que vous passiez au poste d'Arthabaska demain matin, à 9 h sans faute. Voici ma carte. Vous êtes quelqu'un d'important pour nous. Comme preuve, je vais vous confier un secret. On a trouvé un corps qui semble être celui d'une jeune femme dans le bois près de la cabane à sucre. Tout ce que vous avez pu remarquer d'étrange, de pas habituel, dans les parages depuis un an va nous être d'un grand secours. Je vous confie cette information parce que moi aussi, j'ai confiance en vous.

Judith le quitta sans attendre sa réponse. En sortant, elle jeta un œil dans sa direction. Il n'avait pas bougé et fixait toujours le sol, une main agrippée à la croix de son pendentif.

À la sortie, l'enquêtrice croisa le frère Darveau. C'était un vieil homme, le corps rétréci par un dos voûté. Il leva les yeux vers elle.

— On n'avait pas besoin de ça, déplora-t-il. Les vacanciers arrivent en fin de semaine prochaine. Quelle histoire terrible !

— On aura quitté les lieux d'ici là, le rassura Judith.

Elle le mit au courant de la situation et promit d'entrer en contact avec lui sous peu. Martin Grimard l'inquiétait.

Son employeur pourrait lui en révéler davantage sur l'étrange personnage.

En montant dans la voiture de patrouille, Judith scruta le lac et se jura d'y revenir faire son jogging et se baigner. Ce paradis n'était qu'à quarante minutes de chez elle.

13

Aussitôt le point de presse terminé, la dizaine de journalistes régionaux quittèrent par bandes le poste de police régionale d'Arthabaska. Appuyée sur le comptoir de l'accueil, Judith se déchaussa à la hâte.

— Comment fais-tu pour te jucher à dix centimètres du sol à longueur de journée ? se plaignit-elle en remettant à Christiane Landry les souliers de cuir fin que celle-ci lui avait gentiment prêtés.

Judith s'était maquillée, ce qui lui arrivait rarement, et avait mouillé ses cheveux pour mieux les nouer en queue de cheval. Sa veste de coton blanc, empruntée également à la standardiste, tombait avec élégance pardessus son chemisier et son jeans ajustés. Ce costume improvisé l'avait aidée à affronter l'imprévu survenu durant la période de questions. Tout s'était passé si vite. Avait-elle gaffé ? En rechaussant ses espadrilles, elle revit le fil des événements.

« Avez-vous des informations qui puissent permettre d'identifier l'inconnue ? » Plus tôt, en équipe, ils avaient manqué de temps pour se mettre d'accord sur un signalement public. Il fallait éviter d'échapper des détails qui nuiraient à l'enquête, par ailleurs, toute information transmise par la population pouvait leur être extrêmement précieuse pour retracer l'agresseur, si agresseur il y avait.

— Nous attendons les résultats du laboratoire pour confirmer nos données. Il s'agirait d'une jeune femme d'environ un mètre six, aux cheveux longs de couleur auburn. Son décès remonterait à plusieurs mois. Elle a été découverte portant une camisole noire et une jupe verte.

— On raconte qu'elle était pieds nus ? avait lancé Gilbert Grondin en braquant sa caméra sur elle.

Le petit moustachu de TVA Sherbrooke. D'où tirait-il cette information ? Ce n'était pas la première fois qu'il avait accès à des faits non divulgués. Est-ce que la fuite pouvait venir de Patrice Talbot ?

— Nous ne savons pas si la victime portait des chaussures au moment de son décès.

— D'autres signes particuliers ? avait relancé le journaliste un peu rudement.

L'œil de la caméra semblait prêt à l'avaler. On la verrait aux nouvelles. Après un regard furtif vers Carl qui avait marqué son accord, Judith avait jeté en pâture leur unique filon.

— La prise d'empreintes dentaires devrait nous aider dans nos recherches. La victime portait aussi un *piercing*.

La nouvelle avait rallumé l'intérêt du petit groupe. Les questions avaient fusé. En avait-elle trop dit ? Que risquait-elle à part les foudres du labo médicolégal, qui n'apprécierait pas qu'on laisse filer des indices non confirmés ? Il était tôt pour s'avancer, mais son intuition lui avait dicté d'éveiller l'attention de la population.

— D'ici mardi matin, on vous enverra une description du bijou.

Judith les avait abandonnés sur cette promesse.

Elle finissait de lacer ses espadrilles lorsqu'elle aperçut les deux pieds de Métivier qui s'immobilisaient devant elle.

— Un *piercing*... Content de l'apprendre en même temps que la salle des nouvelles.

— J'allais t'en parler. Ils se sont pointés avant la fin de notre réunion, s'excusa-t-elle.

— C'est dans vos méthodes, de saboter le travail de l'équipe technique ? Je leur explique ça comment, à Montréal, qu'on a besoin d'un descriptif avant mardi ?

— Alain a pris ses propres photos. Il dit qu'il est capable de les traiter en infographie.

— Ah, parce qu'on va faire la *job* des portraitistes de la SQ ! Vous ne vous prenez pas pour n'importe qui. Les procédures, ce n'est pas un mot que vous devez épeler souvent.

— Prends-le pas de même, Claude. On fait ça pour avancer. On a besoin de l'identité de la victime.

— Pour mettre un pied devant l'autre dans une enquête, il faut un minimum de rigueur, s'époumona-t-il. Avec tes gros sabots, as-tu pensé aux inquiétudes que tu viens d'éveiller ? Il y a actuellement des dizaines d'adolescentes portées disparues au Québec et, j'en mettrais ma main au feu, les trois quarts d'entre elles portent des anneaux. Comme tu as eu le génie de lâcher le signalement sans dire où le *piercing* était porté et de quel motif il s'agissait, on va avoir aux trousses une méchante gang de parents hystériques.

Judith le regarda tourner sur lui-même comme une toupie en fin de course. Il poursuivit sa remontrance avec plus de calme, mais avec fermeté.

— Même si j'ai annulé mon voyage à l'extérieur, je suis toujours en congé. Les appels importants, je les fais transférer chez moi. Fais rentrer des téléphonistes, sinon Christiane va virer folle. Pour l'enquête, fonctionne avec des effectifs réduits. De toute façon, dans le cas d'une mort qui date, on n'est pas dans l'urgence. Aucun parent en larmes ne réclame ton cadavre. C'est le genre d'affaire qui a tendance à s'étirer. Assigne Carl au recoupement des signalements de disparition avec la banque de la SQ et de la Gendarmerie royale. Toi, occupe-toi du terrain. Alain centralisera les infos sur le serveur. Je lirai les rapports de chez moi. On tiendra des réunions seulement lorsqu'on en aura vraiment besoin.

— Et les vacances de l'équipe…

— Ce n'est pas mon problème. Assume ta gaffe.

Métivier la laissa là. La mince silhouette fila à pas nerveux vers la sortie. Déjà trois années que Judith était à la tête des enquêtes criminelles, et son patron ne lui faisait toujours pas confiance. Heureusement qu'elle s'entendait avec ses autres collègues. Contrairement à son chef, elle avait le « nous » facile et donnait du support plutôt que des réprimandes. Cependant, Métivier avait raison sur un point : elle cédait trop vite à ses impulsions.

Carl pointa la tête dans l'embrasure de la porte de son bureau.

— Excuse-moi d'avoir écouté. Il en met un peu. Une façon de nous rappeler que c'est lui qui conduit.

— On fait quoi ?

— À toi de me le dire. Moi, c'est à toi que j'obéis, lui souffla-t-il d'un air espiègle.

— Enquête version allégée, soupesa Judith. Ça me plaît, finalement À trois, on n'aura pas besoin de se courir après longtemps pour faire nos *debriefings*.

— On pourrait les tenir dans ton nouveau « chez vous », suggéra Carl. Ce n'est pas toi qui préfères les réunions au frais ?

— Si vous payez la bière, je n'ai pas de problème à déménager le poste dans ma cour, offrit Judith en forçant un sourire.

Elle devait se détendre. L'été le commandait. L'agent Alain Dessureaux se pointa à son tour.

— Quelqu'un a dit « bière » ? Il y a justement un petit *pack* de six qui s'ennuie dans mon bureau, laissa-t-il tomber, amusé. J'ai aussi un agrandissement photo qui risque de vous plaire.

Carl prit Judith par la main comme une enfant et l'entraîna au bout du couloir. L'esprit des vacances reprenait ses quartiers.

14

Mardi 26 juillet, 7 h 30

Le grondement de la moissonneuse-batteuse de la ferme Tournesol réveilla Judith. Jérémie Ricard venait d'acquérir des terrains à la sortie de Tingwick. Ses allers-retours dans la rue Sainte-Marie, qu'il aspergeait géné-reusement de foin ou de purin selon la saison, étaient un inconvénient qui lui avait échappé lorsqu'elle avait acheté la maison. Il était hors de question de dormir la fenêtre fermée, ni de baptiser son arrivée dans le coin par une plainte à la municipalité. Elle devait se rabattre sur ses boules Quies. Puisqu'elle s'était couchée tôt la veille après un jogging défoulant, elle se sentait en pleine forme.

Une heure et demie plus tard, Judith quittait la 161 Sud et empruntait la route privée qui menait au camp Beauséjour. À environ deux kilomètres de l'accueil, elle bifurqua sur le chemin mal dégagé qui menait à l'érablière. Prétextant une affaire au village Saints-Martyrs-Canadiens, elle y avait donné rendez-vous à Martin Grimard, vers 9 h, après le déjeuner des frères. Elle tenait à l'observer dans le lieu où le corps avait été découvert. La veille au soir, au téléphone, le cuisinier-concierge de la congrégation avait paru soulagé de ne pas avoir à se rendre au poste d'Arthabaska comme elle le lui avait d'abord demandé.

Judith retrouva son témoin attablé dans la petite cabane à sucre. Quand elle entra, il tourna imperceptiblement la tête pour marmonner un bonjour à peine audible. Il paraissait triste sans vraiment l'être. D'un calme sérieux. « Il prie », pensa Judith, gênée d'avoir brisé ce moment d'intimité.

Sans en demander la permission, elle installa une chaise à l'autre bout de la table de façon à faire face à Martin Grimard. Son attitude était étrange, néanmoins elle ne devait rien en induire. Le silence du lieu s'harmonisait au bruissement des branches qui frôlaient la tôle du toit à chaque coup de vent. Dans la cuisine, le temps s'était arrêté. Rien n'y fonctionnait : ni horloge ni télévision ou téléphone. La vie des hommes ainsi en retrait, celle de la nature reprenait sa juste place. Judith accorda son rythme à la quiétude du lieu.

— C'est vraiment paisible, ici. On se sent à l'abri de tout, chuchota-t-elle.

Elle se pencha pour ouvrir son sac. Son geste rappela sa présence à son hôte.

— Je savais qu'il y avait quelqu'un, murmura-t-il.

— De qui parlez-vous ? lui demanda Judith, désarçonnée.

— La disparue des nouvelles. Celle que vous avez trouvée hier derrière la réserve de bois. Je l'ai sentie rôder.

— Vous l'avez vue ?

— Pas vue, corrigea-t-il, sentie.

Les yeux de Martin Grimard s'accrochèrent au regard de Judith.

— Son cri, j'ai entendu son cri. Son mal, je l'ai attrapé, geignit-il en empoignant la peau de son ventre. La nuit, je me réveille avec des crampes.

— La nuit ? Quand vous êtes ici ? Vous dormez dans cette cabane ?

— Des fois… le samedi soir, confessa-t-il, honteux.

— Pourquoi le samedi ?

— J'ai congé de cuisine le dimanche, répondit le témoin avec un empressement mal dissimulé. Je peux dormir plus longtemps. Ici, c'est tranquille.

— Vous dormez sur le divan ?

— Oui, confirma-t-il en fixant le meuble vétuste dans le coin de la pièce.

— Les cris que vous dites entendre, ça a commencé quand ?

Martin Grimard replongea son regard perçant dans celui de Judith et s'accorda un court silence avant de répondre. « Il me teste. Il a l'habitude de ne pas être pris au sérieux », songea-t-elle en s'efforçant de ne pas laisser paraître ses propres doutes. Son discours était surprenant, mais jusqu'ici cohérent et organisé. Judith se félicita d'être venue seule. Carl aurait ri au nez de cet illuminé.

— La première fois, c'était l'automne dernier, se décida-t-il enfin. Au mois d'octobre, on venait de fermer la marina. On ne loue pas de bateaux après l'Action de grâces. Une nuit, j'ai entendu quelqu'un pleurer. Je suis sorti dehors, pensant qu'un visiteur avait pu se blesser en forêt. J'ai appelé. Rien. Silence. Je suis rentré, me suis rendormi.

— Il y a eu d'autres incidents du genre ?

— La semaine d'après et l'autre qui a suivi, des cris encore. Ça m'a réveillé.

— Et ?…

— Je n'ai pas osé aller voir. J'avais peur, admit-il en se prenant la tête.

— Peur de quoi ? le pressa Judith.

— Des morts ! s'écria-t-il en frappant avec ses poings sur la table. Ils venaient chercher son âme. Elle hurlait, elle ne voulait pas partir.

Martin Grimard se mit à s'agiter. Allait-il sombrer dans un délire ? Judith vérifia les voies de sortie. L'homme se calma. Il poursuivit son histoire en fixant les carreaux de la nappe.

— Je me suis caché, avoua-t-il, l'air coupable. Je ne pouvais pas l'aider. Si j'étais sorti, ils m'auraient pris à sa place. L'âme de la morte s'est réfugiée ici, dans mon ventre.

— Vos crampes...

— Avec ses ongles, elle s'agrippe. Depuis l'automne dernier, elle me prend toute mon énergie.

Son regard se reporta sur la policière. Au bout de quelques secondes, ses traits se détendirent et un sourire se dessina sur ses lèvres.

— Je veux vous dire merci...

— Ah oui ?

Judith était consternée. Elle chercha désespérément un fil pour rattacher leur entretien à une conversation plus terre à terre. « S'en tenir aux faits », se répéta-t-elle comme un mantra.

— Merci... Judith.

La policière se raidit. Sa peur décupla lorsqu'elle vit Martin se diriger vers elle d'un pas lourd. La main sur le ventre, il s'arrêta à quelques centimètres de sa chaise et livra son message avec intensité.

— Merci. Depuis que vous l'avez emmenée ailleurs, je ne la sens plus. Elle m'a lâché. Elle est heureuse que vous vous occupiez d'elle.

Martin toisa Judith comme s'il venait de l'investir d'une importante mission.

— Vous ne sentez plus rien depuis qu'on l'a découverte ? demanda-t-elle pour reprendre contenance.

— Ce n'est pas vous qui l'avez découverte, mais elle qui vous a trouvée.

Judith s'impatienta. Elle en avait assez d'être manipulée par des propos mystifiants. Elle se leva à son tour et se dirigea vers la porte pour rétablir la distance entre eux. Martin resta debout, les bras ballants, à la regarder.

— Tantôt vous avez parlé de cris, reprit-elle. Vous pensez que la jeune fille s'est blessée?

— Le mal. Quelque chose de mal l'a tuée. C'était violent. Elle avait peur.

— Bon. Admettons qu'on l'ait violentée, le défia-t-elle, avez-vous remarqué certains détails inusités depuis l'automne dernier qui pourraient nous indiquer qui ou quoi aurait pu s'attaquer à elle?

Sans dire un mot, Martin se dirigea vers une armoire, en sortit un panier à couture tressé et le déposa délicatement sur la table. Judith l'interrogea du regard.

— Ce n'était pas là hier. On a tout fouillé.

— Je l'ai rapporté ce matin. Je le gardais dans la remise à bateau. J'ai un coin pour les objets perdus. C'est incroyable tout ce que les vacanciers laissent derrière eux. À la fin de la saison, on fait toujours une grosse vente de garage à notre maison mère d'Arthabaska.

Judith examina l'objet en soulevant le couvercle. Une boîte à couture classique, en paille, comme en avaient eu sa mère et ses tantes : des bobines de fil de différentes couleurs, un galon à mesurer, des épingles droites, des boutons, une fermeture éclair…

— Je l'ai trouvé ici, dans la cabane, l'automne dernier. Je me suis dit que quelqu'un était venu faire un tour et l'avait oublié. La porte n'est jamais verrouillée.

— Qu'est-ce qui vous fait croire que ça peut avoir un lien avec le cadavre qu'on a retrouvé?

— Une chose, déclara-t-il, tout fier. J'ai mis des morceaux ensemble. C'est en prison que j'ai appris à penser. Avec le temps qu'on y passe, on a rien que ça à faire.

— Une chose, que vous disiez, le pressa Judith.

— J'y viens. Hier, en vous voyant fouiller dans le coin, ça m'est revenu, parce que le panier à couture était mon premier objet perdu de l'année. On venait d'embarquer tout le stock pour s'en départir quand je l'ai découvert.

— Donc, trouvée en octobre dernier.

— Le dimanche de l'Action de grâces.

— Vous m'avez dit dormir ici le samedi, rétorqua Judith.

Martin Grimard grimaça.

— J'ai trouvé le panier en faisant mon ménage, expliqua-t-il, exaspéré.

— Bien sûr, le dimanche. Votre nettoyage hebdomadaire à grande eau. Donc, si l'objet a été laissé là par la disparue, c'est entre la première et la deuxième semaine d'octobre.

Martin se troubla.

— On ne peut pas en être tout à fait certain.

— Je ne vous suis plus.

— Je ne suis pas venu pour le ménage le premier dimanche d'octobre. Le panier a pu être oublié là la semaine d'avant.

Le témoin se mit à trembler. Judith craignit qu'il ne se déstructure à nouveau.

— Ce n'est pas plus grave que ça, le rassura-t-elle. Déjà, ce que vous nous avez appris va beaucoup nous aider. Ce n'est pas une semaine de différence qui va…

Avant qu'elle ait pu terminer sa phrase, Martin passa à côté d'elle, ouvrit la porte et sortit sans la regarder en marmonnant : « Excusez, je dois aller préparer le dîner. »

Judith le laissa filer. D'abord, réfléchir à ce qu'il venait de lui apprendre. Si elle devait l'interroger de nouveau, il ne serait pas loin. Ce camp de vacances était son refuge et la congrégation des Frères du Sacré-Cœur, sa famille.

C'est à la chapelle qu'elle trouva le frère Darveau, assis sur un banc, la tête baissée, les mains jointes sur ses genoux. Judith n'avait pas mis les pieds dans un lieu de culte depuis des lustres. Celui-ci était extrêmement sobre avec son autel en bois. Elle s'approcha avec recueillement.

Le frère Darveau l'invita à s'asseoir près de lui.

— Il n'y a pas de meilleur endroit pour discuter, ricana-t-il de sa voix frêle.

— J'ai interrogé un de vos employés…

— Martin Grimard, je sais, la coupa-t-il d'un ton sérieux. C'est une bonne âme. Il est avec nous depuis une dizaine d'années.

— Il a déjà fait de la prison, lui fit remarquer Judith.

— Il ne s'en est jamais caché. Chaque homme a droit à une seconde chance. Nous n'avons rien à lui reprocher. C'est une personne droite et honnête.

Judith eut le désagréable sentiment de se faire semoncer.

— Son discours n'est pas toujours cohérent, insista-t-elle.

Le frère Darveau se fit plus silencieux. Il hésita, puis parla avec retenue comme s'il avait peur d'enfreindre un serment.

— Martin est quelqu'un de malade.

— Il est quoi, bipolaire ?

— Schizophrène, chuchota-t-il, mais je ne vous ai rien dit. Il prend régulièrement sa médication et fonctionne très bien depuis qu'il est avec nous.

Le frère Darveau se hissa sur ses jambes avec difficulté. L'arthrose ravageait son corps. Judith le suivit à l'extérieur, hésitant à lui offrir son bras.

Au poste d'accueil, elle vit Patrice Talbot, l'air radieux, qui les gratifia d'un bonjour.

— J'ai un rendez-vous, s'excusa le frère Darveau. Une affaire que j'ai dû reporter à cause des circonstances que l'on connaît.

Judith n'avait pas besoin d'explications. Appréhendant une autre conversation avec le grand croque-mort, elle s'éclipsa vers sa voiture, dans la direction opposée.

15

Judith Allison éteignit son ordinateur pour marquer la fin de son quart de travail. Elle méritait de profiter de ce qui restait de la journée qui lui filait sous le nez.

Après sa matinée au camp Beauséjour, l'enquêtrice s'était sagement cloîtrée dans son bureau pour y consigner le compte rendu de son entrevue avec Martin Grimard, la seule piste qui se dessinait pour l'instant. Quels étaient les antécédents de cet ex-détenu ? Quel profil dresser du suspect ? Alain Dessureaux s'était chargé de fouiller son casier judiciaire. Elle en saurait davantage très bientôt.

Le cuisinier lui apparaissait comme un être fragile, malade, un croyant fanatique, prétendant posséder des facultés extrasensorielles. S'il disait la vérité, ce n'était que la sienne. Pour Martin Grimard, les cris entendus étaient réels, mais pouvaient-ils l'être dans les faits ? Comment son équipe pourrait-elle travailler avec ce témoignage ? Une femme n'agoniserait pas dans un bois pendant deux semaines. Peut-être que oui ? L'aspect insolite du discours de Grimard venait jeter de l'ombre sur certains indices intéressants. L'âme dans le ventre, les griffes de la morte... Son délire brouillait les pistes. La fragilité du témoin jouait contre lui. Sa façon de fuir laissait croire qu'il était peut-être impliqué dans l'histoire. Mais pour avoir accès à son dossier médical, il leur faudrait des doutes plus solides à son sujet.

Judith prit son sac et vérifia de nouveau son cellulaire, surprise de ne pas avoir reçu d'appels de ses deux collègues. Elle sortait, quand Alain fit irruption en coup de vent dans son bureau.

— Je t'attrape juste à temps !

— Tu as du nouveau ?

— J'ai fait une petite recherche sur Patrice Talbot. Aucun antécédent judiciaire. Du côté de Martin Grimard, par contre, j'ai déjà quelques éléments intéressants.

Judith regagna machinalement son bureau pour lire les notes qu'Alain lui tendait. Son collègue se plaça derrière son épaule pour les détailler.

— Il y a une quinzaine d'années, il a été inculpé à plusieurs reprises pour avoir troublé la paix publique et pour voies de fait sur le propriétaire de son logement.

— Pas vraiment le profil d'un meurtrier, commenta Judith. J'ai rencontré brièvement son employeur, le frère Darveau. Il m'a glissé un mot sur la schizophrénie de son employé.

— Ça n'augure rien de bon.

— L'état de Grimard serait sous contrôle depuis qu'il travaille au camp Beauséjour. Le supérieur en parle comme d'un gentil *pitou* qui n'a jamais mordu.

— Et Patrice Talbot ?

— Je ne perdrais pas trop de temps avec lui, décida Judith. Il a découvert le cadavre par pur hasard. Je ne crois pas qu'il nous aurait conduits à la scène s'il avait été relié au drame.

Alain reprit son dossier. Il hésita un peu dans l'embrasure. Judith comprit ce qu'il attendait.

— Ton traitement photographique est très bien réussi, reconnut-elle en désignant l'image des bijoux qui était punaisée sur le tableau de liège près de la porte.

Alain lui offrit son plus beau sourire et fila aussi rapidement qu'il était arrivé.

Judith reporta son attention sur l'agrandissement des dessins gravés sur l'extrémité des tiges en argent. Sur l'un des *piercings*, un jet d'étoiles et sur l'autre, un soleil encastré dans un paysage. Le message poétique de la femme morte. Une signature sur son corps, comme les encodages pour retrouver les bicyclettes volées. À qui avait été dérobée cette vie? Il leur fallait un nom. Sans une identité, toute enquête restait impossible. On oublierait cette morte.

Judith traversa le couloir qui menait à l'accueil. Personne dans l'édifice, hormis quelques patrouilleurs. Avant de quitter le poste, elle passa voir la réceptionniste.

— Salut, Christiane. Tu es certaine de ne pas vouloir de renfort pour prendre les appels de la population?

— Le téléphone ne sonne pas beaucoup. J'ai fait un premier tri et Carl est allé vérifier des sources qui semblaient plus sérieuses.

— Parfait. Je prends le reste de l'après-midi, j'ai commencé tôt ce matin. Si on me cherche, je serai au bout de mon cell.

Une fois assise dans sa voiture, Judith se pencha pour choisir un CD. Un coup sur le toit la fit sursauter. Carl apparut dans la fenêtre de la portière.

— Tu veux me faire faire une crise ou quoi? le semonça-t-elle, en abaissant la vitre. J'attendais de tes nouvelles.

— J'étais pris à consoler ma femme et les enfants. On devait partir en Gaspésie.

— En Gaspésie?

Une image traversa l'esprit de Judith: Carl en shorts et gougounes, au bras de Nathalie, avec leurs trois enfants accrochés à leurs jambes, photographiant le rocher Percé. Elle avait de la difficulté à l'imaginer heureux dans sa situation familiale.

— J'ai quand même eu le temps de consulter les banques de données, ajouta-t-il. J'ai une liste de disparues, mais aucune dans notre secteur. Il faut attendre l'analyse de l'ADN pour faire des recoupements. Quant aux signalements reçus, ils n'ont rien de sérieux.

— La description des bijoux va passer au téléjournal de 18 h et dans les journaux de demain matin. L'information est déjà sur le site Internet de *La Nouvelle*. Je suggère qu'on se laisse une semaine pour voir si ça déclenche quelque chose. Si ça ne répond pas, on prendra nos congés.

Carl ne parut pas déçu de sa réponse.

— C'est toi la patronne. Tu peux me demander tout ce que tu veux, insinua-t-il en s'appuyant langoureusement dans l'entrebâillement de la fenêtre.

— Tu as un rapport à faire et deux autres à lire, le coupa-t-elle. Le mien, qui concerne un panier à couture qui pourrait nous aider à dater la mort, et celui d'Alain, qui nous met sur la piste d'un suspect.

Judith releva sa vitre. Elle perçut un coup sur son aile. Avant de s'engager sur le boulevard Labbé, elle observa son ami dans le rétroviseur. Carl bronzait facilement. L'été l'embellissait. Il s'entraînait avec rigueur et faisait beaucoup de bicyclette. Des kilomètres à rouler pour passer la rage dans laquelle Nathalie le mettait en se refusant à lui. «Le sexe ne l'intéresse pas, lui avait-il confié dernièrement. Depuis l'arrivée du dernier, c'est pire. Une fois par mois, et encore…» D'où son goût d'aller voir ailleurs même s'il tenait à sa famille. Et il la travaillait au corps, sachant qu'elle n'avait personne en ce moment. Combien de temps allait-elle tenir ?

16

En arrivant chez elle, Judith trouva son père en grande conversation avec un colosse à la barbe nattée, planté dans la rue à côté de sa Harley. La maigreur de John la frappa. Son interlocuteur avait les bras deux fois gros comme les siens. Par sa taille, il le dépassait d'un bon pied. D'après leurs gesticulations, le débat portait sur la toiture de la maison.

— De la Vicwest Prestige ! cria John à Judith qui s'approchait. Monsieur connaît ça. C'est le nom de la tôle dont je te parlais. Celle que j'ai vue dans le rang du Moulin à Warwick. C'est ce qui se rapproche le plus du recouvrement antique. On ne voit pas un seul clou et les panneaux sont larges et plats.

— C'est certain que c'est trois fois le prix de ce que je pose d'habitude, indiqua le motard, mais quand c'est ce que le client veut, j'm'astine pas.

— La cliente, c'est moi, pis elle a assez dépensé pour tout de suite, précisa Judith en s'efforçant d'avoir l'air jovial.

— Il est fini, ton bardeau, protesta John.

— P'pa, s'il te plaît ! On en reparlera plus tard, veux-tu ?

107

— C'est vrai qu'il est dû, renchérit l'autre.

Judith n'avait pas l'intention de discuter de ses projets de rénovation, alors qu'il n'avait jamais été question de la réfection de la couverture.

— C'est ta maison, bougonna John. C'est toi qui décides. Vous m'excuserez, je dois partir, il y a un encan à Saint-Rosaire.

Son père s'éloigna en direction de sa Saturn. Depuis la mort de sa mère, Judith s'était promis de ne jamais le quitter sur une mauvaise note. Mais si elle voulait avoir une vie à elle, il devait lui laisser du lest.

— C'est vrai que 10 000 $, c'est pas donné, lui lança l'homme.

Judith sursauta. La voix était forte. Le géant s'était approché d'elle dans son dos. Elle détailla instinctivement ses bottes de cuir aux semelles crêpées, puis leva les yeux.

— Vous excuserez mon père de vous avoir fait venir ici pour rien. Ça lui arrive de temps à autre de prendre des initiatives à ma place.

— Y a personne qui m'a *callé*. On s'est mis à jaser. En fait, c'est à toi que j'ai affaire. T'es ben Judith Allison, la nièce à Gilles?

Son ton s'était fait plus sérieux. Judith s'inquiéta.

— On se connaît?

— Pas encore, mais j'pense qu'on va être obligés dans pas long.

Il jeta furtivement un regard des deux côtés de la route.

— On peut se parler à l'intérieur?

— Dans la cour?

— Ça fait pareil.

— J'allais m'ouvrir une bière…

— Du jus pour moi, si t'en as.

Quand Judith revint avec les boissons, l'homme s'était installé sur une des chaises de jardin, à l'ombre. L'ensemble de fer forgé, tout en fioritures et en coussins fleuris, jurait avec l'allure de dur à cuire velu de son invité.

— C'est tout ce que j'ai, s'excusa-t-elle en lui tendant un verre de jus de pomme.

Elle s'installa à ses côtés en offrant ses yeux mi-clos au rayon de lumière que laissait filtrer le feuillage du grand chêne délimitant son terrain. Elle regrettait d'être importunée à cette heure magique qui précédait le crépuscule.

Son visiteur fixait l'auge remplie d'eau, l'air amusé.

— Je n'ai pas entendu votre nom ?

— Jean Desharnais. Dans le village, tout le monde m'appelle Bigfoot. Je suis en logement, la maison grise juste derrière l'école.

— Avec les enfants si proches, ça doit être bruyant.

— Les enfants ne me dérangent pas.

Le motard s'assombrit. Il descendit son jus d'un trait.

— Vous en avez ? s'informa Judith.

— Des enfants ? Non. Par exemple, il m'arrive de m'occuper de ceux des autres.

Hésitant, il caressa sa barbe.

— C'est un peu à propos de ça que je suis venu vous voir.

De sa poche, il extirpa une photographie fripée qu'il déposa sur le dessus vitré de la petite table.

— C'est ma blonde. Son gars, Lucas, a disparu.

Sous le choc, Judith déposa sa bière.

— Pardon ?

— On n'a pas revu le petit depuis dimanche matin.

Judith prit le cliché et l'examina de plus près. Une fille maigrichonne y tenait à l'étrangler un jeune garçon bouclé. L'enfant n'avait pas cinq ans.

— Vous avez appelé la police?

— Non.

Le sang de Judith ne fit qu'un tour.

— Il faut le faire tout de suite, monsieur Desharnais.

Elle vint pour se lever. La paire de gros bras la rattrapa.

— Assis, ma belle, pis écoute-moi deux minutes.

Le ton de l'homme ventru imposait l'obéissance. Judith se calma et attendit la suite.

— Charlaine veut pas qu'on signale la disparition parce qu'elle est sûre qu'on va lui enlever le petit. C'est déjà arrivé, pis elle pourra pas passer à travers une deuxième fois.

— C'est à l'enfant qu'il faut penser, s'indigna Judith.

— C'est à ça que je pense, crisse! Je pense rien qu'à ça depuis trois jours. Je l'ai cherché partout. Rien. Disparu. Aucune trace!

Le motard s'était levé.

— Pourquoi vous me racontez ça, alors?

Bigfoot se pencha au-dessus d'elle en s'appuyant sur les bras de la chaise. Judith huma avec surprise l'effluve d'un parfum délicat. Ralph Lauren.

— Parce que t'es dans la police pis que tu vas pouvoir nous aider.

— Je ne comprends pas.

— Pas dur à comprendre, simonaque! Tu vas faire ton enquête en secret. Pas un mot à la DPJ! Vous avez des manières vous autres de trouver les empreintes, j'sais pas moi…

Bigfoot se mit à jouer nerveusement avec ses nattes poivre et sel.

— Vous pensez que l'enfant a été enlevé? s'inquiéta tout à coup Judith.

— C'est sûr qu'on nous l'a volé! Le petit est peureux comme ça se peut pas, il ne se serait jamais sauvé. Il est toujours accroché aux jupes de sa mère. Ça prend toute pour le faire garder.

Judith réfléchit rapidement. Il était disparu dimanche. On était mardi soir. Elle réalisa l'ampleur de l'affaire. Elle dévisagea de nouveau Desharnais.

— Sa mère, Charlaine, où est-elle actuellement?

— Chez elle. Elle dort.

— Elle sait que vous êtes venu me voir?

— Non. Je lui ai juré de ne pas aller à la police.

Bigfoot la fixa longuement comme pour l'aider à faire elle-même la déduction qui s'imposait. Il s'approcha de l'auge et y plongea la tête. Quand il émergea, il s'ébouriffa si fort que Judith en fut aspergée. Les gouttelettes d'eau la rafraîchirent. Elle comprit enfin où il voulait en venir.

— Vous comptez sur moi pour vous désobéir, c'est ça?

— T'es *bright*! J'aime ça. J'veux pas qu'a soit en crisse après moi. Elle n'a personne d'autre. Pis le p'tit, c'est comme si c'était le mien. Tu comprends ça?

— Pas de problème, le rassura Judith en se levant. Elle m'en voudra si elle veut. Je suis capable de vivre avec ça.

— La DPJ?

— Je vais voir ce que je peux faire. Elle a quelque chose à se reprocher?

Bigfoot la toisa. « Il m'évalue sur son échelle de confiance. » Judith espéra la note de passage. Après un court silence, il lui lâcha le morceau.

— Les gardiennes coûtent cher. D'habitude, le petit dort dur.

Ils étaient sortis en laissant un enfant seul! Judith réfréna le reproche qui lui montait aux lèvres.

— Je vois. On peut tenir certains détails morts pendant l'enquête. Après, je ne garantis rien.

— L'important, c'est de retrouver Lucas au plus sacrant.

Les yeux de Jean Desharnais brillaient. Judith y décela un amour sincère pour le gosse. Ou un manège pour écarter les soupçons, la préviendrait Carl. Elle devait le mettre dans le coup. Ils ne seraient pas trop de deux sur cette affaire qui ne tarderait pas à faire les manchettes. La disparition d'un enfant soulevait toujours une marée d'émotions au sein de la population, chacun se substituant aux parents et ressentant leur désarroi. Dans les cas de négligence, par contre, l'opinion publique se montrait impitoyable envers les fautifs.

— Je m'en occupe. Restez proche, on va avoir besoin de vous parler. À elle aussi, bien sûr.

— Vous savez où je reste. À soir, j'vais être avec elle. Le bloc en face de l'hôtel. Y a juste son logement d'occupé.

Bigfoot s'éloigna d'un pas pressé. Judith le suivit jusqu'à la rue. Il enfourcha sa Harley et lui fit un signe de paix en la quittant. Tout cela était si inattendu. La paix, l'aurait-elle ici à Tingwick ? Le bruit commençait à courir qu'elle était de la police, on venait à elle pour de l'aide. Cela ne lui déplaisait pas, finalement.

Le portrait du petit Lucas ! Judith regagna la cour arrière. Bigfoot avait laissé la photo sur la table de jardin. Elle la scruta de nouveau. Quelque chose d'étrange dans l'attitude de l'enfant. Ses yeux fuyaient le regard de la caméra.

***

Judith contacta d'abord son patron, Claude Métivier, pour l'ouverture de l'enquête. Carl ne répondit au téléphone qu'une demi-heure plus tard, à sa troisième tentative. C'était l'heure du bain des enfants.

— Carl ? C'est Judith. Excuse-moi de te déranger.

— Tu n'as personne avec qui souper ? la nargua-t-il.

— J'aimerais que tu viennes me retrouver chez moi.
En tenue civile, précisa-t-elle.

Le ton de sa voix fit effet.

— Ça a l'air urgent.

— Ce l'est. Une disparition d'enfant.

— Qu'est-ce que tu racontes ? On n'a reçu aucun appel,
s'énerva Carl.

— Je le sais. C'est compliqué. Tu peux te libérer ?

— J'arrive.

Trente minutes plus tard, Carl se garait devant chez
elle. Elle l'accueillit à sa voiture. Sur la photographie
qu'elle lui tendit, il reconnut aussitôt la maigre figure de
Charlaine. Son combat dans l'huile avait été mémorable.
Il décrivit à Judith l'euphorie qui s'était emparée de la
jeune femme quand elle avait été déclarée gagnante.
Défiant les applaudissements mitigés, elle avait pointé
un doigt d'honneur vers la foule puis soulevé la pataugeuse comme un trophée au bout de ses bras. L'huile
s'était répandue partout sur le sol. Les chaussures des
spectateurs avaient emporté avec elles la marque de leur
voyeurisme.

— C'était samedi dernier, récapitula Judith en se dirigeant vers la rue Saint-Patrice.

Carl lui emboîta le pas. Ils avaient décidé de se rendre
à pied à la résidence de Charlaine Blondin.

— La compétition s'est terminée vers 23 h, précisa
Carl. Elle a sans doute continué de faire la fête au Festi-
Force. Son petit devait se faire garder.

— Ou se garder tout seul, enchaîna Judith.

En route, ils s'arrêtèrent devant le bar Tingwick.
Le propriétaire avait investi dans une grande terrasse
qui faisait face à la rue. Une douzaine de clients discutaient à voix forte pour couvrir la musique western
qui animait l'endroit. Une odeur de frites flottait

dans l'air. Judith sentit la faim la tenailler. Une poutine serait la bienvenue. Peut-être après leur entrevue. Elle s'en voulut de penser à son estomac alors qu'un enfant affamé se morfondait quelque part. À minuit, cela ferait soixante-douze heures que le petit Lucas était disparu. Les statistiques étaient formelles, au-delà de ce délai, les chances de retrouver le bambin vivant s'amenuisaient. Pour que la machine se mette en marche, il fallait à tout prix faire cracher à la mère un signalement de disparition. Carl mènerait l'interrogatoire pendant que Judith observerait les réactions du couple. Dans pareilles situations, les parents étaient souvent impliqués.

Au pied de l'escalier qui menait au deuxième étage de l'immeuble de Charlaine Blondin, Carl passa devant sa collègue. Il grimpa chaque marche en la martelant. Judith s'émeut de le voir prendre cette alerte avec autant de sérieux. Sans doute une corde sensible reliait-elle tous les parents entre eux.

Carl frappa doucement. Bigfoot vint ouvrir. Ils furent invités à prendre place dans la cuisine. Dans la pièce éclairée aux néons, les murs, les armoires et même le plancher étaient blancs. « Une location de passage », songea Judith. La vaisselle sale s'accumulait dans l'évier. Des jouets d'enfants jonchaient un plancher en imitation d'érable. Dans le salon contigu, un écran géant occupait près de la moitié de la petite pièce. Une chaise haute trônait au bout de la table où ils étaient assis. Pourtant, l'enfant n'était plus un bébé. Des miettes de biscuit sur la tablette traçaient un étrange dessin. L'absence devint criante.

Une forme chancelante apparut dans l'encadrement d'une des portes qui s'ouvrait sur la cuisine. De son bras, Charlaine protégea ses yeux de la lumière vive. Elle était pieds nus, vêtue d'un jeans trop grand pour elle et d'un t-shirt sans manches qui laissait voir ses épaules décharnées. Avec ses courts cheveux emmêlés, elle ressemblait à un oisillon tombé du nid.

— Babe, s'écria-t-elle d'une voix éraillée en cherchant son compagnon du regard.

Bigfoot se pressa à ses côtés pour la soutenir.

— C'est qui, ce monde-là ?

— Des amis à moi. Ils vont nous aider à trouver le petit.

— T'as une cigarette ?

Il lui refila une blonde et l'installa sur le divan du salon.

— Ils vont te poser des questions. T'as juste à répondre.

— J'trop fatiguée, geignit-elle en enfouissant sa tête sous un coussin.

Bigfoot perdit son calme. Il la prit par les épaules et la secoua vigoureusement.

— Réveille, câlisse, Charlaine !

Carl s'éjecta de sa chaise et s'interposa.

— Wô ! On y va doucement.

Bigfoot leva les bras en signe d'abdication et lui céda sa place. Carl décida d'affronter la jeune femme debout. Les mains sur les hanches, il la dévisagea avec autorité. Complètement décalée, Charlaine éprouva un peu de difficulté à reprendre ses esprits. Avec effort, elle se redressa, alluma sa cigarette et prit une longue bouffée. Elle expira en défiant l'intrus planté devant elle.

— Vous êtes qui ? Qu'est-ce que vous faites chez nous ?

— On cherche votre gars. Lucas, c'est bien son nom ?

— Oui…, répondit-elle en tremblotant.

— Quel âge a-t-il ?

— Cinq ans, souffla-t-elle.

115

— La dernière fois que vous l'avez vu ?

— Samedi soir. Vers 19 h 30. Je partais travailler.

— Aucun signe depuis ?

— Non.

— Et vous n'avez pas d'idée où il pourrait se trouver ?

Bigfoot répondit à sa place.

— On a cherché partout. Dans la cour d'école, dans le Sentier des pieds d'or. Chez ses amis. Rien, rien, rien... Y est pas sorti par lui-même de la maison, c'est certain.

— Quand je pars, je barre toujours, spécifia la mère.

— Vous l'avez laissé sans gardienne ? la questionna Carl sur un ton de reproche.

Un lourd silence emplit la pièce. Charlaine foudroya Bigfoot du regard. Il se fit petit.

— Vous êtes des polices, mes tabarnak ! Vous n'avez pas le droit de me poser des questions sans m'avertir !

Judith se précipita au salon.

— Je suis la sergente Judith Allison, du Service des enquêtes de la police régionale d'Arthabaska. Je suis accompagnée de l'agent Carl Gadbois. Votre ami est venu me voir cet après-midi. Je lui avais promis de ne pas vous dénoncer. Mais j'ai finalement décidé de signaler l'affaire. Vous devez nous faire confiance. Madame Blondin, vous n'avez pas le choix ! Vous êtes responsable de la sécurité de votre enfant. Vous pouvez être accusée au criminel pour avoir négligé d'informer les autorités de sa disparition. Vous êtes déjà dans le trouble. Si vous ne voulez pas vous enfoncer davantage, aidez-nous à vous aider.

Ignorant la tirade enflammée de Judith, Charlaine écrasa sa cigarette et se tourna vers son *chum*. Sa voix était bizarrement égale.

— Y reste-tu de la bière ?

— T'en as assez pris, tu ne trouves pas ?

Elle se leva et, d'un pas mal assuré, alla se décapsuler la dernière Molson tablette de la caisse qui traînait à côté du réfrigérateur. Après s'être attablée dans la cuisine, elle défia le groupe qui l'observait depuis le salon.

— Allez-y, *shootez*-les, vos questions!

Carl vint s'installer devant elle. Judith se tira une chaise et sortit son iPad pour prendre des notes.

— Wow! Elle est équipée, ta secrétaire!

Judith ignora la remarque.

— Racontez-nous comment était Lucas lorsque vous l'avez laissé, demanda Carl. Le pyjama qu'il portait.

— J'y en mets jamais. Y aime pas ça, se coucher. Pour pas qu'il sache que c'est l'heure du dodo, je lui laisse son linge. C'est plus facile.

— Samedi dernier, quand vous avez quitté l'appartement, il dormait?

— Oui.

— Il n'était pas 20 h et il dormait, s'étonna Carl.

— C'est un enfant ben agité, se défendit Charlaine. Le soir, y est fatigué. Une fois, il s'est même endormi la face dans son spaghetti. T'en rappelles-tu, Bigfoot?

Desharnais détourna la tête. «Il a honte de sa compagne», nota Judith. La couvrait-il? Les bras croisés, il était demeuré à l'écart dans un coin du salon.

— T'étais là, babe! Ciboire qu'on a ri! Pas de bain, rien, envoye dans ses draps avec le reste des nouilles dans bouche.

— Vous souvenez-vous des vêtements qu'il portait? insista Carl.

— Y était sale comme de la marde. Au service de garde, yé laissent jouer dans le sable. Je l'ai déshabillé sur la galerie, j'y ai fait couler un bain, mais y a jamais voulu aller dedans. La crise, toé! Y a l'habitude de m'en faire, mais celle-là était quelque chose. J'avais pas le temps de m'astiner. Il s'est couché en bobettes, pas lavé.

— De quelle couleur ? s'informa Carl.

— De quelle couleur quoi ?

— Ses bobettes...

Charlaine bondit de sa chaise et monta aux barricades.

— Veux-tu rire de moi, crisse ? On s'en câlisse-tu de la couleur de ses bobettes ! Y était en caleçon, tabarnak ! Allume, estie ! Y a pas pu aller ben loin.

Carl conserva son calme.

— Lorsque vous êtes rentrée, est-ce qu'une des deux serrures avait été forcée ? reprit-il.

— Tout était normal, avoua Charlaine en se laissant retomber sur sa chaise. Je suis venue me coucher direct sans même aller dans la chambre du petit. C'est juste le lendemain que je me suis rendu compte qu'il n'était plus là.

— Il a dû trouver un moyen pour ouvrir de l'intérieur, ou s'échapper par une fenêtre, hasarda Carl.

Charlaine fut secouée d'un rire hystérique.

— Lucas ne sait pas débarrer une porte. Il n'est même pas capable de *velcroter* ses souliers. C'est pas lui qui va inventer un plan pour se sauver.

— À cinq ans ? se troubla le policier.

Charlaine s'éjecta de sa chaise, se dirigea vers son *chum* et le bouscula vers la cuisine.

— Parles-y, tabarnak, j'pus capable !

— Lucas ne s'habille pas tout seul, expliqua Bigfoot d'un ton contenu.

— C'est un enfant handicapé ?

— J'vas y mettre mon poing dans face ! mugit Charlaine.

118

Bigfoot l'empêcha de passer aux coups en la retenant par les poignets. Judith cessa de prendre des notes. L'image était loufoque : un paquet d'os qui se tortillait au bout d'une paire de gros bras.

— C'est une simple question, se justifia Carl. On doit savoir qui on recherche.

— Y est normal, mais disons… spécial, précisa Bigfoot.

La douceur qu'il avait mise dans sa réponse calma Charlaine qui éclata en sanglots dans le creux de son épaule.

— À part vous et le propriétaire, quelqu'un d'autre possède une clé du logement ? s'informa Carl.

Le visage toujours caché, Charlaine fit non de la tête.

— Connaissez-vous quelqu'un qui pourrait vous en vouloir, à vous ou à votre enfant ?

Charlaine toisa l'agent avec méfiance.

— Non.

— Le père ?

Un rire, tout en hoquets cette fois.

— Le père de Lucas le sait pas qu'il l'est, pis moi non plus, faque…

— On cherche donc un petit bonhomme en caleçon, récapitula Carl. Ça devrait nous aider à le retracer. On va lancer un avis de disparition au bulletin de nouvelles de 22 h et commencer les fouilles. On est chanceux, il n'a pas plu depuis samedi, mais comme ils annoncent du mauvais temps cette semaine, il faut bouger rapidement. On va avoir besoin de vêtements, d'un toutou ou d'une couverture de son lit. Pour les chiens.

En entendant le mot « chien », Charlaine émergea de la torpeur qui l'avait prise. Elle se dégagea brusquement des bras de son homme et fixa tour à tour les deux enquêteurs. Son choix s'arrêta sur Judith. Elle se dirigea à pas feutrés vers elle et pressa une main sur son épaule. Son regard était de glace.

— J'pas grosse, mais j'ai des nerfs. J'suis capable de tuer, menaça-t-elle en resserrant les doigts.

Elle lâcha ensuite sa prise et offrit ses poignets comme si elle se livrait à la justice.

— Ces mains-là ont déjà étranglé un chien. Il m'empêchait de dormir. Y a personne qui va m'enlever mon p'tit. L'écœurant est déjà mort. Faque arrange-toi pour le trouver avant moé.

— On va faire tout notre possible, madame Blondin.

Charlaine approcha son visage de celui de Judith. Son haleine était fétide. Judith l'écouta en bloquant sa respiration.

— C'te phrase-là, je l'ai trop entendue. « Tout notre possible pour vous trouver une job ! Tout notre possible pour un logement à prix modique ! Tout notre possible pour lui assurer un suivi… » T'as pas compris, Chose ! C'est pas de ton possible qu'on parle, c'est de la vie de mon gars !

Bigfoot reprit Charlaine avec une délicatesse qui tranchait avec son corps de colosse. Elle se laissa ramener docilement vers le divan. Une fois qu'il l'eut couchée, il fit un signe en direction du couloir.

— La chambre du petit est au fond à droite. Faites ce que vous avez à faire.

Contente d'échapper à cette étrange dynamique de couple, Judith s'aventura dans la chambre de Lucas, suivie de près par son collègue.

L'air suffocant de la pièce les assaillit. L'odeur de renfermé donnait la nausée. La chambre était la seule pièce décorée de la maison. Le lit placé sous la fenêtre était défait. Les imprimés sur le thème du hockey des rideaux s'agençaient bien aux motifs de la douillette délavée. Dans un des coins, les jouets s'empilaient les uns sur les autres pour former un tas. Si tel était le système de rangement, on pouvait en déduire que l'endroit présentait un certain ordre.

— Il n'y a pas apparence de lutte, observa Carl.

Judith rejoignit son collègue près de la fenêtre. Tout était encore calfeutré pour l'hiver. Impossible d'ouvrir. Comment pouvait-on dormir dans cette serre ?

— Il faisait chaud samedi. Le garçon aurait pu vouloir aller prendre l'air. Comment être certain que la mère a fermé à clé ? s'interrogea-t-elle.

— S'il est vraiment incapable de déverrouiller de l'intérieur, ce n'est pas très prudent. Imagine s'il y avait un incendie ?

Judith continua de fouiller la chambre en évitant de toucher aux objets.

— Ils ont déjà dû tout contaminer, se désola Carl.

— S'il a eu de la visite, on va le savoir assez vite. En éliminant celles du couple, on verra ce qu'il nous reste comme empreintes, conclut Judith.

— Il y a nécessairement des témoins visuels. L'appartement est en face de l'hôtel. Un samedi soir, tu ne sors pas d'ici incognito avec un petit dans les bras.

Judith ne s'arrêta pas à la remarque de Carl, trop préoccupée par les procédures. Métivier avait accepté d'ouvrir une enquête. Une deuxième. Elle avait déjà un squelette sur les bras.

— Sortons par l'escalier arrière, suggéra Carl. Je vais sécuriser le parcours jusqu'au stationnement. Si quelqu'un est vraiment venu commettre un enlèvement, ça s'est fait en voiture.

— Je m'occupe d'appeler le bureau. Prends des effets personnels du petit, des vêtements sales.

— Ce n'est pas ça qui manque.

17

En moins de deux heures, tout se mit en place. Lucas Blondin n'était pas le premier cas d'enfant disparu auquel le Service des enquêtes de la police régionale d'Arthabaska avait eu à faire face depuis ses cinq années d'existence.

Le scénario était bien rodé. Les accords avec la Sûreté du Québec garantissaient un accès rapide aux services de l'Identité judiciaire, aux hélicoptères et aux maîtres-chiens. Et Métivier rognait moins sur les factures depuis que les comptables l'avaient convaincu qu'une augmentation de subsides se justifierait mieux avec des postes de dépenses élevés. Le nouvel état-major du Centre-du-Québec faisait désormais l'envie des autres régions. La formule était gagnante : les enquêtes criminelles étaient menées par des experts locaux qui connaissaient le territoire et on recourait aux services spécialisés en sous-traitance. L'économie et les résultats étaient au rendez-vous. Métivier s'en pétait les bretelles.

Affamée, Judith était crevée. Carl lui offrit d'aller se reposer. Il coordonnerait à sa place les six secouristes affectés à la première ronde des fouilles : les boisés avoisinants, le sentier municipal, la cour d'école. Ils avaient deux heures de clarté devant eux. Les entrevues avec les voisins attendraient au lendemain. Une fois le drame médiatisé aux nouvelles de 22 h, les gens seraient plus loquaces. Pour tout de suite, il fallait laisser l'équipe de l'identité prélever ce qui pouvait rester d'empreintes à l'appartement.

L'enquêtrice rentra chez elle en résistant à un arrêt-poutine à la cantine du bar Tingwick. Les restes de soupe laissés dans son réfrigérateur par son père feraient l'affaire et lui éviteraient de croiser de nouveau Charlaine et Bigfoot attablés à la terrasse de l'hôtel. Ils s'y trouvaient depuis l'arrivée du poste de commandement mobile, un énorme motorisé qui s'était stationné dans la cour de l'hôtel. Vêtus de leur combinaison blanche, quatre experts en étaient sortis avant de prendre d'assaut l'appartement. Le couple avait dit préférer suivre le déroulement des opérations depuis le bar. Observateurs de leur propre drame. Comment pouvaient-ils garder un tel recul ?

En franchissant le seuil de sa porte, Judith se mit à jurer. Pas une seule petite place dégagée dans le salon pour s'étendre. Vivre dans une maison en rénovation avait quelque chose de déprimant. Demain, elle parlerait à son père. Elle avait besoin d'un semblant d'ordre autour d'elle pour en faire dans sa tête. Sa chambre était un vrai four. Dormir à la belle étoile, sur le toit plat de la remise ? Et pourquoi ne pas monter sa tente ? Ces folles idées la quittèrent aussi vite qu'elles étaient venues. Elle se contenta de s'installer dehors, nue dans son bac d'eau fraîche, avec sa soupe froide, un gaspacho tué par un goût d'ail trop prononcé. Elle aurait mauvaise haleine et tant pis ! Pas de rendez-vous galant à l'horizon.

Les derniers événements lui occupaient l'esprit. Un cadavre en décomposition avancée. S'ajoutait un jeune garçon manquant à l'appel. D'une certaine façon, ces drames tombaient pile. Ils lui éviteraient de se morfondre dans un congé qui l'aurait confinée à l'ennui.

Allait-elle être à la hauteur de la tâche? Une sensation d'oppression la gagna. Elle n'avait jamais eu qu'une seule affaire majeure entre les mains: le cas de Nickie Provost. Aurait-elle toujours la même chance? Comment vivrait-elle l'échec? Elle le rencontrerait fatalement sur son chemin. Un jour, un détail lui échapperait. « Les détails sont les phares d'une enquête, répétait son ex-prof Denise Cormier. Aucun indice n'est négligeable. » Elle n'avait pas revu son mentor depuis deux ans. Des rumeurs disaient qu'après avoir purgé sa courte peine, elle avait quitté Trois-Rivières et s'était acheté un chalet quatre saisons dans la vallée du Saint-Laurent, près de Bécancour. Une nouvelle vie. Un jour, elle lui rendrait visite. Plus tard. Il était trop tôt pour reprendre contact.

Judith lutta contre le sommeil pour tenir jusqu'au bulletin régional de fin de soirée de TVA Sherbrooke. On y mentionna d'abord la disparition du gamin. Les images d'agents accompagnés de l'escouade canine rassuraient. La police avait réagi vite et mis tout son arsenal au service des recherches. La photo de Lucas concluait le reportage, avec une ligne d'appel dans la bande défilante au bas de l'écran. Au moment où elle s'apprêta à éteindre, la télévision rediffusa des extraits de la conférence de presse de la veille. Le malaise la reprit. Elle détestait se voir à l'écran. Les gens de Tingwick, dont Bigfoot, avaient dû l'y reconnaître. Jusqu'à présent, elle avait toujours réussi à éviter d'apparaître aux informations. Son téléphone sonna. Son père. Elle l'imagina, rivé à son téléviseur.

— P'pa… excuse-moi pour cet après-midi, fit-elle en décrochant.

18

Mardi 26 juillet, 23 h 30

De sa fenêtre ouverte, au deuxième étage, Judith pouvait entendre la musique du bar Tingwick. Elle enfonça une double ration de bouchons dans ses oreilles et plaqua l'oreiller sur sa tête. Comme elle sombrait, une image la ramena à la surface des choses. Ou plutôt une phrase que Carl avait laissé échapper : «… un samedi soir, tu ne sors pas d'ici incognito avec un petit dans les bras… »

Judith rouvrit ses yeux bien grand. Tous ses sens étaient en alerte. « Un petit dans les bras. » Elle resta immobile pour ne pas laisser s'échapper ce qui s'assemblait dans son cerveau : un adulte sortant de l'appartement avec un garçon de cinq ans dans les bras. Un enfant en caleçon. Enveloppé dans une couverture, peut-être. Judith refit un effort de concentration. Dans sa vision du rapt, le drap n'était pas l'élément essentiel. Elle retint sa respiration et referma les yeux. « Il » était là, transportant l'enfant léger comme une plume. Pas de lutte, pas de crise comme le jeune avait l'habitude d'en faire. Seulement le silence. « Il » avait emporté l'enfant sans bruit. Personne ne l'avait vu, mais surtout personne ne l'avait « entendu ». Pourquoi ? L'enfant connaissait le ravisseur ou… oui, c'était ça : l'enfant dormait, il ne s'était pas réveillé.

Judith bondit hors du lit et se rhabilla en vitesse avec le premier ensemble de jogging qui lui tomba sous la main. Elle enfila ses sandales et attrapa son cellulaire.

— Carl, tu es toujours à Tingwick ?

— Pas pour longtemps. Je finis mon hamburger. Les gars du labo sont partis. Pourquoi ? Besoin d'un calmant pour t'endormir ?

— Ils sont rentrés ?

— Qui ?

— Charlaine et son gros matou.

— Je les vois d'ici, toujours à la même table.

— Rejoins-moi à leur appartement.

— Ben là… ça ne peut pas attendre à…

Judith avait déjà raccroché.

***

Les haut-parleurs du bar écorchaient *Country Roads* de John Denver. La terrasse s'était remplie de travailleurs qui trinquaient à leurs vacances. Cette ambiance de fête aidait Charlaine à engourdir son mal. À son cinquième verre de Jack Daniel's, la maigre femme se sentit enfin calmée. Le voile mince qui la protégeait des mauvais coups de la vie venait d'être tiré. Tenir la réalité à distance, c'était la seule façon d'échapper à sa cruauté. Elle testa sa nouvelle armure en se forçant à penser à son fils disparu. Elle le vit courant dans le parc de l'école, grimpant au sommet du mur d'escalade, tout fier de lui. Elle sourit. La peur l'avait quittée. Tout était bien. Demain, la vie serait comme hier.

Assis devant elle, pensif, son cavalier sirotait son troisième Pepsi de la soirée en faisant tinter la glace dans son verre. Elle lui prit la main. Il leva les yeux. Son regard furieux ne se fixa pas sur elle. Sa colère était dirigée vers leur immeuble à logements, de l'autre côté de la rue.

— Qu'est-ce qui veulent encore, les osties de bœufs ! marmonna-t-il en se levant de sa chaise.

Charlaine se retourna. La femme enquêtrice et le policier qui les avaient questionnés plus tôt pénétraient dans son appartement comme s'ils avaient été chez eux. Avaient-ils frappé ? Elle n'osa poser la question à Bigfoot de peur d'attiser davantage sa grogne.

— Laisse faire, *babe*. Ils font leur job.

Puis, plus bas, elle ajouta pour elle-même : « Ils ne trouveront rien. » Sous les yeux ahuris de son *chum*, Charlaine quitta sa place d'un bond et se pressa vers les toilettes. Elle verrouilla la porte et alluma la lumière. L'endroit empestait le désinfectant. En tremblant, elle vida son sac dans l'évier et y trouva sa bouteille de somnifères, qu'elle n'arriva pas à décapsuler. Ses cris de rage inquiétèrent Bigfoot qui l'avait suivie.

— T'es-tu correcte ? s'enquit-il de l'autre côté de la porte.

— Laisse-moi pisser en paix, crisse !

Elle l'avait encore engueulé. Elle le regretta aussitôt. Mais elle était confiante, il l'attendrait. Bigfoot avait autant besoin d'elle qu'elle de lui.

Après avoir enfin réussi à déjouer le système de sécurité du contenant de médicaments, elle déversa les comprimés dans la cuvette. Cinq pilules. Il n'en restait que cinq. Elle tira la chasse d'eau.

Après avoir rabaissé le couvercle des toilettes, elle s'assit, complètement défaite. Sa dernière image de Lucas lui revint : sale, enroulé dans sa douillette, endormi la bouche grande ouverte. Le mal de cœur la prit. Elle n'eut pas le temps de relever le siège avant de vomir le mauvais spaghetti que Bigfoot venait de la forcer à avaler.

19

Il avait dormi d'une seule traite une bonne dizaine d'heures. Le travail physique lui était salutaire. Matéo Cornelier se leva de sa couche, sortit de son campeur et resta un peu sur le marchepied à contempler l'époustouflante beauté qui s'offrait à lui. Chaque matin était une célébration d'odeurs, de cris d'oiseaux et de couleurs. Des vallons imbriqués les uns dans les autres, dans une irrégularité qui défiait la ligne d'horizon. Il adorait perdre ainsi ses repères. La colline qu'on lui avait offerte cet été était un véritable paradis. Il y avait installé sa Westfalia, un modèle 1979 beige et orange, dont le vieux moteur hoqueteux ressuscitait chaque été grâce aux petits miracles que ses habiles doigts d'ingénieur mécanicien réussissaient à opérer. Une fois de plus, sa maison roulante lui avait été fidèle. Elle l'avait conduit sans problème de Fermont, où il avait passé l'hiver, jusqu'à Saint-Rémi-de-Tingwick. C'était la deuxième année que son jeune frère Ludovic lui proposait cet échange : l'occupation du terrain contre un coup de main aux récoltes maraîchères. Une offre acceptable. Cueillir des petits fruits à l'air libre, ce serait des vacances bien méritées après les derniers six mois passés à étouffer dans le ventre de la mine.

Un coup de vent balaya ses longues boucles brunes. D'un geste familier, il entortilla sa crinière sur le haut de son crâne avec l'élastique qu'il portait en bracelet à son poignet. Les rayons d'un soleil déjà haut réchauffèrent son corps endormi. La journée serait parfaite pour ramasser les framboises gorgées des derniers arrosages, un système d'irrigation goutte à goutte qu'il avait lui-même mis au point pour réduire la dépense d'eau. Avec deux employés en moins sur la ferme, la tâche serait exigeante. Il fallait récolter avant les tempêtes annoncées pour les prochains jours.

D'une main, il décrocha son pantalon de la corde tendue sous l'auvent de sa maison de tôle. Il en tâta les jambes. Elles étaient sèches et raides. Il l'enfila. Du bout du 7e Rang, une voiture approchait. Il reconnut la vieille Pontiac verte de Ginette Plourde, la livreuse de circulaires de Tingwick et Saint-Rémi. Elle marqua un arrêt à la maison voisine avant de poursuivre sa route. Ce maigre revenu semblait lui suffire. Sa maison mobile lui avait été léguée en héritage. C'est du moins ce qu'elle lui avait raconté deux semaines auparavant en tentant malhabilement de lui exprimer un autre type de besoin auquel il s'était senti incapable de répondre. La femme avait conservé sa jeunesse malgré sa cinquantaine avancée, mais ses cheveux taillés sans soin et une certaine négligence dans son allure coupaient toute inspiration. Un rappel des habits de sa mère peut-être. Une allure de militante canadienne-anglaise comme il en avait tant croisé sur la côte Ouest.

La voiture s'arrêta devant la boîte aux lettres de la ferme. Matéo franchit d'un pas alerte les cent mètres qui le séparaient de la route. L'enseigne de bois ouvré, où l'on avait peint en vert et or «Les Hauts-Vents», bal-lottait en faisant grincer ses minces chaînes. Un nom tout désigné pour rappeler les hauteurs où la ferme était juchée. Le vent avait aussi pris la mauvaise habitude d'éparpiller les feuilles du Publisac mal accroché à son piquet. Malgré leur demande, Ginette s'entêtait à leur livrer ce ramassis de publicités que personne ne lisait.

S'il arrivait à la rattraper à temps, il lui réitérerait sa requête en s'assurant cette fois d'être bien compris. La femme dut sentir la colère de l'homme qui accélérait le pas vers elle. Aussi, elle se contenta de baisser sa vitre et de lui lancer son sac. Matéo l'attrapa comme un bal-lon de football, regarda la voiture filer sous son nez et retourna s'habiller en maudissant tous les gaspilleurs de papier de ce monde.

20

Judith avala son deuxième café en vitesse. L'équipe de la SQ était déjà à pied d'œuvre dans le village et les boisés environnants. Elle aurait dû être là pour l'accueillir, mais elle était passée tout droit. Heureusement, Carl était sur place, à la coordination des secours. Le bruit de l'hélicoptère survolant Tingwick l'avait tirée de sa torpeur. Sa nuit avait été trop courte. Le souvenir de son échec de la veille revint la tourmenter.

Elle était retournée chez Charlaine Blondin sans préavis, trop certaine de ce qu'elle y trouverait. Elle avait fouillé la pharmacie sans mettre la main sur ce qu'elle cherchait. Rien pour prouver que Charlaine administrait des sédatifs à son fils en guise de gardienne. Et même si cela avait été le cas, rien n'aurait relié cette maltraitance à la disparition de l'enfant. La policière était rentrée bredouille et n'avait pas réussi à trouver le sommeil. Le poison du doute continuait de faire ses ravages. Avait-elle vraiment ce qu'il fallait pour conduire une enquête ?

Elle enfila les derniers vêtements propres qui pendaient dans son armoire, une antiquité victorienne léguée par son père. Un pantalon de toile beige et un chemisier léger. La journée s'annonçait chaude et humide. Deux semaines déjà sans une seule goutte de pluie.

Après un déjeuner pris sans appétit, Judith piqua à pied par la rue Desharnais et se rendit dans le stationnement de l'hôtel de Tingwick, là où était postée l'unité mobile des experts venus leur prêter main-forte. Elle reconnut aussitôt Benoit Mélançon, le chef d'équipe aux opérations des services techniques. Il vint à sa rencontre en lui offrant son café.

— Tu peux le prendre, je ne l'ai pas encore tété, ricana-t-il.

Même dans les circonstances les plus dramatiques, Mélançon trouvait le mot pour détendre l'atmosphère. Son allure de bonhomme Pillsbury contribuait à sa réputation de jovialiste.

— Merci, j'ai eu ma dose, sourit Judith en repoussant le verre de styromousse. Rien de neuf depuis hier ?

— Absolument aucune trace. C'est tout de même particulier. Un enfant à pied, ça ne peut pas aller très loin.

L'air songeur, Mélançon s'appuya sur le bord d'une table à pique-nique inoccupée.

— Tu écartes l'hypothèse d'une fugue ? questionna Judith en prenant place à ses côtés.

— Je n'écarte aucune hypothèse, ni celle d'un enlèvement ou d'un meurtre.

Judith écarquilla les yeux, épouvantée.

— Tu n'es pas drôle ce matin.

— On a fouillé les environs hier jusqu'à la tombée de la nuit. On est ici depuis 6 h avec les chiens et l'hélicoptère. Si on ne trouve rien maintenant, les chances que le petit soit dans les parages sont minces.

Mélançon suivait des yeux la nouvelle escouade de policiers qui venait de se garer près du poste de commandement.

— Vous envisagez une battue? demanda Judith.

— Les pompiers volontaires vont s'en occuper. Ce n'est jamais mauvais de mettre les citoyens dans le coup. Ça calme les esprits qui pensent que la police ne fait pas sa *job*, même si c'est rarement par là que la réponse nous arrive.

— Quand commencez-vous?

— Pas avant demain. On veut être les premiers sur les pistes. Ensuite, les bénévoles pourront ratisser plus en détail. On va faire les champs, les bâtiments des fermes à la sortie du village, mais on ne pourra pas inspecter tous les rangs.

— Et si on demandait à chaque agriculteur d'ouvrir l'œil, de fouiller sa ferme?

— J'attendrais un peu avant de me lancer dans ce genre d'opération, suggéra Mélançon. On pourrait penser qu'on cherche un corps. Il faut éviter des conclusions alarmantes.

— J'espère qu'on n'en viendra pas là, s'alarma Judith. J'ai déjà un cadavre sur les bras, merci pour un deuxième.

— Une femme, il paraît? dit-il cette fois en la scrutant des yeux.

— Les vêtements le laissent croire. Ce sera bientôt documenté par le rapport du laboratoire de médecine légale.

— En pleines vacances de la construction. Bonne chance! se moqua-t-il.

Leur conversation fut interrompue par un officier qui vint leur livrer une pile d'affiches. Judith en saisit une. Le visage de Lucas, en noir et blanc sur 12 cm par

16 cm. Elle s'arrêta devant l'étrange regard de l'enfant détourné de l'objectif de la caméra.

— Il se peut que l'enfant soit déficient ou présente des problèmes de santé mentale.

— Quoi? s'exclama Mélançon. Il n'y a rien à ce sujet-là dans la description.

— Charlaine Blondin est une cliente connue des Services jeunesse. Ils nous fourniront toute l'info dont on a besoin: évaluations, médication...

— Taboire, ça change bien des affaires. J'ai besoin de ces renseignements au plus vite, s'empressa-t-il d'ajouter en la quittant.

Judith se mordit les lèvres. Avec la DPJ dans l'affaire, les risques seraient grands que Charlaine soit accusée de négligence parentale.

Carl sortit de l'épicerie Le Dépann du Village avec une pâtisserie. Il fit signe à Judith de le rejoindre.

— On a quelque chose, lâcha-t-il en échappant des miettes du chausson aux cerises sur sa chemise ouverte.

Judith réprima son envie de les balayer et le questionna du regard.

— En fouillant les poubelles de l'immeuble, les techs ont découvert un 26 onces d'amaretto. Le beau de l'affaire, c'est que la bouteille est à moitié entamée. Le bonbon que tu cherchais hier.

— Tu penses qu'elle aurait pu mettre le petit K.-O. en le faisant boire?

— Avec du lait, ce n'est pas si mauvais.

— De l'alcool. J'aurais dû y penser.

— Pas besoin, je suis là.

— Endormir son petit est une chose. Le faire disparaître, une autre, rétorqua Judith.

— Pas si elle y est allée trop fort. Avec ce à quoi elle carbure, elle n'a aucune raison de s'être débarrassée de sa liqueur, à moins de vouloir dissimuler une preuve que les choses ont mal tourné. Avant d'aller la voir, je suggère qu'on passe au bureau. Métivier veut nous rencontrer. En même temps, on pourra consulter le rapport préliminaire des services techniques. Ils ont peut-être relevé des empreintes qui pourraient nous intéresser.

Judith n'avait jamais vu autant d'esprit d'initiative chez Carl. Ce qu'il proposait était sage et son plan structuré. Elle se rendit à ses conclusions. Ils se donnèrent rendez-vous au bureau de Victoriaville. Elle y serait avant lui, il en avait encore pour dix minutes.

***

Dix minutes. C'est le temps que prit le capitaine Claude Métivier pour expliquer à Judith que l'enquête au sujet du petit Lucas serait confiée à son collègue. On souhaitait vérifier ses compétences afin d'évaluer sa requête.

— Quelle requête ? Je ne comprends pas de quoi on parle ici ? s'énerva la détective.

Métivier se balançait sur la chaise pivotante de son bureau, cherchant la meilleure réponse pour apaiser la tempête qu'il venait de déclencher.

— Tu sais très bien qu'un nouveau poste d'enquêteur est ouvert dans notre service et que Carl Gadbois a posé sa candidature.

— Carl ne m'en a rien dit. Comment peut-il postuler ? Il n'a pas la formation requise.

— Il cumule une dizaine d'années de service comme agent, dont cinq aux crimes majeurs. On l'a prêté à la Division mixte d'enquêtes de Drummondville. Il a quand même de l'expérience dans le corps.

Complètement sciée par la nouvelle, Judith se leva d'une traite, tourna le dos à Métivier et se dirigea vers la sortie. Puis elle s'immobilisa dans l'embrasure et en botta le cadre. Elle avait quitté son emploi, s'était tapé des cours, s'était endettée pour décrocher son titre d'enquêtrice, et voilà qu'on allait accorder le même poste à son confrère en guise de points bonis pour ses précieux services !

— Je ne peux pas le croire !

— Calme-toi. Pour l'instant, on veut juste lui laisser un peu de lousse pour voir de quoi il est capable. C'est une évaluation. Tu poursuis la supervision de l'enquête, mais tu le laisses travailler.

Elle fit volte-face.

— En plus, je dois l'évaluer ! Gadbois est au courant que je vais jouer la marraine ?

Le silence qui suivit fut plus dur à avaler que la nouvelle reçue précédemment.

— Il est au courant, en plus ! Depuis quand ?

Carl, qui venait d'arriver, frappa doucement. Judith se tourna vers lui. Elle le fusilla du regard.

— Prends-le pas de même…, tenta-t-il en esquivant les coups dont elle le roua en sortant.

**

Enfermée à double tour dans son bureau, Judith en arpentait les trois mètres carrés comme une prisonnière en cellule. L'envie de démissionner lui traversa l'esprit. Elle ouvrit à pleine grandeur la fenêtre qui donnait à l'extérieur, respira à fond et se déchaussa. Elle n'arrivait pas à décolérer. Les larmes lui montèrent aux yeux. Carl avait les compétences pour mener une enquête, là n'était pas la question. Quelque chose d'autre la heurtait. Le poste avait été affiché en juin dernier. Carl, qu'elle avait cru son ami, planifiait-il son coup depuis tout ce temps ? Cela correspondait avec son changement d'attitude. Et dire qu'elle avait attribué leur récent rapprochement à son envie de s'envoyer en l'air de nouveau avec elle. Elle s'était bien fait baiser, mais dans le mauvais sens du terme. Une rage profonde l'envahit. Elle n'avait qu'une seule envie, briser quelque chose. Elle décida de rentrer chez elle. Qu'ils la cherchent ! Elle avait mieux à faire que de superviser celui qui allait lui ravir son poste. Car telle était bien l'issue insupportable de cette compétition. S'ils partageaient le même échelon, comment arriverait-elle à se faire valoir auprès de ses chefs, et surtout des autres gars de l'équipe ? Elle perdait son unique avantage. À qui donnerait-on les enquêtes criminelles jugées difficiles ? Elle ne ferait plus le poids.

Judith emprunta le couloir en direction du stationnement. Carl était encore en grande conversation avec le patron dans son bureau. Elle pressa tant le pas que Christiane ne réussit pas à la happer au passage. Une fois assise dans sa voiture, elle entendit chanter son cellulaire. La standardiste persistait à vouloir la joindre.

— Oui, répondit-elle sèchement.

— Au sujet de la femme retrouvée morte…

— Oui.

— Il y a quelqu'un qui dit la connaître.

— …

— Judith, tu es là ?

— C'est sérieux ?

— Je crois que oui. Il a décrit le deuxième bijou.

Le cœur de Judith bondit. Dans le signalement public, ils avaient volontairement tu un détail, ne décrivant qu'un seul des *piercings*, celui du soleil.

— Donne-moi une seconde que je trouve un crayon.

Une brèche s'ouvrait enfin. Elle allait connaître l'identité de la jeune fille. Ce serait « son » enquête. Et elle la conduirait à sa façon pendant que Carl serait occupé à l'affaire Blondin. Elle se reprocha sa mauvaise foi. Les choses seraient peut-être mieux ainsi. Deux affaires, deux chefs, l'un apportant son support à l'autre. Elle devait cesser de voir des complots partout et se concentrer sur son travail. La partie commençait. La morte porterait enfin un nom. Avec son nom viendraient sa trace, ses parents, ses amis, les circonstances de sa mort. Judith se sentit portée par la mission dont l'avait investie Martin Grimard. Le dénouement du triste destin de la femme retrouvée sans vie était entre ses mains.

— Tu peux y aller, Christiane, je t'écoute.

21

Ses longues jambes coincées sous la petite table de cuisine, Judith examinait avec étonnement l'intérieur étroit de la Westfalia. La miniaturisation des installations de cuisine provoquait un effet de trompe-l'œil, celui d'un espace plus grand que le véhicule alors qu'il s'y trouvait juste assez d'espace pour héberger une seule personne. « Ou un couple », pensa-t-elle en remarquant les coquets rideaux que Matéo Cornelier venait de tirer. Elle imaginait mal le jeune homme cousant lui-même ses tentures. « Sa sœur, sa mère ou sa blonde ? Peut-être une ex. » La couleur délavée des draperies témoignait de leur usure. Son regard se reporta sur son témoin qui préparait un thé du Labrador. Il était aussi séduisant de dos. Quelque chose de détendu se dégageait de ses épaules au port altier. Sa taille mince retenait de façon précaire un ample pantalon de lin resserré par une ceinture chamarrée.

— Ce sont des feuilles de la Côte-Nord. Je les ai cueillies moi-même l'automne dernier, expliqua-t-il en versant le précieux liquide dans deux tasses dépareillées.

— Merci, fit Judith qui apprécia la précision de ses gestes.

Les mains de Matéo Cornelier étaient noueuses, d'allure plus vieille que le reste de son corps. Le signe d'un travailleur manuel. Par ailleurs, les caisses de livres rangées sous la petite table trahissaient également un esprit curieux. Leurs genoux s'entrechoquèrent quand il prit place sur l'autre banquette. Il ne s'excusa pas.

— C'est bien organisé, avança Judith pour dissiper son malaise. Chaque chose a sa place, poursuivit-elle en pointant la tapette à mouches qui pendouillait du rétroviseur.

— Vous vous attendiez à plus de désordre, se moqua Matéo. Ce n'est pas parce qu'on vit autrement qu'on n'est pas propre et rangé. Même si on est un gars, acheva-t-il.

— Ce n'est pas ce que j'ai voulu insinuer, bredouilla Judith.

Pour se donner une contenance, elle sortit sa tablette numérique et décida de passer illico à la cueillette d'informations. Si l'homme était aussi désagréable que beau, elle avait intérêt à ne pas étirer sa visite. Elle avala une dernière gorgée. Le breuvage était savoureux.

— J'aurais besoin que vous me refassiez exactement la description que vous nous avez transmise au téléphone ce matin.

Matéo posa sa tasse et croisa ses doigts comme pour prier. Après un moment de recueillement, il leva la tête dans sa direction. Ses yeux magnifiques hésitaient entre le vert et le bleu.

— C'est un bijou du Pérou. Une paire de *piercings* à figures asymétriques. La lune et les étoiles pour l'ouest, et le soleil à l'est. Un cadeau qu'on offre lorsque…

Il s'interrompit, l'air indécis, puis se reprit.

— Il y avait une raison. Le balancement des énergies je crois, le yin et le yang…

— Pouvez-vous me donner d'autres détails sur le bijou, sa forme, sa grandeur ?

Matéo fut secoué d'un rire triste. Il se leva de table, remit de l'eau chaude dans la théière et se tourna vers Judith en s'appuyant sur le comptoir. Sa tête effleurait le plafond de la camionnette.

— Je n'avais pas accès au nombril de Perséides. Je ne l'ai jamais approchée de si près, précisa-t-il sur un ton de regret.

— Perséides ? C'est le prénom de la jeune fille ?

— Oui. Le seul nom que je lui connaisse.

Un nom d'emprunt, mais un nom tout de même. Quelque chose se dénoua dans l'estomac de Judith. L'excitation de voir enfin une porte s'ouvrir. Elle mesura l'importance des questions et surtout des réponses qui allaient suivre.

— J'aimerais que vous me disiez tout ce que vous savez sur cette personne. Prenez votre temps. Chaque détail est important.

D'un geste mesuré, Judith plongea la main dans sa poche et en sortit un sachet transparent. Elle le vida sur la table. Les deux bijoux tournoyèrent comme des dés.

Matéo blêmit, fit un pas en avant et fixa d'un air consterné les deux petites pièces argentées. Judith se leva à son tour sans le quitter des yeux.

— Ça va ?

Un tremblement gagna le jeune homme. Il bouscula la policière qui lui bloquait le passage et fila à l'extérieur comme une flèche. Judith se précipita à sa suite.

Matéo escalada la colline à toutes jambes avant de s'effondrer dans les hautes herbes. Quand Judith le rejoignit, il était recroquevillé sur lui-même et geignait comme un animal. Un chien à la patte cassée. Judith s'accroupit près de lui. Elle observa sa tête cachée dans ses genoux. Des brins de paille se mêlaient aux nœuds de sa tignasse. Le faire parler serait plus long que prévu. Pourquoi était-elle toujours aussi pressée ? Elle s'installa à ses côtés en allongeant ses jambes. Le soleil de la montagne était frais, le vent aussi. Elle respira à pleins poumons l'odeur des blés murs. Attendre. Oui, elle allait l'attendre.

22

Mercredi 27 juillet, 12 h 30

Dans la Honda, la chaleur était insupportable. Judith peinait à garder ses mains sur le volant et la boucle de sa ceinture la brûlait. Elle la détacha d'un geste impatient et, les vitres abaissées, traversa les dix kilomètres qui séparaient Saint-Rémi du village de Tingwick. La faim la tenaillait. Les deux muffins avalés en vitesse le matin étaient déjà loin. Pourtant, les cris de son estomac n'arrivèrent pas à la distraire de l'entrevue troublante qu'elle venait de vivre. Elle se revit assise dans les herbes hautes avec le jeune adonis, qui lui avait chuchoté sa vie par courtes bribes.

L'hiver, Matéo Cornelier se trouvait des boulots payants dans le Grand Nord, puis il redescendait vers le sud pour les cueillettes estivales. Il avait l'habitude de passer la belle saison à Dégelis, au Témiscouata, le coin le plus oublié de la province. C'est là qu'il avait grandi dans une immense maison délabrée, une commune où vivait toujours sa mère. L'année précédente, il avait dévié de sa trajectoire pour aider son frère Ludovic, qui s'était mis en couple depuis peu avec la fille des propriétaires de la ferme maraîchère Les Hauts-Vents. Ces gens de la capitale avaient acheté cette terre abandonnée du Centre-du-Québec pour leur unique enfant, une agronome qui voulait se lancer dans le bio. C'est là qu'il avait rencontré Perséides.

La façon dont Matéo avait décrit la jeune fille trahissait son attirance pour elle. « La beauté ravageuse d'une femme totalement inconsciente de son charme. Une enfant dans un corps trop grand. » Matéo s'était levé et s'était mis à mimer les gestes de la jeune fille, dans une danse étrange. « Elle se déplaçait sans bruit, avec une grâce qui lui était particulière, ses pieds ne faisaient qu'effleurer le sol. » En été, Perséides quittait ses bottes et vivait pieds nus. Chaque matin, avant de se vêtir, elle dansait au soleil ou sous la pluie, pour remercier la terre de donner naissance au jour. Puis elle choisissait un rêve et le vivait. Dormir près d'un feu, se coudre une robe avec des feuilles, concocter un nouveau jus de baies sauvages…

— Quand est-elle arrivée à la ferme ? l'avait interrompu Judith.

— L'été dernier. Mon frère Ludovic l'a rencontrée au rassemblement *Rainbow* de Maniwaki. Elle voulait venir dans la région. Il lui a proposé de s'installer ici avec quelques amis pour aider aux récoltes.

— Le *Rainbow*, qu'est-ce que c'est ?

— Ils ont un site Internet. Tout est là. Ça a démarré au Colorado dans les années 60, mais depuis, c'est devenu un mouvement international. Des hippies qui se reconnaissent entre eux, qui partagent le même idéal. Ils veulent protéger la terre, vivre légèrement en l'exploitant le moins possible.

— Dans la simplicité volontaire, avait ajouté Judith, heureuse de connaître ce terme.

Matéo Cornelier s'était moqué d'elle.

— Ce n'est pas un *trip* d'écolos bourgeois, leur affaire. Certains vivent en tribus nomades et prennent soin les uns des autres.

— Quand l'avez-vous vue la dernière fois? avait ajouté Judith.

— Au début de septembre. Pour moi, le travail était terminé sur la ferme. On m'avait proposé un emploi à la nouvelle mine du lac Bloom. C'est beaucoup d'argent. Et là-bas, j'ai des amis. Ici...

Il s'était caché la tête dans les mains.

— J'ai travaillé à ses côtés et je n'ai rien vu. J'aurais dû la protéger.

— De quoi?

— Je ne sais pas. À la fin de l'été, elle n'était plus la même. Elle semblait perdue, inquiète. Elle avait eu une dispute avec son copain.

— Son copain? Elle avait un petit ami?

Quand Judith l'avait quitté, Matéo Cornelier était demeuré un moment à méditer en haut de sa colline. Avant de reprendre la route, elle avait eu l'intuition qu'ils se reverraient, que cette conversation n'était que la prémisse d'un long entretien. Le témoin lui cachait quelque chose d'important. C'était dans sa façon de reprendre ses fins de phrases, dans la précaution qu'il prenait à choisir ses mots. À quoi cela rimait-il? Un souvenir lui revint en mémoire. Jean-Léon Marquis, un policier de Lotbinière avec qui elle avait étudié. Il avait raté son exposé oral. Leur professeure, Denise Cormier, leur avait demandé de décrire une scène de crime en s'abstenant d'évoquer le sexe de la victime. C'était au même type de gymnastique mentale qu'avait semblé se livrer Matéo Cornelier. Que dissimulait-il? Et pourquoi lui cacher une partie de la vérité? Car pour le reste, elle était convaincue qu'il ne mentait pas. Le profil qu'il avait esquissé de la disparue expliquait l'absence de souliers et de sous-vêtements observée sur la dépouille. Le peu d'information qu'il lui avait livré était précieux. On pouvait imaginer un scénario plutôt classique : un triangle amoureux, avec Perséides au centre, victime de l'ami cocu ou de l'amant jaloux. Si Martin Grimard disait vrai et que les traces de la disparition de la jeune fille dataient du début d'octobre, cela excluait Matéo comme suspect. Bien sûr, une vérification à la mine de Fermont s'imposait.

À Tingwick, Judith se gara devant la cantine Chez Marie-Jo, juste à côté de l'auto-patrouille de Carl Gadbois. Elle redoutait de le croiser après leur prise de bec matinale. Elle joignit Alain sur son cellulaire pour qu'il vérifie l'alibi de Matéo Cornelier, puis craqua pour une poutine. Les frites maison étaient croustillantes et le fromage en grains, frais et abondant. Carl s'approcha de sa table au moment où elle attaquait son plat aspergé de vinaigre et de sel. Son allure désinvolte ne trahissait aucune trace d'animosité.

— Pour une fille qui surveille sa ligne…, la taquina-t-il en s'assoyant en face d'elle.

— Je n'ai jamais dit que j'étais au régime, rétorqua Judith, la bouche pleine.

— Toutes les filles font attention, affirma-t-il en lui subtilisant une frite.

Elle lui tapa sur les doigts.

— Si c'est pour me voler mon plat, trouve autre chose.

— La battue du petit Lucas s'organise pour demain, enchaîna Carl.

— Et la bouteille d'amaretto jetée aux poubelles ? Avez-vous pu prélever des traces d'alcool dans les verres sales ?

— Des restes de Coca-Cola, rien d'autre. Même pas de savon à vaisselle dans l'armoire. Ces gens-là n'ont pas d'argent, mais ils passent leur vie à manger au restaurant. C'est vrai qu'avec cette cantine en face, c'est dur de résister, fit-il en continuant de se servir dans le casseau de Judith.

— Tu peux le finir, je n'ai plus faim.

— Je le savais, se réjouit-il en tirant l'assiette vers lui.

Judith se leva pour aller chercher une serviette en papier. Aux tables voisines, des policiers de la SQ savouraient hot-dogs et hamburgers. Pour le commerce, cette disparition était une vraie manne. Elle regagna sa place, décidée à partager le résultat de sa propre enquête avec son collègue.

— Elle s'appelle Perséides, révéla Judith, excitée.

— Ton paquet d'os ?

La policière prit le temps de déglutir avant de répondre.

— Mon squelette est celui d'une personne envers qui je te demande un peu de respect.

La peine de Matéo Cornelier avait donné une vie et une âme au cadavre anonyme.

— Perséides ? répéta Carl, perplexe.

— C'était une jeune marginale.

— Pas facile à trouver dans un bottin téléphonique, ironisa-t-il.

— Non, mais j'en ai appris assez pour la retracer. Elle est arrivée dans le coin l'été dernier pour travailler sur une ferme à Saint-Rémi, est tombée amoureuse d'un stagiaire en agriculture biologique au cégep de Victoriaville.

— Et elle vient de ?…

— Aucune idée encore, son petit ami devrait toutefois m'en apprendre davantage.

— Partie comme tu es, tu risques de boucler ton affaire avant la fin des vacances. J'ai peur que de notre côté, ça s'étire.

— On dirait une compétition, le défia-t-elle.

Carl se composa un air angélique.

— Voyons, Judith, tu le sais que je n'oserais jamais me mesurer à toi.

— Tu me rediras ça sans rire quand tu auras été nommé enquêteur cet automne. Si tu décroches le poste, évidemment.

Judith se leva d'un bond sans attendre la réplique. Elle sauta dans sa voiture et s'engagea dans le rang Craig en direction de Victoriaville. Elle consulta le bout de papier sur lequel elle avait noté une adresse et un nom : Quentin Nouaux.

23

Mercredi 27 juillet, 15 h

En garant sa Honda dans le stationnement arrière de l'ancien collège d'Arthabaska, devenu depuis un centre de congrès, Judith vit deux vieillards qui se balançaient sur leur perron. Lors des transactions autour de la vente, la congrégation des Frères du Sacré-Cœur avait obtenu de conserver des droits de résidence dans la partie la plus ancienne du bâtiment. Une dizaine d'octogénaires y attendaient la fin de leur vie sur terre. Avec ces derniers représentants de l'ordre religieux, c'était tout un pan de l'histoire du Québec qui se terminerait.

Judith s'engagea dans le sentier qui menait au verger, dont la beauté était le secret le mieux gardé de Victoria-ville. Pendant près de cent cinquante ans, les religieux avaient régné sur l'immense terrain derrière leur maison mère, un territoire dorénavant protégé par la municipalité, qui s'étendait jusqu'aux abords de la rivière Nicolet.

Judith y croisa un cimetière aménagé dans un petit boisé. Elle fut touchée par la vue qui s'offrait à elle : quelques centaines de pierres tombales, identiques, qu'ornementaient plusieurs bosquets de vivaces. Qui pensait à ces disparus de nos jours ? Un nombre impressionnant de décès étaient survenus au cours de l'année 1918. Son père lui avait raconté cette histoire : un congrès eucharistique international, tenu à Arthabaska, avait fait voyager la grippe espagnole des tranchées européennes jusqu'au Québec. On avait commis l'erreur fatale de renvoyer tous les congressistes chez eux. La pandémie s'était répandue au Canada et dans plusieurs autres pays. Les morts s'étaient comptés par milliers.

Judith poursuivit son chemin jusqu'aux premiers rangs du verger. Son arrivée fit fuir une horde de chats. Au pied de plusieurs pommiers, on avait déposé des bols de lait.

— C'est pour éloigner les mulots, fit une voix chevrotante dans son dos.

Judith sursauta. Elle n'avait pas entendu l'homme approcher, comme si son maigre corps n'offrait plus de poids à la terre qu'il foulait.

— Ils font des trous dans les arbres. Ça les fait mourir.

— Vos pommes sont belles, le félicita Judith en avisant une branche chargée de fruits encore verts.

— Vous pouvez y goûter. Je ne dirai rien, répondit le bon frère.

Judith se hissa sur la pointe des pieds et décrocha une pomme qui n'avait pas terminé sa maturation. Sa première bouchée la fit grimacer.

— Je cherche la ferme-école du cégep de Victoriaville.

— Ils se sont installés sur le terrain dégagé, tout au bout du sentier près de la rivière. L'endroit est plus ensoleillé. Mais pour acheter les légumes, il faut aller au kiosque.

Il lui pointa la direction opposée. Son doigt tremblait. Parkinson ?

— Merci. C'est aux jardins que je dois me rendre.

— Il n'y a rien d'extraordinaire à voir, se moqua-t-il. Les jeunes s'excitent d'ensemencer la terre avec les techniques que nous avons toujours utilisées. Nous avons fait de la culture biologique bien avant que le mot soit inventé. S'ils avaient besoin de professeurs pour leur montrer comment se passer de pesticides chimiques, ils n'avaient qu'à demander. On leur prête notre terrain parce que c'est la seule terre propre dans le coin. En retour, c'est à peine s'ils nous saluent.

Judith s'éloigna en bafouillant un merci. Au bout de la route, elle aperçut un immense champ en culture maraîchère où s'affairaient quelques étudiants. Plus près, sur la gauche, se dressait une grande serre. L'écran de plastique laissait transparaître une forme humaine qui allait et venait. Judith s'approcha. La porte était entrebâillée. Elle entra. L'air était rare. Au bout de l'allée des plants d'aubergine, elle aperçut un jeune étudiant qui lui tournait le dos. Avec des gestes empressés, il s'affairait à ranger les arrosoirs.

— Excusez-moi, dit Judith pour s'annoncer.

Le garçon bondit en se tournant vers elle. Il replaça son béret de laine sur les *dreads* qui encadraient son visage apeuré.

— Vous n'avez pas le droit d'être ici, lui lança-t-il.

— Je cherche Quentin Nouaux.

Un nouveau soubresaut traversa le corps svelte. Sa veste sans manches et la série de bracelets qui lui enserraient les poignets révélaient un goût prononcé pour l'artisanat sud-américain.

— C'est moi, prononça-t-il d'une voix blanche.

— Je suis la sergente Judith Allison, de la Police régionale d'Arthabaska. J'enquête sur la disparition de quelqu'un que vous connaissez. J'aimerais vous poser quelques questions. Je propose qu'on aille à l'extérieur. On étouffe ici.

Judith sortit aussitôt pour donner l'occasion au jeune de reprendre ses esprits.

Quentin Nouaux émergea de l'abri, son sac sur le dos, la mine peu rassurée. Judith l'entraîna vers un coin ombragé où on avait installé une table en planches et une toilette sèche. L'aire de repos des étudiants. La policière fut traversée d'un doute. Savait-il que sa petite amie de cœur était décédée ? Lisait-il les journaux ? Et s'il n'était pas au courant, comment allait-elle lui apprendre la macabre nouvelle ? Si Quentin était relié à la mort de Perséides, sa nervosité transparaîtrait ; s'il était innocent, il serait également perturbé. Comment faire le tri dans ces émotions qui l'assailliraient ? Judith s'en voulut de ne pas s'être mieux préparée.

— Je suis au courant pour Perséides, lâcha-t-il d'une voix dure. C'est moi qui lui ai offert les *piercings*. Je suis vraiment désolé qu'elle soit morte.

Une sonnerie étouffée se fit entendre.

— Excusez-moi, fit-il en plongeant la main dans la poche avant de son sac à dos.

Quentin sortit son iPhone. Un sourire traversa son visage à la lecture du texto qu'il venait de recevoir. Son attitude acheva de déstabiliser Judith. Il lui avait présenté ses condoléances comme si elle avait été de la famille. Une froide formalité. Elle se redressa et posa fermement ses mains sur la table de bois.

— Ton copain Matéo n'a pas perdu de temps pour t'informer, hasarda-t-elle. Le décès de ta petite amie n'a pas l'air de te faire beaucoup de peine.

— On ne sortait plus ensemble, offrit-il pour toute explication.

Comment pouvait-il afficher autant de détachement? Son téléphone intelligent sonna de nouveau. Sans plus d'excuses, il prit le message, pianota sa réponse avec dextérité, ferma son appareil puis reporta son attention vers Judith.

— Je n'ai reçu aucune nouvelle d'elle depuis l'automne dernier. Je ne sais pas ce qui lui est arrivé. Je suis pressé, mon *lift* m'attend au kiosque.

Judith retint un mouvement d'impatience.

— On tente de retrouver sa famille.

— Elle ne m'avait pas présenté à ses parents, rétorqua-t-il d'un air arrogant.

— Tu n'as aucune idée d'où elle venait?

— Peut-être de l'Ontario ou de l'Ouest.

— Qu'est-ce qui te fait croire ça? s'enquit-elle, intéressée.

— Son accent! Elle massacre son français et elle pense comme une anglo.

— Ce qui veut dire?

— Elle joue les libérées, mais c'est une *square edge* dans l'âme.

— Elle est décédée! aboya Judith.

— O.K., c'était une bonne fille, même si je me suis trompé sur son compte. On avait arrêté de se voir au début d'octobre. Elle est partie sans me dire où elle allait. C'est mieux comme ça.

Quentin était fermé comme une huître. Aucune brèche pour l'atteindre. Frustrée, Judith abdiqua en se promettant de le savonner plus tard. En rangeant sa tablette numérique, elle lui posa une dernière question.

— Qu'elle se soit fait tuer, ça ne te fait ni chaud ni froid?

— Je trouve ça plate, mais je n'ai rien à voir là-dedans, s'emporta-t-il.

L'interrogé semblait tout à coup s'offusquer qu'elle se désintéresse de lui. L'ignorer était une stratégie qui avait des chances de porter fruit.

— Il n'y a personne qui t'accuse. Je m'informe, c'est tout, poursuivit-elle nonchalamment en quittant la table.

— Je le sais que si vous ne trouvez pas mieux, vous allez me mettre ça sur le dos.

— Si tu penses à quelqu'un qui aurait pu lui vouloir du mal, n'hésite pas à m'appeler, répondit-elle en lui tendant sa carte.

— Tout le monde l'aimait.

— Ah oui? Tout le monde sauf toi, on dirait?

Sans attendre la réponse, Judith reprit prestement le sentier vers l'entrée du parc. Quentin courut derrière elle pour la rejoindre.

— C'est super chien qu'elle soit partie sans même me laisser un mot! lui gueula-t-il à bonne distance.

Judith accéléra le pas sans se retourner. Quentin s'époumona de plus belle.

— Des amis étaient prêts à nous passer leur maison à Sainte-Sophie. On avait même commencé à y apporter nos affaires. Tout était arrangé. J'avais semé un jardin d'hiver, fait livrer dix cordes de bois. Une grosse partie de mes prêts et bourses y a passé. Je me lève un matin, elle n'est plus là. Pas un mot, pas un message. J'ai demandé à tout le monde. Personne ne savait rien.

Il dépassa Judith et vint se planter devant elle. Il était en sueur, une expression douloureuse dans les yeux.

— Je suis même allé voir la police, la défia-t-il. Si elle est morte, c'est votre faute! Personne ne m'a pris au sérieux. On m'a ri au nez quand j'ai fait le signalement l'automne dernier. Là, vous venez me voir pour que je vous aide. Ben, mangez de la marde!

Il prit ses jambes à son cou et s'enfuit vers le stationnement.

24

Joint d'urgence, l'agent Alain Dessureaux ne se souvenait pas du signalement. Quentin Nouaux s'était effectivement présenté au poste en novembre. Dès que Judith avait vu la photo de Perséides agrafée au dossier, son cœur s'était arrêté. Elle avait dû s'asseoir.

Toujours installée à son bureau, Judith détailla encore le cliché. Bien plantée derrière son kiosque à légumes, Perséides souriait de toutes ses dents. Noué autour de sa tête, un foulard émeraude s'entremêlait à sa longue chevelure soyeuse. Quelques mèches s'enroulaient autour de magnifiques peignes de bois. Elle avait maquillé son front et sa joue d'une liane de fleurs aux teintes mauves qui lui donnaient un air de princesse d'un autre temps. Malgré plusieurs épaisseurs de chandails et de jupes aux couleurs lumineuses, on pouvait deviner ses formes : des seins gonflés et un ventre bien arrondi. Aucun doute possible, la jeune femme était enceinte de plusieurs mois. Matéo Cornelier et Quentin Nouaux lui avaient caché ce détail crucial. Pourquoi ? Judith bouillait.

— Je ne peux pas croire que Métivier n'ait pas ordonné d'enquête ! lança-t-elle à Alain.

— Ce n'est pas rare qu'un petit ami se fasse larguer par sa bien-aimée. Le patron voulait sans doute attendre que les parents rappliquent pour signaler la disparition de leur fille.

— De leur fille et de son bébé! protesta Judith. Elle a au moins sept mois de faits. On parle de deux personnes. L'enfant était viable.

— La photographie n'est pas datée. Elle a pu accoucher avant de mourir, hasarda Alain, assis en face de Judith.

Impatiente, l'enquêtrice se leva de sa chaise et parcourut la pièce exiguë de son bureau. En dépit de la fenêtre ouverte, elle suffoquait. Elle regretta le vent frais des champs de Saint-Rémi où elle s'était retrouvée ce matin. Matéo méritait qu'elle lui rende une autre visite. Elle devait en apprendre davantage sur la grossesse de Perséides pour mieux déstabiliser ce Quentin Nouaux sur qui de sérieux doutes pesaient. S'agissait-il de son enfant? Avait-il eu l'audace de la tuer enceinte? Ce crime était difficile à imaginer. Personne ne s'en prendrait à une femme sur le point d'accoucher. Le site où la dépouille avait été retrouvée était à une quarantaine de kilomètres de Saint-Rémi. Comment Perséides s'était-elle retrouvée dans ce coin perdu? Un violeur l'y avait-il menée contre son gré? Toutes les hypothèses devaient être vérifiées. Tout d'abord éclaircir un fait: son enfant était-il mort avec elle?

Alain sembla l'avoir suivie dans ses pensées.

— J'informe le coroner et je mets le laboratoire médicolégal sur la piste qu'on a. Si dans les débris osseux ils décèlent un ADN distinct de celui de la mère, ils seront en mesure de confirmer que la victime était enceinte au moment de sa mort.

Judith imagina le frêle squelette du nouveau-né, les bêtes sauvages n'en faisant qu'une bouchée. Elle s'ébroua pour chasser cette vision d'horreur.

— Il nous faut cette information le plus rapidement possible. Si l'enfant est toujours vivant, on se retrouve avec un deuxième cas de disparition sur les bras.

En disant cela, Judith revit l'image du jeune Lucas. Alain la sortit de sa distraction.

— Quand on aura une meilleure estimation des dates de l'accouchement et du décès de la mère, on pourra savoir si l'enfant a des chances d'être en vie.

Judith opina de la tête en glissant la photo dans son sac. Avec les soins qu'il avait mis pour leur installation à Sainte-Sophie, Quentin Nouaux devait être au courant de la période où le bébé devait naître. Il s'était évaporé sans lui laisser ses coordonnées personnelles. Le cégep pourrait facilement la renseigner, puis Matéo Cornelier saurait lui aussi comment le joindre. Une autre bonne raison de se repointer chez ce dernier.

— J'aurais besoin de numériser la photo de Perséides pour la presse, lui rappela Alain.

— Je crois que c'est mieux d'attendre quelques jours avant de publier son portrait. Ça me donne un avantage sur les témoins à interroger, dit-elle.

— Quand tu seras prête. Je vais m'occuper du suivi avec Métivier et lui demander de presser le laboratoire pour les résultats d'autopsie.

La proposition d'Alain soulagea Judith. Elle ne pouvait s'imaginer une minute de plus dans l'air oppressant de son bureau.

— Parfait. Je prendrai la fin de la journée pour tirer ça au clair. Restons en contact. N'oublie pas de vérifier l'horaire de travail de Matéo Cornelier à Fermont, l'automne dernier. Il ne faut négliger aucune piste.

— C'est fait, se vanta Alain. Le contrat de Cornelier a débuté à la mi-septembre. Il n'a pas eu plus de deux jours de congé par semaine jusqu'à ses vacances de Noël.

— Un bon alibi, déclara Judith, soulagée de soustraire le bel homme à sa liste de suspects.

— J'ai également réussi à mettre la main sur d'autres inculpations concernant Martin Grimard, au criminel cette fois. En prison, il s'est pris une rallonge de peine pour l'agression d'un autre détenu avec une fourchette. Le pauvre s'en est sorti avec un œil crevé.

Judith frissonna. Elle s'était retrouvée seule dans une cabane au fond des bois avec l'homme.

— Ça modifie son profil. Avec les antécédents de violence que tu me décris, Grimard est un suspect qu'on ne doit pas perdre de vue. Rien d'autre ?

— Notre homme se tient tranquille depuis sa sortie de prison il y a dix ans, résuma Alain.

— Merci. Tu as bien travaillé. Appelle dès que tu as du nouveau, peu importe l'heure.

Alain prit congé avec une mine réjouie. Elle l'avait rarement vu de la sorte. Il était heureux de faire équipe avec elle sans Carl. Pour une fois, il n'était plus le troisième pion, mais son bras droit. Judith éprouvait tout de même une certaine retenue à son endroit, sans doute à cause de son côté réservé. Sans être beau garçon, Alain avait du charme. Grand féru d'informatique, il ne semblait vivre qu'à travers les écrans que sa fonction l'obligeait à interroger. C'était d'ailleurs un policier rigoureux, dévoué, qui ne refusait jamais de faire des heures supplémentaires.

Alain méritait d'être mieux valorisé. Elle se jura de lui accorder plus d'attention.

25

Dans la lumière dorée de la fin de journée, Judith roulait vers la ferme des Hauts-Vents. L'idée de revoir Matéo Cornelier ne la laissait pas indifférente. Au-delà de l'enquête en cours, cet homme l'intriguait. Il était si différent des autres gars qu'elle avait côtoyés. Elle enviait sa liberté. Elle devait toutefois se méfier. Le témoin exerçait sur elle un charme qui pouvait brouiller ses perceptions.

Alors qu'elle traversait Warwick, Christiane Landry l'avisa que Matéo Cornelier ne pourrait pas la rencontrer avant 19 h. La policière décida de passer chez elle. Dès son entrée dans le village, sa curiosité l'incita plutôt à rejoindre l'équipe des experts qui cherchaient le jeune Lucas. Avaient-ils du nouveau ? Carl l'en aurait informée. Un doute la traversa. Maintenant qu'il menait cette affaire, se soucierait-il de partager ses avancées ?

Elle changea d'idée une autre fois et bifurqua brusquement à droite, rue Sainte-Marie. Sa propre enquête occupait déjà assez son esprit comme ça. La Saturn de son père n'était pas dans l'entrée. Elle se rappela son intention de passer la semaine à courir les foires antiques. Aussitôt dans la maison, elle enfila un survêtement, sortit et s'engagea au pas de course sur le chemin Craig. La lumière du soir sculptait le paysage dans des couleurs vibrantes. L'odeur du foin coupé emplissait l'air. Judith savoura l'instant, se jurant d'être plus assidue à son entraînement.

Au retour, elle remplit son auge d'eau fraîche en s'aspergeant à même le boyau d'arrosage. Elle avala un spaghetti pesto rapidement préparé et termina son repas allongée dans un hamac suspendu aux poteaux de sa grande galerie. La douceur de la fin de journée l'apaisa tant qu'elle s'assoupit.

Elle rêva qu'elle était emportée en chaloupe sur le lac Sunday avec Martin Grimard. Il avait caché le nouveau-né de Perséides dans une grotte, sur la rive opposée, pour l'élever à l'abri du mal. « C'est le Messie, l'enfant promis. » À la fin de chaque journée, il lui apportait des langes propres et du lait qu'il lui faisait boire avec une poire. Judith croyait l'homme fou, mais tenait à retrouver l'enfant. Au milieu du lac, Martin l'assommait avec une rame avant de se jeter sur elle. Étourdie, elle le sentait respirer près de son visage, sur le point d'éjaculer. Elle paniquait à l'idée d'être engrossée par cet homme repoussant. Malgré ses efforts, elle ne parvenait pas à se réveiller.

Elle émergea de son cauchemar en entendant le rire de Carl près d'elle.

— La belle vie ! Pendant qu'on se tape des heures supplémentaires, madame se la coule douce.

Judith sursauta. Elle n'aimait pas être surprise. Son collègue avait eu le temps de la regarder dormir, en maillot de surcroît.

— On ne t'a pas appris à frapper avant d'entrer chez le monde ? pesta-t-elle en sautant du hamac pour s'attraper une serviette.

Carl l'intercepta au vol.

— Ce n'est pas pour moi que tu te rhabilles, j'espère.

Judith tira la serviette vers elle. Carl lâcha prise.

— Veux-tu une bière ? offrit-elle en se dirigeant vers l'intérieur de la maison.

— Je ne dis pas non. J'ai besoin de me consoler.

Au bout de quelques instants, Judith réapparut avec les boissons et un sac de croustilles. Elle avait enfilé une jupe légère qui mettait en valeur ses longues jambes galbées. Son épilation était loin d'être impeccable, mais il faisait trop chaud pour mettre un pantalon.

— Sel et vinaigre, mes préférées, se réjouit Carl, heureux comme un gamin.

— Ta journée a été si pire que ça ?

Ils s'installèrent dans la cour, à la table de jardin. C'était la première fois en deux ans qu'ils travaillaient séparément. D'où ce besoin de se retrouver. Elle aussi se sentait seule à cette étape de son enquête où les questions étaient plus nombreuses que les pistes.

— Si l'enfant avait fugué, on aurait trouvé des traces, supputa Carl. Et là rien. Absolument rien. J'ai interrogé tous les voisins. Le village en entier est au courant de la disparition et on n'a reçu aucun signalement.

— Tu penses à quoi ? demanda-t-elle en dégustant sa première gorgée.

La bière était fraîche, la brise aussi.

— À un enlèvement, confia Carl, l'air inquiet. À un geste délibéré, très bien organisé. Celui qui a fait ça n'a rien laissé au hasard. Ça s'est quand même passé en plein village, dans la nuit de samedi à dimanche, en face d'un bar fréquenté.

— Tu dis « celui ». As-tu rayé la mère de ta liste de suspects ?

— Pour l'instant je n'élimine personne, s'esclaffa-t-il en faisant valser les croustilles de sa main vers sa bouche. Je n'ai jamais vu quelqu'un d'aussi désorganisé que Charlaine Blondin. Si elle est dans le coup, c'est qu'elle a eu de l'aide, probablement de son gros ours. Cette mère est vraiment folle. Elle nous a pété une crise d'hystérie, entre 14 h et 15 h, la seule heure de la journée où elle a un peu sa tête.

— Qu'est-ce que vous allez faire ? s'enquit Judith en se carrant au fond de sa chaise.

— Continuer de chercher du côté du ruisseau Desrosiers avec les deux chiens policiers. La mère prétend que le petit aimait aller se baigner au barrage. Quelqu'un a pu l'y attirer. On va suivre cette piste en utilisant la doudoune de Lucas que Charlaine avait laissée sur le siège arrière de sa voiture. Elle avait oublié de nous la proposer quand on a demandé des vêtements du petit.

— C'est étrange que Lucas ne l'ait pas eue avec lui pour se mettre au lit, tu ne trouves pas ? nota Judith, intriguée.

Carl cessa de mastiquer.

— Tu crois que Charlaine Blondin aurait pu endormir son gars sur la banquette et lui offrir un dernier tour de voiture avant de s'en débarrasser ?

L'air soucieux, il se cala dans sa chaise.

— C'est possible, poursuivit-il. Ce qui m'embête, c'est que ça ne cadre pas avec le rapport que vient de nous envoyer la DPJ. Lucas est hyperactif avec un trouble du développement. Le jour où le diagnostic est tombé, Charlaine Blondin a levé les feutres et semé tous les psychoéducateurs qui lui couraient après. Quand ils l'ont retrouvée, elle s'est battue comme une lionne pour conserver la garde de son enfant. Ce n'était sûrement pas pour l'éliminer l'année suivante.

— Ça dépend. Et si elle l'avait retrouvé sans vie à son retour, par sa faute ? s'interrogea Judith.

— Il faudrait prouver qu'elle l'a drogué pour le faire dormir, objecta Carl. Pour ça, nous devons d'abord retrouver le corps de Lucas. Puis, si l'enfant était déjà décédé au retour de Charlaine à la maison, pourquoi la doudoune dans l'auto ?

— Je ne sais pas. Pour le couvrir, l'envelopper, supposa Judith en déposant lentement son verre sur la table.

— Si elle avait voulu faire disparaître le cadavre de son fils, elle se serait aussi débarrassée de la couverture. Je pense qu'elle l'a simplement oubliée sur le siège arrière, marqua-t-il d'un geste évasif.

— Ou... ce soir-là, Lucas n'en a pas eu besoin pour s'endormir parce qu'elle s'y est prise autrement. On revient à l'hypothèse d'un sédatif, beaucoup moins cher qu'une gardienne. Elle devait absolument sortir. Le concours des femmes dans l'huile était important. Elle espérait gagner une bonne somme d'argent pour régler ses dettes, payer sa *booze*.

Elle était sur le bout de sa chaise, enthousiasmée par leurs déductions.

— Peut-être, dit Carl en bougonnant.

Judith venait de mettre le doigt sur une faille dans son raisonnement et cela l'avait vexé. La discussion était close. Son collègue voulait échanger, tout en conservant la direction de ses affaires.

— Bon, je me sauve. Il y a des côtelettes de bœuf qui m'attendent, prétexta Carl en se levant.

Judith le raccompagna jusqu'à sa voiture.

— Et ton petit dernier, ses coliques ? Tu arrives à mieux dormir ?

Il se tourna lentement vers elle. Son humeur s'était subitement radoucie.

— Ce ne sont pas les pleurs de mon dernier qui me font virer dans mon lit ces temps-ci, et tu le sais.

167

Il effleura son menton. Judith retint son souffle. Il la prit dans ses bras et la pressa contre lui.

— Pourquoi tu te braques, Judith ? Je le sais que ça te tente. Moi aussi. Un petit signe de ta part et je te promets qu'on n'aura pas besoin de doudoune pour s'endormir.

— On en a déjà parlé… Nathalie…

— Ça fait son affaire que j'aille voir ailleurs.

— Elle t'a dit ça ?

— Pas exactement comme ça.

— Tu n'avais pas des côtelettes sur le barbecue ?

— Ce ne serait pas la première fois que je suis en retard. Elle s'est habituée.

— Moi, c'est au mensonge que je ne m'habitue pas.

— Se priver est aussi un péché, murmura-t-il en se penchant vers elle.

Judith se laissa embrasser. La langue chaude de Carl lui rappela combien elle était seule, combien elle le serait encore cette nuit. Nathalie ne mesurait pas sa chance. Cela la choqua. Cependant pas autant que de se voir céder aux avances de son collègue. Comment lui résister ? Elle n'avait pas fait l'amour depuis des mois. Sa courte baise du dimanche précédent n'avait qu'attisé son désir. Elle atteignait rarement l'orgasme la première fois. Il lui fallait quelques rencontres, le temps de se laisser apprivoiser. Avec Carl, le plaisir était facile, elle s'y abandonnait totalement.

— Allez, sauve-toi.

Elle le repoussa gentiment. Carl lui sourit. Il avait perdu une manche, mais pas la partie.

— L'été n'est pas fini ! promit-il en déguerpissant au pas de course.

Judith se mordit les lèvres. Cette histoire était déjà terminée. S'accrocher à un homme marié, père de

168

jeunes enfants, lui rappelait crûment sa peur de s'engager. Elle entra dans la maison et consulta l'heure au
cadran de sa cuisinière. Elle était en retard à son rendez-
vous. Matéo Cornelier. Un autre homme insaisissable.
Décidément, n'éprouvait-elle d'attirance que pour les
étoiles filantes?

26

Judith déplaça sa chaise de jardin pour fuir la trajectoire de la fumée. Le soleil ennuagé qui se couchait dans
son dos annonçait un lendemain pluvieux. « Dommage
pour la battue du petit Lucas », pensa-t-elle. Elle avait
oublié d'apporter un chandail. En pleine campagne, il
faisait toujours un peu plus frais qu'au village. Elle se
rapprocha des flammes. L'odeur du feu lui rappela les
vacances en famille, du temps où sa mère était vivante.
Des semaines entières de canot-camping dans la réserve
Papineau-Labelle, sa sœur et elle qui rechignaient à
transporter les sacs à dos bourrés de victuailles sèches.
Le jeu était incompréhensible : ils avaient tout le confort
à la maison, et voilà qu'ils se mettaient au défi de s'en
passer. « Si un jour nous devenons pauvres, nous aurons
appris comment faire », répétait sa mère. Or, ce jour
n'était jamais venu.

Matéo Cornelier réapparut, les bras chargés de
bûches. De la sciure de bois s'accrochait à son t-shirt,
comme ce matin les miettes de gâteau sur le torse de
Carl. Le chandail élimé laissait deviner des bras et des
pectoraux sculptés. Le travail à la mine l'avait moulé et

171

celui des champs, cuivré. La bouilloire déposée sur la grille émit un sifflement. Matéo la retira du feu à mains nues sans sourciller. Judith le regarda préparer le thé dans un contenant de terre cuite. Une œuvre finement décorée, dont la petitesse l'impressionna.

— Tu l'as fabriqué toi-même ?

— Je ne suis pas potier. Ça vient du Népal. Un cadeau d'une amie.

Judith imagina la somme des liaisons amoureuses que ce beau ténébreux avait connues. En se stationnant, elle avait été frappée par la quantité de vignettes sur la porte arrière de la Westfalia : Honduras, Guatemala, Mexique, Brésil, Argentine… Matéo avait beaucoup voyagé, elle si peu. Non seulement elle n'avait jamais quitté le Québec, mais elle entretenait une frousse terrible à l'idée de prendre l'avion.

Après avoir réchauffé les tasses, Matéo jeta deux cuillerées de feuilles dans l'eau bouillante.

— Chaque famille de thé a sa théière. Le goût s'imprime sur les parois. On ne doit jamais les laver. La plupart des gens font l'erreur d'infuser le thé trop longtemps. Vingt secondes suffisent, précisa-t-il en lui servant la chaude boisson.

Judith repensa à l'entrepreneur Patrice Talbot, à ses urnes volées et à son discours ennuyant sur le thé. Les mêmes mots dans la bouche de Matéo Cornelier avaient une autre saveur. Elle prit sa tasse à deux mains et avala une première gorgée.

— Très bon.

— Du massala. C'est indien. Indien de l'Inde, spécifia-t-il.

Judith se blottit dans sa chaise-hamac. Le temps était suspendu. L'obscurité tardait à avaler les derniers rayons de soleil. Une lourde couche de nuages réfléchissait la lumière oblique, enflammant de rouge l'océan des champs de blé. Judith s'inclina devant tant de beauté. Les questions qu'elle avait préparées lui semblèrent totalement inadéquates. Comment évoquer une morte quand chaque détail criait la vie : la brise, le ciel, le feu, le chant des grillons ? Impossible de jouer un rôle, surtout pas celui d'enquêtrice. Le lieu imposait d'être vraie.

— Il faut venir à la mi-août, l'invita Matéo en scrutant le ciel lézardé de cirrus.

— Perséides devait aimer les étoiles ?

— C'était la meilleure pour les nommer.

— En français ?

— Quoi ?

— Quentin Nouaux m'a dit qu'elle était d'origine anglaise.

— Elle se débrouillait très bien en français. Elle traînait sa *Flore laurentienne* pour apprendre chaque jour un nouveau nom d'arbre ou de fleur. C'est fou comme on peut vivre sur la terre en ignorant tout des plantes que l'on y croise.

— On croise aussi plein de gens qu'on ne connaît pas vraiment. Perséides avait ses secrets.

— Elle ne voulait pas que sa mère la retrouve. Celle-ci n'était pas d'accord avec ses choix.

— Comme celui d'avoir un enfant si jeune ?

Contrairement à ce que Judith avait anticipé, Matéo ne broncha pas. Il continua de répondre avec flegme. Nulle trace de l'émotion qui l'avait submergé en matinée.

— Je ne pense pas qu'elle était au courant. Il y avait longtemps que Perséides était partie. Elle disait avoir trouvé sa vraie famille.

Judith se redressa dans sa chaise. La conversation du matin la rattrapa.

— La famille *Rainbow*.

Matéo lui en avait déjà glissé un mot, bien qu'elle n'ait pas eu le temps de faire ses recherches. Comment recrutaient-ils?

— Quentin en faisait-il partie, même s'il poursuivait des études? s'enquit-elle

Matéo ricana. La lueur orange des flammes faisait briller ses yeux.

— Tu en parles comme d'une secte. C'est un réseau universel, ouvert. Des frères et des sœurs de tous les âges. Certains travaillent, d'autres sont plus marginaux, comme les Guerriers de l'Arc-en-ciel. Ceux-là vivent en marge du système et répugnent à toucher aux billets. Pas d'adresse et pas de cartes. Le troc leur suffit. Ils squattent ou aident sur des fermes pour se loger et se nourrir.

— Aucun argent?

— Pas d'échanges commerciaux.

— Et Perséides?

— La plus pure d'entre tous.

— De quoi vivait-elle?

— Elle cousait. À la main. Des merveilles. C'étaient ses peaux de fourrure, ses économies.

— Et toi, te considères-tu comme un frère de cette famille?

Matéo la dévisagea. Judith se sentit enveloppée par son regard.

— Pour Perséides, j'ai toujours été un « contaminé ». Quand je travaille, j'aime bien me faire payer, confia-t-il. Ça ne nous empêchait pas d'être amis. Dès qu'elle est venue vivre à la ferme, on s'est tout de suite bien entendus.

Judith hésita. Comment formuler sa prochaine question sans paraître accusatrice?

— Pourquoi ne pas m'avoir dit qu'elle était enceinte?

Matéo se pencha pour replacer un rondin qui brûlait mal. Au lieu de regagner sa place, il resta accroupi, pivota vers elle et posa une main sur son genou. Ses yeux de feu dans les siens, insistants, pour être certain d'être bien entendu.

— Tu étais trop pressée. Comme tous les autres, avec ton « tout, tout de suite ». Tu te serais concentrée sur l'enfant et l'aurais oubliée, elle. Je voulais que tu passes un peu de temps avec Perséides pour la connaître avant de la juger. La plupart des gens acceptent mal qu'on mette un enfant au monde dans un tipi, sans les barreaux réglementaires à son lit.

Judith sortit la photographie de son sac et la tendit à Matéo. Cette fois, la peine dévasta ses traits parfaits. Tête basse, il se leva et s'éloigna pour examiner le cliché, comme s'il avait voulu être seul quelques instants avec la disparue.

— C'est le comptoir à la Mante du Carré à Danville. Un des points de vente de nos produits. Perséides tenait le kiosque le samedi matin, commenta-t-il.

— Elle devait accoucher à la fin de l'été ?

— Plutôt au début de l'automne. Je ne suis pas certain. C'est à Quentin qu'il faut le demander.

Son ton était plus sec. Il lui rendit la photo.

— Est-ce qu'il aurait pu en vouloir à Perséides ?

— Parce qu'elle était enceinte d'un autre ? ironisa Matéo, en se rasseyant sur le bout de sa chaise. Cette fille-là, tous les gars que je connais seraient partis avec elle, même si elle avait eu trois marmots dans ses jupes. En la voyant, on avait juste envie de tout laisser tomber, de la suivre, de tout lui donner.

Judith termina son thé et posa sa tasse à ses pieds. La vénération que Matéo vouait à Perséides la troublait.

— Elle était si charmante ?

— Toutes les jeunes filles sont charmantes, glissa-t-il en la toisant.

Son attention se reporta vers les flammes dansantes. Il semblait y puiser des souvenirs.

— Ce qui la rendait spéciale, c'était son talent pour créer de la beauté autour d'elle. Un simple pique-nique devenait une célébration. Des fleurs, toujours, partout. Elle en aromatisait l'eau de son bain. L'attention qu'elle portait à chaque geste quotidien, aux moindres petites choses, elle l'accordait aux gens. Avec elle, tu te sentais important, choisi. Heureux. Le bonheur lui collait à la peau, et on avait envie de se coller sur elle pour lui en voler un peu.

— Pourtant, quelqu'un lui volé la vie.

— C'est impensable que ce soit Quentin Nouaux. Il était fou d'elle, prêt à s'occuper de l'enfant. Seulement, Perséides étouffait. C'était une déesse d'air, de liberté. Je les ai souvent entendus se chamailler. Il était trop organisé, prévoyait tout d'avance.

— Avec un bébé en route…

— Elle faisait confiance à la vie, protesta-t-il.

Matéo prenait vraiment le parti de la jeune fille. Il continua de la défendre, le cœur sur la main.

— Elle préférait attendre. Chaque chose avait son heure. Le temps venu, ils trouveraient. Quentin a loué une maison à son insu. Il voulait être au chaud pour l'hiver. Elle ne pouvait pas s'imaginer enfermée entre quatre murs dans le fond d'un rang.

Matéo ferma les yeux et poursuivit. Sa voix n'était plus qu'un souffle.

— C'est elle qui avait raison pour la maison. Ils n'en ont jamais eu besoin.

— Qui des deux a choisi de rompre ?

— Je ne sais pas. J'étais déjà parti.

Un silence s'installa entre eux, à peine interrompu par le bourdonnement des moustiques et le vrombissement d'un tracteur au loin. Matéo leva la tête dans la direction de la ferme voisine. Au bout du champ, deux phares tressautaient. La rage se peignit sur son visage. Était-ce vraiment à cause des voisins?

— Ce sont les jumeaux Lanteigne. C'est complètement fou! Ils récoltent en pleine nuit.

— J'imagine qu'ils veulent engranger avant la pluie, dit-elle pour le calmer.

— Même par beau temps, ils roulent leur grosse machinerie vingt-quatre heures sur vingt-quatre.

— Ça t'empêche de dormir?

Judith réalisa qu'ils se tutoyaient depuis un bon moment.

— Avec les journées que je me tape, je n'ai pas le choix de dormir et il n'y a pas grand-chose pour m'en empêcher.

La réponse sous-entendait qu'il était déjà tard et qu'il souhaitait gagner sa couche le plus vite possible. Judith se pressa.

— Aurais-tu une autre photo de Perséides ou un objet lui ayant appartenu?

— Tout ce qui me reste d'elle est le cadeau qu'elle m'a offert la veille de son départ.

Matéo se leva, dénoua sa ceinture, la tira hors des ganses. Son pantalon de toile glissa légèrement, dénudant un peu de sa toison. Judith ramena son attention sur la ceinture. Elle était confectionnée de différents tissus soyeux aux couleurs vives.

— Ce soir-là, je lui ai trouvé un drôle d'air.

— Quelque chose la tracassait?

— Perséides parlait peu d'elle. Si elle s'est confiée, c'est à Esmaëlle, son amie qui travaille ici à la ferme depuis l'été dernier. On les voyait souvent ensemble au kiosque.

— Et cette Esmaëlle, où puis-je la trouver?

— Près de Cabano. Elle y est montée la semaine dernière pour préparer le *seedcamp* en vue du prochain rassemblement *Rainbow*. Cette année, ils ont choisi un site au Témiscouata. Elle fait partie de l'équipe de *scouting* qui doit aménager le terrain pour accueillir les centaines de personnes qui viennent y passer quelques jours, parfois des semaines. À partir de ce qu'ils trouvent sur place, ils montent un vrai village en pleine forêt: jardins, latrines, puits d'eau potable, cafétéria, tout ça sans laisser d'empreintes. C'est vraiment bien. J'ai offert à Esmaëlle de lui donner un coup de main pour l'approvisionnement en eau. J'avais prévu m'y rendre en fin de semaine. Ça dépendra du temps.

— Ils annoncent de la pluie jusqu'à lundi.

— C'est bon pour moi.

Matéo hésita un peu, puis énonça sa proposition sur un ton désintéressé.

— Je peux t'y conduire, si tu veux.

— Merci, je vais me débrouiller.

— Si tu choisis d'y aller, tu vas avoir besoin de mon aide. Ce n'est pas facile d'accéder au site et les policiers ne sont pas bienvenus.

Cette fois, il l'avait interpellée avec une assurance qui plut à Judith. L'idée de fuir dans les bois à bord d'une Westfalia était séduisante.

— Je vais y penser.

Le cellulaire de Judith se mit à chanter. Honteuse de rompre le charme, elle s'excusa en s'éloignant. Elle poussa un soupir d'exaspération en lisant l'afficheur.

— Ça a besoin d'être urgent, gronda-t-elle.

— Tu m'avais dit de jour comme de nuit. J'obéis, répliqua Alain, offusqué.

— Tu as quelque chose?

— On n'est pas les seuls à se coucher tard. Le laboratoire médicolégal a appelé en urgence à Montréal. Une spécialiste en anthropologie judiciaire, Carole Richer. Elle s'est attaquée au squelette dès qu'elle l'a reçu lundi dernier. Elle doit mener des examens plus approfondis, même si elle a déjà accepté de me confirmer certaines données: c'était une femme de race blanche, d'environ un mètre soixante, de moins de vingt ans. La distension de ses hanches prouve qu'elle a bien porté un enfant, mais leur configuration n'est pas celle d'une femme qui a déjà accouché.

— Ce qui veut dire...

— Ce qui veut dire que la jeune femme était enceinte au moment de son décès.

— Le bébé...

— On a retrouvé des taches de sang sur sa jupe.

— Le sang de qui? De la mère, du fœtus?

— Carole Richer ne peut rien confirmer. À ce stade avancé de décomposition, les fluides sont trop détruits pour en tirer quelque chose. Elle doit s'en remettre à ce que racontent les prélèvements entomologiques.

— Et que disent les chers insectes?

— Ce sont des acariens, la sixième escouade à se relayer sur la morte.

Judith révisa mentalement ses notes de cours. Cette colonie n'apparaissait qu'au début de la dissection du cadavre, quand tous les autres s'étaient gavés de la chair et de ses graisses. De six à douze mois après le décès. Elle n'en était pas certaine. Alain le confirma.

— Carole Richer daterait la mort à il y a neuf mois, on doit par contre travailler avec une marge d'erreur de douze semaines.

— On est certain que l'enfant est mort ?

— L'ossature de Perséides raconte qu'elle n'avait pas encore donné naissance au petit. Le fœtus serait donc mort en même temps que la mère. Mais Carole Richer aimerait confirmer ses doutes à l'aide d'autres preuves. Elle tient à envoyer sa propre équipe sur les lieux pour racler la terre à la recherche de restes de duvet, de cheveux, de bouts d'ongles et de petits os. Elle trouve que la cueillette a été bâclée et est furieuse de ne pas y avoir été assignée avant que tout le monde tripote le cadavre.

— Ça va coûter cher. Métivier est d'accord ?

— Ça a tout l'air que oui. Je ne pense pas qu'ils vont retrouver grand-chose. Les entrailles de la mère ont été complètement évidées par les charognards. Les os pelviens sont grugés…

Judith émit un gémissement qui fit réagir Matéo. Il se leva, ramassa les tasses et s'engouffra dans son véhicule. Atterrée, l'enquêtrice revint s'installer près du feu qui n'était plus que braises. Elle avait froid.

— Tu peux accompagner les spécialistes au lac Sunday ?

— Bien sûr.

L'enthousiasme d'Alain marquait sa gratitude.

— Autre chose ?

Son collègue se fit hésitant.

— Selon elle, en toute réserve toujours, la victime aurait été agressée puis abandonnée sur les lieux. Elle a remarqué des éraflures de lame dans l'ossature du bas du dos. Elle n'a pas terminé son examen. Probablement un couteau. Elle m'a promis de nous faire parvenir, d'ici vendredi, un visuel des coups portés.

Judith prit quelques secondes pour encaisser l'information. Assassinée par arme blanche. Cela signifiait généralement une intimité entre l'agresseur et sa victime. Est-ce que l'attaque avait été préméditée ? À première vue, la signature du meurtre évoquait davantage un contexte de bagarre, un crime passionnel. D'où provenait le couteau ? De la cuisine ? Dans son ménage hebdomadaire, Martin Grimard avait-il remarqué une quelconque disparition d'ustensile ? « Un couteau, ou des ciseaux », songea Judith, en se rappelant le coffre de couture retrouvé dans la cabane à sucre.

— Merci, Alain. Repose-toi un peu.

Elle raccrocha. Pour contrer son désarroi, elle se força à se concentrer sur les faits. D'abord attendre le rapport de la spécialiste qui savait faire parler les os. Le graphique des lacérations lui donnerait des indices. « Une constellation de blessures », imagina-t-elle en interrogeant le ciel. Saurait-elle les interpréter ? Les pensées s'entrechoquaient dans son esprit.

Et si c'était à l'enfant qu'on en avait voulu ? « Infanticide. » Le mot culbuta dans sa tête. Une réalité qu'elle avait éludée depuis le début de sa jeune carrière. Durant toutes ses années en service, elle n'avait jamais écopé d'un cas de maltraitance envers les enfants. Pas de nouveau-nés secoués. Pas de père qui se donne la mort en entraînant sa famille. À l'école de police de Nicolet, l'étude des cas de jeunes bébés agressés sexuellement lui était intolérable. Pourtant, cela faisait partie du métier qu'elle avait choisi. Les crimes contre la personne comprenaient aussi ceux commis contre les mineurs. À l'époque, elle était loin de se douter qu'un jour elle aurait à affronter un meurtre aussi sordide.

La mort infligée à un être lors de sa naissance. Une image la glaça. Les cris. Les cris qui hantaient Martin Grimard étaient ceux d'une mère qui se battait non pour sauver sa propre vie, mais celle de son enfant. À moins qu'ils n'aient été les premiers pleurs de son nouveau-né. Avait-il eu le temps de respirer avant de mourir ?

Pour échapper à ses pensées morbides, Judith ferma les yeux. Elle éprouva l'urgent besoin de se coller contre quelqu'un. Aucun mouvement dans la Westfalia. Matéo dormait ou la boudait, ce qui revenait au même.

Dépitée par ce manque de civisme, la policière ramassa son sac et se dirigea vers sa voiture. La voûte céleste s'était parée d'une lune blafarde. Aucune étoile dans le ciel sombre, que des lucioles qui clignaient de mille feux autour d'elle. Cette beauté champêtre n'était qu'un leurre. Sous son maquillage, la vie était laide et cruelle.

Judith démarra avec bruit en éblouissant l'intérieur de la Westfalia de ses phares.

27

Judith se tortilla dans son lit. Une pluie dense fouettait la fenêtre de sa chambre. L'image d'Esmaëlle et de ses camarades *Rainbow* traversa son esprit somnolent. Ils se trouvaient dans le fond des bois près de Cabano à préparer le prochain campement. Où s'abritaient-ils lorsque le mauvais temps frappait ? Dans des tentes ? Avec les enfants ? Comment pouvait-on choisir une vie si précaire ? Devant Matéo, elle s'était sentie mal à l'aise de ne pas connaître ce mouvement. Une vie parallèle existait, tout près d'elle, et attirait de jeunes idéalistes dans ses rangs. Perséides était l'une des leurs. Cela aussi, Quentin Nouaux avait omis d'en faire mention. Une autre visite s'imposait. C'était un émotif. Elle le pousserait dans ses retranchements pour qu'il lui crache ce qu'il savait de la victime.

Judith rechignait à se lever. Puis une bonne odeur de café frais la réveilla tout à fait. Son père, dont elle croyait reconnaître le bruit des pas. Il concoctait le déjeuner. Que faisait-il là ?

Sans prendre le temps de mettre des sous-vêtements, Judith enfila le jeans et le chandail qui traînaient sur le bras du fauteuil et dévala les escaliers. Elle se figea sur la dernière marche.

— Je ne trouvais pas la crème, alors j'ai mis du lait. J'espère que ça ne te dérange pas ? s'excusa Carl en lui tendant une tasse.

— Tu devrais savoir que je prends toujours du lait, c'est pour ça qu'il n'y a pas de crème dans MON réfrigérateur. Qu'est-ce que tu fais ici ? gueula-t-elle en s'avançant vers lui.

— Hé ! Pas de panique ! J'ai frappé, c'était ouvert, je suis entré. Tu dormais, alors j'ai voulu te faire une surprise. Veux-tu des toasts ?

— Ne me refais jamais ça, Carl Gadbois. Je suis chez moi ici, et si je veux de la visite, je te le ferai savoir.

L'air boudeur, Judith se saisit de la tasse, tira une chaise et s'installa à la table.

— Message reçu, capitula-t-il en levant les mains. Je ne pensais pas que tu le prendrais comme ça. En fait, j'ai rendez-vous avec la patrouille canine. Elle est en retard. Au lieu d'attendre sous la pluie dans ma voiture, j'ai préféré patienter en meilleure compagnie.

Carl se dirigea vers la fenêtre et fixa la rue, à l'affût. Judith n'était pas dupe. Il aurait pu convenir d'un rendez-vous au poste de commandement stationné à l'hôtel.

— Ça va, se rendit-elle. Tu l'as fait fort.

— Trop ?

— Non, je l'aime comme ça.

— Je ne serai pas long, ils doivent me rejoindre ici.

— Bon, voilà ma maison devenue le centre des opérations, s'énerva-t-elle.

Carl passa derrière elle.

— Tu étais de meilleure humeur hier, la taquina-t-il en lui prenant les épaules.

Judith se dégagea brusquement.

— Écoute, ce n'est pas parce que je t'ai embrassé que la porte de ma chambre t'est grande ouverte, gronda-t-elle en essuyant nerveusement les gouttes de café qu'elle venait de renverser.

— Je te ferai remarquer que je ne suis pas monté au deuxième… même si j'en avais envie, répondit Carl, un sourire dans la voix.

— N'essaie jamais, menaça-t-elle, sinon je dépose une plainte de harcèlement à ton dossier, et bye-bye tes chances pour le poste d'enquêteur.

La menace fit son effet. Carl changea de ton.

— Tu es vraiment plate, Judith. Penses-tu réellement que je vais t'agresser quand tu dors? Décroche. La vie, ce n'est pas toujours une ligne droite.

L'air furieux, il prit son imper et claqua la porte. Judith ne bougea pas. Elle boudait. Pourquoi devait-elle supporter l'hostilité de Carl alors que c'était lui qui s'était introduit chez elle? En moins de dix minutes, le vent avait tourné et elle se sentait coupable. De quoi? De s'être fait respecter? En revanche, Carl avait visé juste: sa droiture l'enfermait dans un carcan. Même Matéo posait sur elle un regard condescendant: une police malvenue dans sa gang de marginaux. Qui était-elle derrière son masque d'enquêtrice? Quelle place laissait-elle à l'imprévu, à l'invention, à la spontanéité?

En colère, elle prit le téléphone et composa le numéro de la ferme des Hauts-Vents. L'escapade proposée au Témiscouata pour le rassemblement *Rainbow* lui ferait le plus grand bien.

***

Lorsqu'elle eut terminé sa toilette, Judith aperçut Carl à sa porte, le collet relevé pour éviter les rafales de pluie. Elle le fit entrer sans un mot de bienvenue.

— J'ai oublié quelque chose tantôt, justifia-t-il en parcourant des yeux le comptoir de la cuisine.

Un sac de plastique traînait sur la boîte à bois, près du poêle Jotul. En le lui remettant, Judith jeta un œil furtif sur son contenu.

— Ce sont les vêtements du petit Lucas?

— Oui. L'escouade canine s'apprête à relancer les recherches.

— Avec la pluie, ça ne donnera pas grand-chose.

— Tu as peut-être une meilleure solution?

Carl était toujours de mauvais poil, cela s'entendait. Un détail capta l'attention de Judith. Elle extirpa une pièce du sac.

— Judith! Ce n'est pas une bonne idée de tripoter ce tissu.

Sans tenir compte de l'avertissement de Carl, elle retourna le petit édredon dans tous les sens.

— Il faut retourner voir Charlaine, s'exclama-t-elle en dépliant soigneusement la couverture sur la table.

La broderie en point de croix était régulière. La couturière avait accompli un travail patient, minutieux. Empreint d'amour. L'ouvrage présentait des motifs de rayures et de fleurs très semblables à ceux qui ornaient la ceinture de Matéo Cornelier. Judith regretta de lui avoir laissé la pièce. Visiblement, il y tenait beaucoup. Elle décrocha son coupe-vent de la patère et sauta dans ses bottes de pluie.

— Est-ce que je peux savoir ce que tu fais?

— Je t'explique dans la voiture, rétorqua-t-elle en saisissant la couverture sans prendre le temps de la remettre dans le sac.

Carl la suivit sans un mot. C'était sa façon de s'amender.

28

Le visage trempé par la pluie, l'agent Carl Gadbois tambourinait en vain sur la porte de l'appartement de la rue Saint-Patrice. L'affiche Remax claqua au vent. Cet immeuble délabré était en vente depuis des mois, des années peut-être, se souvint Judith.

— Sa voiture est là, elle doit dormir, supposa l'enquêtrice en espionnant par la fenêtre.

— Elle a peut-être passé la nuit sous une table, ricana Carl en désignant le bar Tingwick en face de l'immeuble à logements.

Malgré l'heure matinale et le temps maussade, la terrasse était ouverte. Quelques clients curieux, qui suivaient l'affaire comme une téléréalité, dégustaient leur déjeuner, abrités sous les parasols.

— J'entends quelqu'un venir, annonça Carl en se donnant une contenance.

Charlaine ouvrit la porte qu'elle laissa entrebâillée et, sans un mot, retourna se réfugier sous la couverture du divan du salon. Les deux agents pénétrèrent à sa suite dans le logis. Ils l'observèrent un instant sans trop savoir comment procéder. Carl s'impatienta.

— Eh, oh ! Debout ma petite dame. Si je ne me trompe pas, on a un petit gars qui manque à l'appel. Aux dernières nouvelles, vous avez prétendu en être la mère, ce dont je commence très sérieusement à douter. On ne peut pas dire que l'inquiétude vous empêche de dormir.

La réaction de Charlaine fut immédiate. Avec une agilité surprenante, la femme bondit hors de sa couche et, griffes déployées, se jeta sur l'agent. Du sang pissa de la joue de Gadbois. En vociférant un chapelet de jurons, il lui attrapa les poignets et les tint serrés pendant que sa collègue lui passait les menottes.

— On vous arrête pour voies de fait sur un agent de la paix. Vous allez nous suivre au poste, gueula Judith à bout de souffle pendant que Carl se précipitait à la salle de bain pour rincer sa plaie.

Maintenant la femme à genoux, la policière lui récita ses droits. Cet imprévu la déstabilisait. Ils avaient besoin de la coopération de la prévenue. La mettre sous les verrous compliquerait la tâche.

Charlaine Blondin était une habituée du système. Arrêtée, elle se tairait. Ils perdraient vingt-quatre heures avant sa comparution devant un juge de paix. Lui tirer les vers du nez, à l'abri dans son domicile, se révélerait plus prometteur. Carl revint à la cuisine, en dissimulant mal sa colère.

— Allez, on l'embarque ! ordonna-t-il en saisissant Charlaine par l'avant-bras.

— Attends une seconde, temporisa Judith.

Carl fronça les sourcils, l'air perplexe. Son égratignure avait recommencé à saigner. Judith prit la situation en main.

— Il n'y a personne qui va aller au poste.

— Qu'est-ce que tu racontes ?

— Il y a moyen de régler ça autrement.

Sous le regard stupéfait de Carl, Judith obligea Charlaine à s'asseoir à la table de la cuisine.

— Tu connais ça, toi, les *deals* ? On va en faire un avec toi. Très simple. Mon collègue et moi, on a droit chacun à une question. Tu nous réponds en toute franchise et on laisse tomber nos charges en mettant ton pétage de plombs sur le compte de ton état de « môman à boutte ».

Charlaine chercha en vain le regard de l'agent qui l'avait insultée. L'homme fixait le plancher sale en rongeant son frein. Cela sembla l'amuser.

— J'suis *game*. Vas-y, *shoote* ! s'enthousiasma-t-elle.

Judith sortit la doudoune du sac et l'étala sur les genoux de Charlaine. Les mains attachées dans le dos, la jeune femme fixa la couverture avec douleur. Judith réalisa la cruauté de son stratagème. Charlaine se mit à gigoter.

— Détachez-moi ! Je dois le retrouver ! Mon bébé ! gémit-elle.

— O.K., mais avant, je veux la vérité. Où t'es-tu procuré la couverture ?

Charlaine parut sidérée par l'insignifiance de la question.

— Je l'ai achetée. Qu'est-ce que tu penses ?

— Où ?

— Ça fait pas une, mais deux questions, la nargua-t-elle.

— Je t'avertis. Tu n'es pas en position de nous niaiser.

— Au Vestiaire de Warwick y a quelques mois. Ça fait ton affaire comme réponse ?

Carl s'approcha à son tour, l'air dur. Judith sentit qu'elle aurait droit à des réprimandes salées une fois leur besogne terminée.

— Ma question est moins facile. Et si tu ne me donnes pas une réponse qui a du bon sens, je vais être beaucoup moins patient que la sergente Allison.

Il prit l'édredon des mains de Judith et le brandit à quelques centimètres du visage de Charlaine.

— Il y a l'odeur de Lucas dessus. Tantôt, les chiens vont se l'arracher pour trouver la piste de ton petit. J'aimerais que tu la reniffes toi aussi. Pour que la mémoire te revienne.

Il se plaça derrière elle et lui pressa le tissu sous le nez.

— Le soir de la disparition, pourquoi la doudoune de Lucas est-elle demeurée dans ta voiture au lieu de le suivre dans son lit?

Charlaine étouffait. Judith fit un geste. Carl relâcha sa prise.

— Maudit malade! cria Charlaine en pompant l'air.

— Ce n'est pas une réponse, ça! la menaça Carl.

— Samedi, j'ai ramené Lucas du service de garde. Il avait sa couverte avec lui parce qu'ils font des siestes l'après-midi. Le soir, je l'ai couché de bonne heure. Il était fatigué. Il n'a pas braillé pour. Elle est restée dans le char.

— Fatigué par quoi? demanda Judith en s'immisçant dans l'interrogatoire.

— J'sais-tu, moi? s'énerva Charlaine. Ils sont dehors toute la journée, c'est normal que le soir ils tombent.

— Surtout si on les aide un peu, insinua Carl.

Charlaine riva ses yeux à ceux du policier. Il soutint son regard sans broncher durant la longue minute de silence qui suivit.

— En as-tu des enfants?

— Trois. D'autres choses que tu veux savoir?

— Ça paraît que t'es pas pogné à les élever tout seul, cracha-t-elle dans sa direction. T'essaieras de t'occuper d'un enfant vingt-quatre heures sur vingt-quatre, de te battre avec tous les soirs pour le mettre au lit ! Ta petite grafigne dans la face, c'est rien à côté de celles que j'ai sur les bras ! J'␣obligée de lui faire porter des gants, parce que lui aussi se blesse. C'est de l'« automutilation », que m'a expliqué la madame du CLSC. « Je le sais que c'est difficile, qu'elle m'a dit, mais faut être patiente. » Mange de la marde, maudite folle ! Des nerfs, j'en ai juste pus ! Faque arrête de jouer avec ! Tu m'as posé une question, la police, j'vais te donner ta réponse. À une seule condition. J'veux pas voir ton crisse d'air de pôpa parfait sur ta face, parce que le monde comme toi sont ben mal placés pour me juger.

Carl détourna le regard. Les yeux de Charlaine errèrent un instant dans le vide. Judith reprit le contact visuel avec elle. Sa voix criarde s'adoucit.

— O.K., je l'ai aidé à s'endormir. Il fallait que je le laisse. Pour gagner de l'argent. Pour lui. Je ne le fais pas souvent. J'aurais pas dû.

Judith s'approcha doucement et lui délia les poignets. Elle s'accroupit à sa hauteur et posa la main sur son épaule. Charlaine se laissa faire.

— Tu dois me dire ce que tu lui as donné.

— Une seule pilule. Du Nytol. Rien de fort. Ce que je prends. C'est même pas une prescription, ça se vend en pharmacie, admit-elle d'une petite voix.

— Quand tu es revenue ce soir-là, que tu es allée souhaiter bonne nuit à Lucas, as-tu remarqué quelque chose d'anormal ?

Charlaine se crispa, puis Judith insista.

— Peut-être que tu étais énervée. Plus que d'habitude. Que tu n'as pas fait attention. Que la dose que tu lui as donnée était trop forte et qu'il est décédé dans son sommeil. Tu t'es sentie coupable. C'est normal que tu aies agi sur un coup de tête en voulant dissimuler le corps. L'as-tu enroulé dans sa doudoune et transporté dans ta voiture ?

Judith fit une pause, s'approcha de Charlaine et lui demanda aussi clairement qu'elle put :

— Madame Blondin, où est Lucas ?

L'interrogée leva des yeux fiévreux vers la policière, puis vers Carl qui, depuis quelques minutes, se tenait à l'écart dans l'entrée.

— Sortez ! leur ordonna-t-elle. Si vous voulez me questionner, il va falloir porter des accusations. J'vous dirai pas un mot de plus.

— Écoute, Charlaine..., tenta Judith.

— Fermez-la ! Vous n'avez pas le droit de m'intimider comme vous venez de le faire. Je pourrais porter plainte.

— Je pense qu'on en sait assez, conclut Carl en faisant signe à Judith de le suivre. L'escouade canine est arrivée.

— Je vous demanderais de ne pas vous éloigner pour les prochains jours, ajouta l'enquêtrice sur un ton froid.

Les deux agents se rendirent en courant à l'auto-patrouille pour se protéger de l'averse.

— Tu as d'autres vêtements pour les recherches. Je vais garder la couverture, si ça ne te dérange pas, fit Judith en replaçant ses cheveux mouillés.

— Ah ! parce que tu me consultes, tout à coup ?

Assis derrière le volant, Carl fulminait.

— Je m'excuse pour tantôt, il fallait agir vite. Ce n'était pas une solution que de la conduire au poste.

— La décision, j'aurais aimé ça la prendre moi-même. Je te rappelle que l'enquête sur la disparition de Lucas, c'est moi qui la mène.

— Et moi qui te supervise, trancha Judith.

Carl inspira pour contenir sa colère.

— Ce n'est pas une raison pour m'interrompre continuellement durant mes interrogatoires.

— Je te l'accorde, se radoucit Judith, mais j'avais des questions. Nos pistes se croisent. On en sait déjà un peu plus : l'endroit où Charlaine Blondin s'est procuré la doudoune et comment elle a endormi son fils.

— Rien ne prouve encore qu'elle soit responsable de sa disparition. Et ça, même si le relevé des empreintes ne révèle aucune présence d'inconnu dans l'appartement.

— Tu es pris avec un méchant casse-tête. Moi-même, j'ai de quoi m'amuser. Avec ce que j'ai appris hier, les choses se compliquent.

— Je sais. J'ai pris connaissance du rapport d'Alain, tôt ce matin. La piste du meurtre se confirme. Une mère enceinte poignardée. Je préfère chercher un petit morveux en pensant que j'ai des chances de le retrouver en vie.

Judith prit congé de son collègue. La pluie avait cessé. En passant à pied devant la cantine Chez Marie-Jo, elle salua un groupe d'agents de la SQ qui se préparaient à reprendre les recherches. Tenant le piqué comme si elle portait un enfant, Judith bifurqua par la rue Desharnais pour se rendre jusque chez elle. En tournant le coin de la rue Sainte-Marie, elle aperçut sa voisine, Élise Provencher, en train d'étendre sa lessive même si le temps paraissait incertain. Sur la corde à linge, dans un ordre parfait, s'alignaient les pantalons selon leur grandeur : ceux du papa, de la maman, de la grande fille et du gamin, puis les chandails et enfin les sous-vêtements. Jamais elle n'oserait étaler les siens à la vue de tous. Élise l'aperçut et lui mima une invitation à lui téléphoner. Judith lui gesticula son intention de le faire. Elle poursuivit son chemin d'un pas allègre. La journée ne faisait que commencer.

29

Une timide percée de soleil stria le ciel gris. Judith Allison gara sa Honda Accord dans le stationnement arrière du Vestiaire de Warwick. Un effluve de croissants frais lui parvint du bistro Le Paris-Brest. Elle résista à son envie et bifurqua vers le passage qui conduisait à l'avant du bâtiment. En chemin, elle vit des sacs et des boîtes empilés pêle-mêle qui bloquaient la porte de service. Les bons citoyens étaient venus y déposer leurs hardes. « Ceci n'est pas un dépotoir. On vous regarde. » L'affiche ne semblait pas les dissuader. Qui allait acheter cette vieille imprimante à jet d'encre ou cette table de lit en mélamine aux pattes cassées ? Un chaudron Creuset attira l'attention de Judith. Il n'avait pas beaucoup servi, la porcelaine était intacte. Comme elle le sortait de sa boîte pour l'examiner de plus près, une porte s'ouvrit. Une femme dans la cinquantaine, vêtue comme une ado, l'interpella de sa voix imposante.

— Pour acheter, c'est à l'intérieur !

— Excusez-moi, bafouilla Judith. Je ne faisais que regarder.

— Madame, s'il vous plaît, remettez la couverture où vous l'avez prise. On ne vend déjà pas cher, c'est une honte de nous voler.

Judith comprit qu'il y avait méprise au sujet de la doudoune qu'elle tenait à la main.

— Vous faites erreur. J'avais déjà cet article avec moi.

— S'il vous plaît, madame !

— Sergente Allison, du Service des enquêtes de la police régionale d'Arthabaska, fit Judith en lui présentant son insigne. Je peux entrer ?

Cinq minutes plus tard, Céline Dufresne et Annie Potvin étaient attablées avec l'enquêtrice dans la petite salle qui leur servait d'aire de repos. Elles s'impatientaient : dix heures approchaient et elles devaient ouvrir le magasin.

— Une jeune femme dit avoir acheté ici, dans votre commerce, cette couverture pour son enfant, expliqua Judith. Vous souvenez-vous de la personne qui aurait pu vous en avoir fait don ?

Comme dans un ballet bien réglé, les deux têtes firent non en cadence.

— Jamais vu cet article-là sur nos tablettes, affirma avec conviction Annie.

— Ce n'est pas passé par notre caisse, renchérit Céline.

— Au nombre de choses que vous vendez chaque jour, comment pouvez-vous en être si certaines ?

— C'est moi qui classe les articles pour enfants, précisa Annie. C'est une belle pièce, originale. Tout ce qu'on reçoit, ce sont des draps tachés et des housses de *bassinette* délavées. Je l'aurais remarquée.

— Ça s'est peut-être vendu rapidement.

— Annie a raison. On a rarement du neuf comme ça. Quand ça arrive, on l'expose en vitrine.

— Êtes-vous les deux seules employées ?

— Je suis directrice de la friperie, s'offensa Céline, et Annie est mon adjointe. J'ai deux autres femmes qui travaillent à temps partiel : Lucie Royer et Gisèle Houle. Elles sont en congé cette semaine. Les sacs, il n'y a que nous qui les ouvrons et nous sommes toujours ici pour le tri.

— Si je récapitule, vous n'avez jamais vu passer cette couverture pour enfant dans votre commerce.

— Non. Par contre…, hésita Annie.

— Qu'est-ce qu'il y a ? soupira Céline, visiblement sur les nerfs : les premiers clients poireautaient à l'entrée.

— Les cravates. Elle a pris nos cravates pour faire son biais.

Céline s'empara de la pièce et en palpa la bordure soyeuse. Les motifs zébrés et fleuris rappelaient en effet ceux d'anciennes cravates.

— La fille aux chapeaux ! s'exclama-t-elle.

— Et qui est cette fille ? s'enquit Judith, excitée.

— Va ouvrir, ordonna Céline à Annie qui lui obéit prestement.

— Une demoiselle qui est venue à quelques reprises l'été dernier, expliqua Céline. Elle nous prenait un gros stock de vieilles cravates en échange de quelques-uns des chapeaux et des ceintures qu'elle fabriquait. On n'a pas l'habitude de prendre des ententes comme ça, sauf que ses articles partaient comme des petits pains chauds et qu'on pouvait les vendre à bon prix.

— S'agissait-il de cette fille ? s'informa Judith en lui tendant la précieuse photographie.

— Oui, c'est bien elle, reconnut Céline. Elle était enceinte. On a pensé à son petit.

— Et elle ne vous aurait pas laissé cet édredon en échange d'autres articles ? Charlaine Blondin affirme l'avoir acheté ici.

— Charlaine Blondin !

Céline s'esclaffa.

— Vous la connaissez ?

— Qui ne la connaît pas ? Elle a un compte ouvert dans tout ce qui s'appelle « commerce » dans le coin. Elle nous a tous arnaqués avec ses airs piteux. Elle est tellement mêlée. Elle a déjà laissé son petit seul au parc, en face, tout un après-midi. Pauvre enfant, il pleurait à fendre l'âme. Annie a été obligée d'aller la sortir du bar. Les femmes comme elle mériteraient d'être stérilisées.

— Et la fille aux chapeaux, vous connaissez son nom, des gens de sa famille ?

— Elle n'était pas jasante. On aimerait bien qu'elle nous apporte d'autre stock à vendre, mais je n'ai eu aucun signe d'elle depuis l'automne dernier.

Judith hésita un moment. Elle décida de lâcher des bribes d'information pour observer la réaction de la directrice.

— Elle a peut-être été assassinée. On a retrouvé son corps dans la forêt à Saints-Martyrs-Canadiens. On cherche à établir son identité, à retrouver ses parents.

Céline ne broncha pas. Elle ajouta un commentaire, du bout des lèvres.

— On meurt souvent comme on vit.

— C'est-à-dire ? voulut savoir Judith.

— Une fille qui fait du pouce ne doit pas se surprendre de tomber sur un maniaque.

— Elle était enceinte.

— Fallait le savoir, avec les voiles dont elle se drapait. On aurait dit une Arabe. En plus, elle était tellement maigre. Du monde qui ne mange pas de viande, j'ai rien contre, par exemple quand on porte, faut toujours bien se nourrir. Les jeunes aujourd'hui ne pensent qu'à eux.

Judith prit congé de Céline Dufresne, estomaquée par son hostilité. Comment une femme responsable

198

d'un centre d'entraide pouvait-elle être si dure? En se dirigeant vers la sortie, elle salua Annie Potvin. De jeunes familles affluaient dans le magasin pour repérer quelques vêtements. En voyant les espadrilles qu'une cliente tenait à la main, Judith eut un pincement au cœur. Quel adolescent accepterait de porter ces vieilleries? Le souvenir d'une étudiante qu'elle avait côtoyée à la fin de son secondaire lui revint. Audrey Joanisse. Un matin, elle s'était présentée en classe avec un chandail des Spice Girls, celui-là même qu'avait étrenné Isabelle Legault au début de l'année scolaire. La charité, un autre stigmate de la pauvreté.

L'odeur de pâtisserie fraîche la titilla de nouveau alors qu'elle regagnait sa voiture. Pourquoi ne pas s'autoriser une pause? Elle pénétra dans le bistro, commanda le duo muffins-café et s'installa près d'une fenêtre avec le journal local.

À la page cinq, un article attira son attention : les entreprises Talbot et Frères avaient fait une offre aux Frères du Sacré-Cœur pour acquérir le camp Beauséjour. Ils comptaient y construire des résidences de luxe pour les aînés. En plus d'une centaine de logements adaptés aux différents stades d'autonomie de la clientèle, ils prévoyaient bâtir une clinique privée ainsi qu'une unité de soins palliatifs. C'était un projet pilote, appuyé par des fonds publics dans le cadre de la campagne «Vieillir chez soi». «Et pourquoi pas un cimetière sur place!» ronchonna Judith. Il y avait des opposants au projet. Le cégep de Victoriaville avait lui aussi des vues sur les abords du lac Sunday. Depuis l'an dernier, le collège avait entrepris des semences en forêt. Les champignons étaient peu cultivés au Québec et l'érablière du camp Beauséjour offrait des acres de terre propices à une exploitation biologique. Le Département d'agriculture lorgnait du côté des vieux dortoirs inutilisés. Avec un minimum de rénovations, les lieux de culte pourraient être transformés en salles de classe. Une aubaine pour le collège, qui s'évertuait à bonifier son offre pour augmenter sa clientèle en provenance de l'extérieur de la région. Il serait logique que ce trésor du patrimoine québécois retourne à la population, concluait la journaliste.

Après s'être assurée que personne ne la regardait, Judith déchira la page du journal et la glissa dans son sac. Puis elle attaqua avec appétit sa deuxième brioche, en songeant à Quentin Nouaux. L'article relatait que les cégépiens travaillaient au camp Beauséjour depuis un an déjà. Y avait-on commencé les tests en vue de la culture de champignons? Quentin y avait-il participé? Probablement. Il connaissait donc le lieu du crime, l'avait fréquenté, y avait peut-être même amené sa bien-aimée.

Trop d'informations disparates s'accumulaient depuis hier. Comment placer ces morceaux dans la bonne séquence? Selon la façon dont on les groupait, les données évoquaient différentes hypothèses: Quentin Nouaux avait tué Perséides au camp Beauséjour parce qu'il y travaillait et qu'ils y avaient eu une dispute, ou alors Perséides squattait la cabane à sucre du camp Beauséjour parce que Quentin lui avait fait connaître ce lieu déserté. Est-ce que Martin Grimard avait pu y surprendre la jeune femme alors qu'il s'y rendait pour faire son ménage?

Un jeune couple de cyclistes détrempés pénétra avec bruit dans le bistro. Judith eut une pensée pour son entraînement qu'elle délaissait. Elle détourna son regard vers la fenêtre embuée, pour continuer de mettre un peu d'ordre dans ses idées: Charlaine Blondin avait endormi son fils avec un somnifère, ce qui expliquait la présence de la doudoune oubliée dans sa voiture. Cet édredon avait été fabriqué par Perséides. Charlaine affirmait se l'être procuré au Vestiaire de Warwick, ce que démentaient Céline et Annie. Charlaine connaissait-elle Perséides ? Judith devait l'interroger là-dessus dans les plus brefs délais. Il y avait nécessairement un lien entre les deux filles.

Pourquoi Charlaine aurait-elle voulu se lier à Perséides, ou l'affronter ? Ces deux jeunes femmes n'avaient absolument rien en commun. Tout les opposait, leurs valeurs, leur façon de vivre, leur style... À cette idée, Judith rassembla ses affaires.

Elle paya sa note en vitesse et fit un appel. Carl répondit à la première sonnerie.

— Tu es toujours à Tingwick ?

— Les deux pieds dans le ruisseau Desrosiers. Pourquoi ? Tu as l'air tout énervée.

— Peux-tu te libérer ? Je pense tenir quelque chose. Rejoins-moi à Warwick. Je t'attendrai en face de la vieille gare.

Elle raccrocha.

Dix minutes plus tard, les deux policiers discutaient en déambulant côte à côte sur le sentier de la piste cyclable qui traversait la terrasse de l'auberge des Bois-Francs. En raison du mauvais temps, l'endroit était peu achalandé.

— J'ai l'impression que ma blonde veut m'annoncer qu'elle est enceinte, maugréa Carl. Arrête de faire des mystères. Ça ne fait pas une heure qu'on s'est lâchés. Qu'est-ce que tu as trouvé ?

— Quelque chose m'a frappée. La doudoune. Elle est beaucoup trop artisanale et fleur bleue pour les goûts de Charlaine Blondin. Souviens-toi de la décoration de la chambre de Lucas. La couverture ne cadre pas avec son style. Charlaine n'aurait jamais acheté un pareil article.

Je pense qu'elle l'a reçu en cadeau, ou qu'elle l'a trouvé ou volé.

— Tu « penses » ? Tu m'as fait descendre de Tingwick pour me faire part de vagues impressions ? Tu n'aurais pas pu me conter ça au téléphone ?

— On discute mieux quand on se voit, non ?

— Attention ! « Tu » discutes de « mon » enquête, Judith Allison.

— Il y a de grosses chances que Perséides et Charlaine se soient connues. Elles sont reliées par cet édredon, Carl.

— Comment ?

— Je ne le sais pas encore, c'est à Charlaine Blondin qu'il faut le demander. Je propose qu'on retourne l'interroger.

Carl cessa d'avancer et se posta devant Judith.

— Je comprends maintenant pourquoi tu m'as fait venir jusqu'ici ! Pour que je t'autorise à te remettre le nez dans mes affaires. Écoute-moi bien. Pour tout de suite, la Blondin, je la travaille pour retrouver son gars. Les probabilités qu'elle soit elle-même impliquée dans sa disparition sont trop grandes pour que j'aille bousiller mon enquête avec tes soupçons sur un bout de tissu. Ta Perséides est morte. Les vers l'ont rongée. Il n'y a plus rien à en tirer, à part retrouver ses parents à qui l'on devra annoncer une nouvelle qu'ils ne sont pas trop pressés d'entendre. Moi, je cherche un garçon de cinq ans qui a toujours des chances d'être en vie. Alors, laisse la mère de Lucas tranquille et, surtout, laisse-moi travailler.

Sans attendre de réponse, Carl tourna les talons et regagna sa voiture de patrouille.

Judith fut ébranlée par la réaction de Carl. Mais il avait enregistré ses questions, de cela elle était certaine.

À la première occasion, il vérifierait ses hypothèses auprès de la suspecte.

Installée derrière son volant, Judith passa quelques coups de fil. Elle raccrocha, contente de son coup. Quentin Nouaux était bel et bien en stage ce jour-là à la champignonnière du cégep. Ses chances de l'y croiser étaient bonnes. Elle vérifia dans sa valise arrière si sa serviette de plage y était. Trente minutes de voiture et elle serait à Saints-Martyrs-Canadiens. Ce n'était pas quelques nuages menaçants qui la priveraient d'un petit jogging et de la saucette matinale qu'elle comptait bien s'accorder avant de replonger dans l'enquête.

30

Le temps était brumeux. Dès le premier mouvement de brasse qui la propulsa au large, un sentiment de liberté envahit Judith. Nager la consolait. Et pourtant, elle n'était pas triste. Seule, oui, pas malheureuse. Vide. Voilà ce qui l'habitait. L'agitation dans laquelle son travail la plongeait lui permettait d'oublier que sa vie lui offrait peu de bonheur. Des distractions, des plaisirs furtifs, cependant rien qui vaille vraiment la peine.

Les lacs d'eau pure étaient nombreux dans le coin. En s'établissant à Tingwick, Judith les avait repérés : le lac Nicolet à vingt-cinq minutes, le lac Breeches un peu plus loin, le lac Coulombe et, surtout, l'un des plus beaux, le lac Sunday dont elle fendait les eaux. On pouvait le traverser sans craindre les hors-bord. À part les installations destinées aux vacanciers, l'endroit était complètement sauvage. Aucun chalet dans la ligne d'horizon. Judith se laissa dériver dans le courant en contemplant les montagnes appalachiennes.

Le sens du devoir rattrapa pourtant la policière. Elle avait plusieurs entrevues à mener. Elle nagea vers la rive sans se presser. L'eau soyeuse lui caressait la peau. Elle s'immergea complètement, pour sentir une dernière fois le lac l'envelopper. Elle ouvrit les yeux sous l'eau et fixa le ciel depuis les profondeurs. Aujourd'hui, il était sombre. Que pouvait lui apprendre de plus Quentin Nouaux ? Il était difficile d'approche, d'un style plus marginal que les autres jeunes qu'elle avait croisés.

Frissonnante, Judith se sécha et s'habilla à la hâte. Puis elle s'engagea au pas de course dans la zone forestière où se trouvaient les champignonnières. Au bout d'un sentier qui s'enfonçait dans les bois, elle aperçut une tache rouge qui se découpait sur le tapis de mousse. Un sac à dos, une enveloppe de couchage recouverte d'une toile imperméable. Aucun signe de vie n'émanait du corps enfoui dans son abri.

Elle s'approcha. La masse au sol remua comme un ver. Un grognement se fit entendre.

— Bonjour, claironna Judith, amusée.

D'un geste fébrile, Quentin Nouaux glissa la fermeture éclair de son sac. Il chercha des yeux d'où venait la voix. Quand son regard croisa celui de Judith, il se laissa retomber d'un geste sec sur sa couche.

— Il est quelle heure ?

— 11 h 45.

— Merde ! laissa tomber Quentin en se glissant hors de son duvet.

Il avait dormi nu. Judith détourna le regard pendant qu'il rassemblait ses vêtements.

— J'aurais d'autres questions à vous poser.

— Je vais être en retard pour mon examen. J'ai étudié toute la nuit. Je dois terminer ma cueillette, débita-t-il en enfilant un pantalon noir usé et un chandail de laine trop chaud pour la saison.

D'un geste rapide, il ramena ses *dreads* sous son béret, s'empara d'un sac en rotin et d'un seau de métal qu'il accrocha en bandoulière sur son épaule et s'enfonça dans la forêt. Judith lui emboîta le pas. En le rejoignant dans son univers, ses chances de le faire parler étaient meilleures.

Après une dizaine de minutes de marche, ils atteignirent le versant sud de la colline. Au bas de la pente, dans la vallée qui abritait un petit ruisseau, une centaine de billots d'arbres d'un mètre et demi, couchés à même le sol, formaient un long trottoir. Agrippées à leur écorce, des taches blanches comme une neige de printemps indiquaient la présence des champignons.

Quentin se mit à l'œuvre.

— Je peux aider ? s'offrit Judith.

L'étudiant la dévisagea, l'air de penser qu'une paire de bras supplémentaires ne pourrait pas nuire. Il lui tendit son panier.

— Il faut les trancher à la racine en touchant le moins possible à la tête.

— J'ai un canif…

— Jamais de métal, la gronda-t-il en lui prêtant sa lame de bois.

Quentin se dirigea vers le ruisseau pour remplir son seau. Le mycélium inoculé dans les hêtres abattus avait besoin d'humidité et de fraîcheur, lui expliqua-t-il. Les jeunes plants avaient souffert de la chaleur extrême des dernières semaines. Cela se voyait par la présence des rides qui froissaient leur peau blanche.

Judith examina son outil. Le bois était dur comme l'acier, assez fin pour ne pas briser le pied d'un champignon, mais assez résistant, Judith en était convaincue, pour percer la chair humaine. Son attention se reporta sur Quentin en train d'arroser sa récolte. Comment un être si vulnérable aurait-il pu être transporté par tant de violence ? Judith rangea ses doutes dans un coin de son cerveau et se concentra sur la cueillette des pleurotes. Le silence était bon.

Ils retournèrent au campement où Quentin Nouaux s'affaira à rouler son sac de couchage.

— Pour éclaircir les circonstances de sa mort, j'ai besoin d'en savoir plus sur Perséides, commença Judith.

Affairé, Quentin ne semblait pas disposé à répondre.

— On a des preuves qu'elle a été poignardée, ajouta-t-elle.

Le jeune homme suspendit son geste et tourna un regard inquiet vers l'enquêtrice.

— Le bébé?

— On croit qu'il serait mort avec elle.

Quentin accueillit la nouvelle avec terreur. Comme un perdu, il se mit à papillonner autour de Judith.

— Pourquoi me racontez-vous ça? Je ne veux pas le savoir. Je ne veux pas de vos images d'horreur. J'ai mes souvenirs et ils me suffisent. Moi et ma blonde et son gros ventre dans le bois, faisant l'amour, riant. Elle et moi ramassant des framboises sauvages. Elle me quittant, moi pleurant. Pas elle en morceaux, non! Pas mon bébé qui meurt seul sans moi!

— Vous n'étiez pas le père, osa Judith.

— Non, mais je l'étais devenu. Je lui avais promis de l'être.

— Qui est le père biologique?

— Je n'ai pas voulu le savoir.

Judith sortit la doudoune de son sac et la tendit à Quentin.

— Et ça, vous savez à qui c'est?

Livide, le jeune homme saisit le vêtement. D'un geste lent, il le porta à son nez et y enfouit son visage.

— Ariel! murmura-t-il en sanglotant. On avait décidé de l'appeler Ariel, ou Arielle.

— Excusez-moi, bredouilla Judith, je ne savais pas que…

— Il y a plein de choses que vous ne savez pas ! gueula-t-il. Comme cette couverture ! J'ai passé des soirées entières à regarder Perséides la broder.

— Connaissez-vous quelqu'un à qui elle aurait pu la donner ou la vendre ?

— À personne ! Perséides l'a cousue pour notre enfant. Jamais elle ne s'en serait départie.

Atterré, Quentin s'affala sur une souche en continuant de s'accrocher à l'édredon. Indiscutablement, il aimait Perséides. Trop ? Aurait-il pu vouloir l'empêcher de partir ? De plus, il aimait déjà l'enfant.

Pour l'apaiser, Judith adoucit le ton et changea de sujet.

— Ça ne doit pas être facile de passer la nuit à la belle étoile ces jours-ci, sous la pluie ?

— J'aime dormir dehors. Notre peau a besoin d'air pur.

Il était replié sur lui-même. Judith avait de la peine à l'entendre.

— Vous aviez pourtant loué une maison. Pour l'enfant ?

— Ça a été une erreur. Mon bonheur entre quatre murs l'a fait fuir.

— Étiez-vous déjà installés à Sainte-Sophie quand elle vous a quitté ?

Quentin sursauta. Il ne se souvenait pas lui avoir confié le nom de l'endroit où ils avaient décidé de passer l'hiver.

— Non. Le couple qui nous aurait loué la maison ne partait qu'à la fin d'octobre. C'était juste. Le bébé était prévu pour le début ou le milieu de novembre, Perséides ne le savait pas trop.

— Elle n'était pas suivie par un médecin ?

Le jeune homme ricana.

— Elle ne se serait jamais laissé fouiller par un spéculum. De toute façon, elle n'avait pas de carte d'assurance maladie. Son rêve était d'accoucher accroupie, seule avec moi, sur un lit de feuilles d'automne. Je disais comme elle, même si j'avais mon idée. De l'eau chaude et des draps propres dans la maison, et la voiture du voisin si jamais…

— Matéo Cornelier m'a dit que vous aviez connu Perséides en juillet dernier. Vous poursuiviez vos cours d'été comme vous le faites maintenant, en travaillant ici pour installer la champignonnière. Où logiez-vous à cette période ?

Judith s'approcha pour épier sa réaction. Serrant toujours la couverture de bébé contre sa poitrine, Quentin laissa passer un moment.

— J'habitais chez un ami, en ville. Comme je n'ai pas d'auto, je dormais souvent ici. J'avais organisé mon horaire pour faire mes laboratoires en forêt, les mardis et mercredis. Ça coupait la semaine en deux. Au début, Perséides venait de Saint-Rémi durant la semaine pour m'y rejoindre. On avait de la misère à se lâcher. Après, ça s'est espacé. Elle était avec moi, mais pas avec moi.

Judith s'accroupit près de lui et fixa le lac.

— À huit mois de grossesse, elle ne trouvait pas ça difficile de dormir dans le bois ?

Quentin retira son béret et secoua la tête comme pour en chasser de pénibles souvenirs. « Un aveu », espéra Judith prête à le cueillir, comme plus tôt les pleurotes.

— On ne campait pas toujours. Parfois, on passait la soirée et la nuit dans une vieille cabane un peu plus loin.

Nerveuse, Judith demanda lentement :

— L'ancienne cabane à sucre?

— Oui. On remettait tout en place après, pour ne pas alarmer les frères.

— Là où on a retrouvé son corps.

Avec un aplomb qui la surprit, Quentin lui répliqua:

— Je lis les journaux.

Judith vint se placer face au jeune homme toujours assis et haussa le ton.

— Pourquoi me cacher ces informations depuis le début? Ça n'aide pas à lever les soupçons qui pèsent sur vous.

Il releva la tête vers elle.

— Justement, en vous révélant ce détail, je savais que vous alliez m'accuser. Je n'ai rien à voir avec la mort de Perséides. Oui, on allait souvent à la cabane. Oui, on se chicanait de plus en plus, mais on s'aimait.

— Quand l'avez-vous vue la dernière fois?

Quentin se leva brusquement, en battant l'air de ses grands bras. Comme un oisillon blessé, incapable de s'envoler.

— Il n'y a pas eu de dernière fois! s'écria-t-il. C'est ça le pire. Un mardi, à la mi-octobre je crois, je passe la soirée au lac à l'attendre. J'essaie de dormir en me disant qu'elle arrivera le lendemain soir. J'attends. Aucun signe de sa part. Le jeudi matin, je me rends à Saint-Rémi, à la ferme des Hauts-Vents. Sa copine Esmaëlle me dit qu'elle a plié bagage. C'est impossible! Ce n'est pas elle. Elle serait venue me dire au revoir, m'aurait laissé un mot.

Il était à bout de souffle. Judith fit un pas vers lui.

— Vous êtes retourné à la cabane à sucre?

— Non, admit-il, la voix brisée. L'endroit me faisait trop penser à elle. Je n'ai pas reçu un seul message, rien. Je le savais qu'il lui était arrivé quelque chose. Personne ne m'a cru.

Judith se rapprocha et le prit par le bras. Quentin se laissa toucher.

— Moi, je te crois, lui confia-t-elle.

Devait-elle gober son histoire ? À première vue, tout se tenait. Le témoin maintenait la déposition qu'il avait livrée à la police l'automne précédent. La peine de Quentin était criante. Par ailleurs, la concordance de certains faits attisait les soupçons : sa blonde voulait le quitter, il tenait à l'enfant, il avait fréquenté la scène du crime avec la victime. Ne manquait que le mobile. Or, il la voulait vivante, avec lui et le petit. Judith n'arrivait pas à l'imaginer en meurtrier. Autre chose clochait aussi.

Judith s'éloigna de quelques pas et jeta un regard circulaire au boisé qui l'entourait. La dépouille. Il aurait traité sa victime avec plus de respect, aurait empêché les bêtes de dévorer les restes de la femme qu'il aimait. Il l'aurait remise à la terre, en terre, dans un endroit plus secret où il aurait pu venir se recueillir.

Judith se concentra sur le comportement de Perséides. Elle aimait la forêt, s'y sentait chez elle. Elle connaissait l'endroit où elle avait été assassinée. Aurait-elle pu y venir seule ? Avec quelqu'un d'autre ? Martin Grimard l'avait-elle surprise ?

Des voix au loin tirèrent Judith de sa réflexion. Quentin se leva et prit son sac à dos. Elle lui tendit sa carte.

— N'hésite pas à m'appeler si d'autres détails te reviennent à l'esprit.

Un groupe d'étudiants approchait, suivi de près par leur professeur, une tête blanche prolongée d'une longue barbe grisonnante. Judith les salua rapidement au passage et prit congé de Quentin Nouaux.

Elle pressa le pas dans le sentier qui longeait la rive pour attraper le repas du midi à la cafétéria des frères.

La vue du pâté chinois dans les plateaux la déçut moins que celle du nouveau cuisinier qui remplaçait l'homme qu'elle voulait interroger. Elle reconnut le frère Darveau qui dînait avec ses compagnons. Elle se dirigea vers sa table.

— Pardonnez-moi de vous déranger de nouveau, j'aimerais parler à Martin Grimard. Vous savez où je peux le trouver?

Le vieil homme prit le temps de s'essuyer le coin de la bouche et les mains avant de lui faire signe d'approcher. Judith se pencha près de lui comme pour entendre un secret.

— Il est à l'hôpital d'Arthabaska. Au sixième.

Aux soins psychiatriques! Judith resta sans voix.

— Depuis quand?

— Nous l'avons mené à l'urgence très tôt ce matin.

— Pourquoi?

Les autres dîneurs s'étaient tournés vers elle, un reproche dans le regard. Pourquoi lui en voulaient-ils? Le frère Darveau quitta sa place et conduisit la policière à l'écart dans son bureau.

— Martin est très aimé ici. Nous sommes une grande famille, il en fait partie. Il allait bien depuis des mois. Il n'avait pas connu d'épisode de crise depuis l'hiver dernier. Toute cette malheureuse histoire de cadavre retrouvé sur nos terres l'a perturbé.

Après une hésitation, Judith lâcha sa question, sachant qu'elle risquait d'irriter son interlocuteur.

— Est-ce qu'il peut être dangereux?

— C'est le préjugé qu'ont tous les gens qui ne connaissent pas la maladie. Martin est un doux. Il entend des voix, se sent persécuté, poursuivi. Pour certains, ce sera par des extraterrestres ou la police. Lui, ce sont les morts qui le harcèlent. Depuis quelques jours, il a sombré dans un épisode de paranoïa. On a réussi à le convaincre d'aller se faire soigner. Ce n'est pas la première fois. On est habitués. Lui aussi. Quelques semaines pour ajuster sa médication et il va nous revenir en pleine forme.

Le ton tranchant que le frère Darveau venait d'employer surprit Judith. Couvrait-il son protégé ? Hier, il lui avait affirmé que Martin Grimard fonctionnait très bien depuis des années, et voilà qu'il faisait référence à des rechutes fréquentes.

— Vous avez le numéro de sa chambre ?

— Ils ne vous laisseront pas le voir, à moins que vous n'obteniez un mandat. Dans l'état où il se trouve, Martin n'est pas très cohérent. Vous allez devoir être patiente, sergente.

Elle le remercia et se dirigea prestement vers sa voiture. Judith n'avait ni patience ni temps à perdre. Les crimes perpétrés par les schizophrènes en crise s'expliquaient souvent par le fait qu'ils obéissaient à leurs voix intérieures. Est-ce que Martin Grimard avait pu tuer Perséides sous la directive de ses démons ? S'en souviendrait-il ? Comment vérifier ? Son psychiatre ne parlerait que si un ordre de la cour l'y obligeait et ils n'avaient pas amassé assez de preuves jusqu'ici pour obtenir un mandat.

En prenant place derrière son volant, elle ne démarra pas tout de suite. Elle renversa son siège pour mieux réfléchir. Elle aurait dû se réjouir de ce qu'elle venait d'apprendre. L'enquête avançait et les indices s'additionnaient. À la place, le doute la travaillait.

Jusqu'à présent, tous ses soupçons pointaient vers deux suspects : Quentin Nouaux et Martin Grimard. Pourtant, elle n'était pas convaincue d'être sur la bonne route. Les indices étaient bien réels, néanmoins, elle en faisait peut-être une lecture erronée. Comme dans un miroir aux alouettes, vérité et apparences se confondaient.

La Honda Accord fila en mordant le gravier. Judith n'avait aucune idée de la suite des choses. Cela lui plut.

31

Vendredi 29 juillet, 9 h

Le soleil matinal de cette journée qu'on prévoyait orageuse aida Judith à venir à bout des résistances de Carl et d'Alain. Leurs gobelets de café à la main, ils faisaient cercle autour de la table de résine extérieure des employés du poste. Réfléchir ensemble à l'air libre leur ferait le plus grand bien.

— J'ai un *gazebo* qui dort dans mon garage, blagua Alain en changeant de place pour échapper au soleil.

Judith dévisagea Carl, qui n'avait pas encore ouvert la bouche. Les nouvelles s'annonçaient mauvaises.

— Avez-vous eu le temps de lire le rapport que j'ai terminé hier soir? demanda-t-elle.

Les deux agents acquiescèrent. L'attention de Judith se reporta sur Carl.

— Je n'ai rien reçu de nouveau de ta part, Carl. Tu devais rencontrer Charlaine Blondin pour vérifier si elle avait reçu la doudoune directement de Perséides et…

— Je sais très bien ce que je devais faire, la coupa Carl.

Son irritation était palpable.

— Elle a foutu le camp en moto avec sa paire de gros bras. Des voisins les auraient vus partir hier soir, pesta-t-il.

— Quoi ? bondit Judith, incrédule. On lui avait pourtant demandé de rester à la disposition des enquêteurs !

— On aurait dû l'arrêter, maugréa Carl.

— On n'a rien de substantiel contre elle, soutint Alain.

— Elle a avoué avoir administré des sédatifs à son fils, l'avoir laissé seul dans sa chambre…, riposta Carl en se tournant vers lui.

— Un cas de DPJ. Rien qui nous permette de l'arrêter, intervint Judith.

— Négligence criminelle, entrave à la justice, voies de fait contre un agent, qu'est-ce qu'il nous faut de plus ? Si on ne diffuse pas de signalement pour intercepter la Harley, je suis complètement bloqué. J'arrête tout.

Carl se cala dans sa chaise et croisa les bras.

— C'est une menace ? s'enquit Judith en plissant le front.

Comme enquêteur à l'examen, Carl perdait des points. Judith eut envie de le laisser s'enfoncer, mais elle se ravisa.

— Elle va sans doute réapparaître aussi vite qu'elle est partie. Je propose qu'on laisse passer la fin de semaine. Lucas Blondin est disparu depuis cinq jours. Il faut élargir le périmètre de recherche.

Son intervention parut calmer Carl. Approuvant d'un signe de tête, il ajouta :

— Le village a été viré à l'envers. Il faut étendre la battue aux rangs avoisinants, fouiller chaque ferme. C'est beau, les bénévoles, mais il va falloir plus d'hommes pour les encadrer.

— Je ne suis pas certain que Métivier accepte d'investir davantage, avisa Alain.

Avant que Carl regrimpe dans les rideaux, Judith fit dévier la conversation vers sa propre enquête.

— J'ai besoin de votre avis.

Les deux hommes se tournèrent vers elle.

— On a la certitude que Perséides n'aurait jamais voulu se départir de la couverture confectionnée pour son bébé. Un objet qui représentait son enfant. Nous savons qu'elle est décédée sans avoir accouché. La doudoune était vraisemblablement avec elle au moment de sa mort. Par quel chemin a-t-elle abouti dans le lit du petit Lucas ? Il me semble assez peu probable que Charlaine ait pu tuer Perséides.

— Pourquoi ? Parce que c'est une femme ? la défia Carl.

— Parce que c'est une mère.

— Mère ? Un peu vite dit. Pendant que son petit est en danger, madame se paie une escapade en amoureux avec son gros loup.

— Tu sollicitais notre avis ? rappela Alain. Le mien est que la doudoune a tout simplement transité entre d'autres mains avant d'aboutir chez les Blondin.

— Perséides venait de quitter la ferme des Hauts-Vents avec toutes ses affaires. Cette couverture est le seul bien qu'on ait retrouvé. Tous ses autres bagages ont disparu, à part sa trousse de couture, insista Judith.

Carl se leva. Pour défendre son point de vue, il ramassa les verres en styromousse vides de ses collègues.

— La ferme de Saint-Rémi est ici, fit-il en plaçant un des gobelets à une extrémité de la table. La cabane à sucre du camp Beauséjour, quarante kilomètres plus loin, expliqua-t-il en installant le second à l'autre extrémité.

Intriguée, Judith se leva à son tour et planta le troisième verre qui marquait la position de la champignonnière du cégep, à près de deux kilomètres de la cabane. D'un geste de la main, elle invita Carl à poursuivre. Concentré, il traça avec le mouvement de ses doigts le trajet de la victime.

— En octobre dernier, une semaine avant de quitter la ferme des Hauts-Vents, Perséides rend visite pour la dernière fois à Quentin Nouaux qui est en stage-études les mardis et mercredis au camp Beauséjour.

Judith fut touchée. Carl avait pris connaissance de son rapport avec attention.

— Comment la jeune fille se déplace-t-elle du point A au point B? demanda Carl en désignant les deux extrémités de la table.

— Elle fait du pouce! s'exclama Judith.

Elle se souvint du ton perfide de la directrice du Vestiaire de Warwick, qui avait accusé la femme enceinte de prendre des risques.

— Elle serait tombée entre les mains d'un psychopathe, supposa Alain.

— Surprenant, réfléchit à voix haute Judith. C'est une fille habituée à voyager. Elle doit avoir un sixième sens pour le danger.

— Peut-être un voisin. Quelqu'un qu'elle connaissait? continua Alain.

— Elle s'occupait de la vente de légumes à Danville. Elle est entrée en contact avec beaucoup de gens, précisa Carl.

— Il faut vérifier comment elle voyageait. Tu as raison, c'est un élément important, renchérit Judith.

Son collègue reprit sa place à table, la mine plus détendue.

— Si on veut savoir qui l'a aperçue sur le bord de la route, on doit se résoudre à faire circuler sa photo, s'immisça Alain en tentant de convaincre Judith. Une belle fille enceinte qui fait de l'auto-stop, ça ne passe pas inaperçu.

— D'accord. On la fera parvenir aux médias dès lundi.

— Nous aurions donc un troisième suspect potentiel, conclut Alain. Parce qu'il est assez difficile d'imaginer Quentin Nouaux ou Martin Grimard dans le rôle du psychopathe en voiture. L'un ne possède pas de permis de conduire et l'autre a perdu le sien.

— Grimard demeure toujours suspect, par contre, ce qui m'embête avec lui, c'est qu'en état de crise, il aurait été trop désorganisé pour faire disparaître et le sac à dos, et l'arme, commenta Judith. De plus, il ne m'aurait pas rendu la trousse de couture qu'il a trouvée sur place.

— Une trousse où il manque une paire de ciseaux, nota Alain.

— Peut-être. Quant au jeune Nouaux, s'il avait tué la victime, il aurait conservé l'édredon. Il y tenait comme à la prunelle de ses yeux, rappela Judith.

— N'élimine pas le jeune trop vite, la prévint Carl. Il a un mobile qui tient la route : empêcher sa dulcinée de s'évaporer dans la nature. Il ne connaît pas son vrai nom, ni ne sait d'où elle vient. Elle veut le quitter et il n'aura aucun moyen de la retrouver. Il y a de bonnes chances qu'on ait entre les mains la « classique » : une dispute entre amoureux qui a mal tourné.

— Le problème, c'est qu'il n'y a aucune trace du suspect sur la scène de crime, qui a eu trois saisons pour refroidir. Je ne pourrais même pas me fier à un quelconque alibi puisque la mort n'est pas datée avec précision, déplora Judith.

— Il y a un truc qui ne colle pas, dit Alain les yeux rivés sur les trois gobelets.

Il s'épongea le front. L'humidité l'accablait.

— Imaginons que Perséides se soit fait attaquer le jour où elle a quitté la ferme avec toutes ses affaires, y compris son édredon. Le criminel la prend sur le pouce, la conduit à la cabane, l'assassine, puis l'abandonne sur place en gardant les bagages dans sa valise. Il prend soin de faire disparaître l'arme, mais laisse courir un indice majeur qui pourrait l'incriminer. Pourquoi le meurtrier aurait-il remis la couverture en circulation?

— On la lui a volée, hasarda Judith.

— À ta place, ma chère, clama Carl, je continuerais de suivre la piste de la doudoune. Tu dois connaître tous ceux qui l'ont tripotée. Deux témoignages se contredisent: celui des bonnes femmes du Vestiaire qui affirment n'avoir jamais vu passer l'article et celui de Charlaine Blondin qui prétend l'avoir acheté chez elles. Il y a quelqu'un qui nous raconte des histoires et j'ai ma petite idée là-dessus.

D'un commun accord, ils mirent fin à la réunion.

Judith s'accorda encore un moment à l'extérieur. On prédisait du temps pluvieux pour la fin de semaine. Elle s'en foutait: le rassemblement *Rainbow* l'attendait au Témiscouata, ainsi qu'Esmaëlle, la confidente de Perséides. Cette étrange histoire finirait bien par s'éclairer. Ses affaires étaient prêtes. Matéo Cornelier passerait la prendre chez elle vers 13 h. «Il n'y a pas de mal à rendre son travail agréable», jugea-t-elle en ramassant les gobelets vides.

Elle passa en coup de vent devant la réception. Il lui restait peu de temps pour mettre ses dernières notes en ordre.

— J'ai un *fax* pour toi, lui cria Christiane.

Judith s'en saisit.

— C'est arrivé tantôt, du laboratoire médicolégal de Montréal, avec un mot de l'anthropologue judiciaire Carole Richer.

— Merci, répondit Judith sans lâcher le rapport des yeux.

Une fois installée dans le cagibi qui lui servait de bureau, elle réexamina le document de plus près. La photographie annotée décrivait l'emplacement des coups de lame qu'avait reçus la victime. Vingt-six. Leur nombre la fit frissonner.

Elle se leva pour respirer à la fenêtre. Qui avait pu s'acharner de la sorte sur une jeune femme enceinte? Son esprit s'embrouilla. À bonne distance, Judith lorgna en direction du rapport. C'était tout ce qui restait de la victime. Un courant d'air emporta la feuille. Judith ferma la fenêtre et ramassa le cliché tombé par terre. «On dirait qu'elle me demande de la suivre», songea-t-elle. Elle se rassit, sortit la photo de Perséides de son sac et la posa à côté de l'image du squelette meurtri, comme pour lui donner vie. Elle détailla les points de contact de l'arme avec les os. Dans le dos et sur l'avant-bras, vingt et un coups. À peine cinq sur le haut de la poitrine. Oui, les blessures parlaient.

Judith reconstitua la scène : l'agresseur avait poignardé sa victime par-derrière, puis la femme s'était retournée vers lui en levant le bras pour se protéger.

Qui pouvait en vouloir à une femme enceinte de façon si passionnelle? Le père. Pas le père d'adoption, non, le père biologique. Comment le retrouver? Les amis de Perséides la mettraient sur cette piste. Cette constatation acheva d'effacer la dernière trace de culpabilité qu'éprouvait Judith à l'idée de passer la fin de semaine au rassemblement *Rainbow* avec le beau Matéo Cornelier.

Après s'être rapportée à son père comme elle en avait l'habitude, Judith téléphona à Christiane.

— Je n'arrive pas à joindre Carole Richer.

— Elle t'a laissé un message sur la page titre du *fax*, la gronda gentiment la standardiste.

— Excuse-moi, je ne l'ai pas vu.

— Elle doit se rendre au Nunavit en fin de semaine, et ne sera de retour à Montréal que mardi.

— Tu peux m'organiser un rendez-vous avec elle ?

— Je vais voir ce que je peux faire.

32

Ils avaient quitté l'autoroute 20 et bifurqué par la 185 en direction de Cabano. Une vue époustouflante sur les Appalaches s'offrait à eux. Une mer de montagnes vertes qui s'étendaient jusqu'au Maine sur une centaine de kilomètres. « La nature n'a pas les frontières que se donnent les pays », pensa Judith en se tournant vers Matéo Cornelier. Une barrière plus infranchissable qu'une douane la séparait du jeune homme : il était un être libre, alors qu'elle assurait la loi et l'ordre. Le projet qu'il était en train de lui décrire détonnait avec sa propre vie dépourvue de rêves.

— Je pourrai bientôt passer aux essais techniques, s'enflamma Matéo, les mains agrippées au volant. Il ne me reste qu'à fabriquer les capteurs. L'été prochain, ma Westfalia va fonctionner à l'énergie solaire et me permettra de cuisiner sans vider ma batterie.

Matéo se vanta d'être le premier à expérimenter un système de contrôle pour mieux répartir des énergies nouvelles. Il pourrait même commercialiser son invention.

— Prends garde de ne pas te faire voler ton idée.

225

— La policière qui parle, railla-t-il. Tu vois des bandits partout. Les gens qui aboutissent dans le Nord sont loin d'être comme on les imagine. J'y fais des rencontres étonnantes : un biologiste qui se spécialise dans les lichens, un prêtre du Kenya qui y a installé sa paroisse, une championne de ski de fond qui profite des longs hivers pour s'entraîner.

Une athlète ? Évoquait-il une de ses conquêtes ? Judith tenta d'imaginer avec quel type de femme Matéo pouvait se retrouver au lit. Le profil plein air lui seyait bien. Ou celui d'une femme nomade, hors système, comme Perséides, bref complètement à l'opposé d'elle-même. Pourtant, Matéo la reluquait, c'était clair, et de son côté, elle le trouvait séduisant même s'il était trop *peace and love* à son goût. Jamais elle ne partagerait une vie aussi instable. Jusqu'où l'attirance entre un homme et une femme pouvait-elle s'accommoder des différences ?

Une semi-remorque chargée de billots dépassa la Westfalia. Les parois vibrèrent. Matéo remonta sa vitre. Il avait beaucoup parlé, mais il savait aussi écouter. Judith avait répondu à ses questions curieuses avec humour. Le monde criminel lui était totalement inconnu. Ils avaient ri.

Le véhicule emprunta la 232 Est, puis roula jusqu'à la 158. Ils approchaient. Judith se cala dans son siège et apprécia le paysage. Elle n'avait jamais mis les pieds au Témiscouata, n'avait de fait jamais entendu parler de ce coin de la province. Matéo quitta la route principale et s'engagea sur un chemin de terre peu praticable. Judith s'accrocha au montant de sa portière. Matéo ralentit pour éviter les crevasses qui trouaient le chemin. Il s'inquiéta du trajet.

— Tu as le plan ? demanda-t-il prestement.

Judith le trouva à ses pieds et le scruta rapidement.

— À gauche, indiqua-t-elle.

La Westfalia poursuivit son trajet en cahotant. Un pont de bois apparut au tournant. Lorsqu'ils passèrent au-dessus de la rivière Ashberish, elle poussa un cri.

— Arrête !

Matéo freina sec. Judith lui avait parlé de sa passion pour la baignade. Elle avait comparé les mérites respectifs des lacs qu'elle avait fréquentés comme on l'eût fait des vins. Elle sortit du véhicule et se rendit aux abords du parapet. L'endroit était divin.

— Arrêtons-nous. On a le temps ? demanda-t-elle.

Elle tira en vitesse son maillot et sa serviette de son sac de voyage, dévala la pente qui menait à la rive et sautilla d'une pierre à l'autre jusqu'aux chutes. L'air était chargé d'humidité. Elle avait chaud.

La rivière était basse. Mais au pied du torrent, sous le pont, un bassin offrait assez d'eau pour y nager à l'aise. Judith enfila son costume de bain et s'y prélassa une dizaine de minutes. Matéo ne semblait pas tenté de la rejoindre. Il surveillait le ciel qu'un orage menaçait de fendre à tout instant.

Quand Judith sortit de l'eau, elle sentit le regard de Matéo posé sur elle. Sa gêne s'intensifia lorsqu'il descendit à sa rencontre. Elle attrapa la chemise qu'il lui tendait et s'en couvrit.

— Tu es mieux de t'habituer tout de suite. Dans la famille *Rainbow*, on se baigne nu, dit-il.

— Ce n'est que maintenant que tu m'avertis ? On doit coucher avec tout le monde aussi ?

— Non, lui murmura-t-il à l'oreille en l'enserrant. Avec moi seulement.

Il la retourna vers lui, plaqua son corps contre le sien et l'embrassa. Judith lâcha le vêtement et glissa ses bras autour de son cou.

— Je n'arrête pas de penser à toi depuis l'autre soir, lui avoua-t-il en enfouissant son nez dans ses cheveux mouillés.

— Tu avais plutôt l'air d'un gars intéressé par son oreiller, chuchota Judith, troublée par le souffle court de Matéo.

— Il ne faut pas se fier aux apparences. Viens.

Il l'entraîna vers une grosse roche plate. Il y eut un coup de vent.

— Tu n'as pas peur qu'il nous pleuve dessus ? dit-elle, l'épiderme dressé par la chair de poule.

— Non, j'ai juste trop envie.

Elle aussi. Envie de baiser en pleine nature. D'obéir à la pulsion irrésistible qui les propulsait l'un vers l'autre. Quelle règle pourrait le proscrire ? Pourquoi se soustraire à la magie du moment ? Matéo n'avait pas dit « trop envie de toi », juste « trop envie » tout court. Rien d'engageant.

Un roulement de tonnerre secoua le ciel. Matéo se pencha pour étendre la chemise sur la roche. Judith profita qu'il fût de dos pour retirer son maillot et lui enlacer la taille. Il se laissa faire. Elle fit glisser ses mains sous son mince chandail, explora en aveugle les muscles de ses abdominaux. Ses doigts devinèrent la peau imberbe, tendre, si douce à caresser. Le visage toujours enfoui dans ses omoplates, elle s'aventura plus bas. Pas de braguette contre laquelle se battre. Monté sur élastique, le pantalon de coton de Matéo n'offrit aucune résistance au plongeon de sa main. Judith palpa sa verge humide et dure. Ses genoux faiblirent. Dans quelques instants, ce bel homme allait la pénétrer.

Matéo fit volte-face et força Judith à s'étendre. D'un coup de talon, il se débarrassa de son pantalon. Elle eut à peine le temps de lui retirer son chandail qu'il était sur elle avec un empressement qui la prit de court. Il lui saisit les poignets et les maintint au-dessus de sa tête. Elle était à la merci de sa langue qu'il promena avec avidité sur la pointe de ses seins dressés.

— Tu es si belle. Il n'y a pas de raison de te cacher.

Matéo lâcha les bras pour empoigner sa poitrine. Le contact de ses mains rudes la fit frémir. Doux mélange de douleur et d'excitation. Judith tenta de se relever, mais Matéo la recoucha avec insistance et sans plus de préambule, se glissa en elle. Elle échappa un gémissement. Le coup était tout aussi brusque que jouissif.

Le mouvement de va-et-vient s'accéléra. Dans une envie de s'étourdir, Judith balança sa tête de gauche à droite, de plus en plus vite. L'espace gris du ciel s'ouvrit au-dessus d'elle. Dans un coin sans nom, où personne ne pouvait les surprendre, elle céda complètement à l'intensité de son plaisir.

Leurs corps emmêlés roulèrent en dehors de leur couche. Elle sur lui, lui sur elle, la replaçant pour qu'ils ne tombent pas dans la rivière. À chaque coup de hanches, le dos de Judith heurtait le rocher, la mousse rugueuse lui éraflait les fesses. Le sexe gonflé, Matéo la labourait sans ménagement, lui pétrissait tout le corps, se retenait de la mordre. Rarement avait-elle vu un homme gémir de la sorte. Il suait à grosses gouttes, ou était-ce la pluie qui s'était mise à tomber?

Défiant l'averse, elle l'enlaça avec ses jambes et l'attira plus profondément en elle. Un éclair traversa le ciel assombri par un amas de nuages noirs. La crue de son plaisir monta d'un cran. Le barrage céda. Elle poussa un long cri qui se perdit dans le grondement des chutes et la colère de l'orage. Un orgasme violent lui traversa tout le corps.

Matéo reprit son souffle. Toujours en érection, il se retira aussi rapidement qu'il était entré. Judith se souleva pour prendre son pénis dans sa bouche. Il méritait sa part de plaisir.

Le beau garçon la prit doucement par le menton et la ramena vers son visage.

— Plus tard. On a toute la fin de semaine.

Il l'embrassa furtivement.

On aurait dit que sa fièvre avait chuté d'un coup. Comme si rien ne s'était passé, Matéo fut sur ses deux pieds, secouant la chemise. Il ramassa ses vêtements trempés et se hâta vers la Westfalia. Avec le sentiment d'être abandonnée à elle-même, Judith rassembla à son tour ses affaires et, sans se presser, alla le rejoindre. Il avait le don de la déstabiliser. Pourquoi ? Parce qu'il ne la laissait pas diriger le jeu ? À moitié nue sous les trombes d'eau qui s'abattaient sur sa tête, elle préféra ne pas répondre à la question.

33

La pluie formait des poches d'eau sur l'immense bâche de plastique bleue tendue au-dessus de la cuisine collective. Malgré l'humidité, l'air était chaud. Assise sur une bûche, Judith hachait des oignons pour les tortillas qu'Esmaëlle achevait de préparer. Avec trois membres du conseil de vision, Matéo raccordait l'approvisionnement en eau duquel dépendraient les cinq cents frères et sœurs *Rainbow* attendus dans les prochaines semaines. Pour Judith, c'était l'occasion ou jamais d'avoir avec la jeune fille le tête-à-tête qu'elle souhaitait depuis son arrivée au lac Moreau.

— Je vais être obligée de semer de nouveau. Les grosses pluies d'hier ont tout emporté, soupira Esmaëlle en chassant la fumée qui lui brûlait les yeux.

Elle était ravissante dans les couleurs vives des drapés qui enserraient sa forte taille. Ses jupes étagées, accrochées à la base de ses hanches, laissaient déborder la chair de son ventre. Sa tignasse blonde, tressée avec négligence, était retenue par un savant jeu de foulards de soie. Même le jaune brillant de ses bottes de caoutchouc ajoutait du charme à la bigarrure de

231

sa tenue. Judith ne pouvait s'imaginer dans un pareil accoutrement. Son jeans délavé respectait de justesse le code vestimentaire requis pour se faire accepter dans la famille. S'il fallait que l'on apprenne qu'une policière avait infiltré le groupe, on la grillerait vive sur le grand bûcher érigé sur la grève en vue des célébrations de la pleine lune.

— Je vous admire de travailler autant. Aménager tout un village, ce n'est pas rien.

Esmaëlle lui rendit son sourire. Blanc, parfaitement aligné. Comment se payait-elle le dentiste ?

— Un campement écologique à cent pour cent. En plus, quand on va partir dans deux mois, personne ne pourra dire qu'on est passés. On ne laisse jamais de traces.

Judith ajouta les oignons à la mixture de légumes et d'herbes qui mijotait au-dessus du feu.

— C'est ce que Perséides devait souhaiter pour son enfant. Une vie saine et simple, en plein bois.

— Tu la connaissais ? rétorqua Esmaëlle avec méfiance.

— Matéo m'en a parlé. C'est tragique ce qui lui est arrivé.

La jeune fille retourna à ses chaudrons et se mura dans un profond silence. Judith hésita. Comment la faire parler ? Elle se résigna à préparer la salade.

Un grand brun, la barbe en collier, rappliqua dans leur enceinte en brandissant la chaise qu'il venait de fabriquer.

— Du véritable *land art* ! Elle va me durer cent ans !

— Tu pourrais aider au lieu de te gosser un trône, se plaignit Esmaëlle sans le regarder.

— Ouch ! Énergie négative. Reste *peace*, ma sœur, grimaça l'homme en agitant ses grands bras comme pour l'exorciser.

Esmaëlle quitta sa marmite et s'avança vers lui en le menaçant avec sa louche.

— Et sur ta page Facebook, ce n'est pas négatif, peut-être, les commentaires que tu fais circuler ?

— Je laisse les gens choisir, moi, se défendit-il en se réfugiant derrière sa chaise. Salomé et Naïm ont trouvé un meilleur emplacement plus loin, de l'autre côté du lac. Si vous voulez demeurer ici, c'est votre affaire.

— Deux campements ! Je croyais qu'on était une seule et grande famille. Tu mêles le monde. Ils ne sauront plus où aller.

— C'est vous autres qui les divisez. Ici, l'endroit est trop fréquenté.

— On s'est toujours bien entendus avec les locaux. Les voisins du chalet vert nous ont prêté leur remorque pour transporter tout le stock sur place. Gratuitement. Où étais-tu pendant ce temps-là ?

— À chercher un coin plus paisible.

— Ce n'est pas quelques quatre-roues et des bateaux à moteur qui vont nous empêcher de monter vers la lumière. On s'est toujours bien arrangés avec les gens de la place. Faut juste leur expliquer pourquoi on est là.

Furieux, Cyril se rua vers Esmaëlle, l'obligeant à reculer.

— Et pourquoi on est là, ma belle ? Pour guérir notre mère la Terre. Pas pour faire alliance avec les calottes et les chemises à carreaux.

— Tu sèmes la discorde et l'intolérance. Lave ton nombril, mon frère !

L'arrivée de Matéo interrompit leur dispute. Complètement trempé, il s'abrita sous la toile, suivi de près par ses trois aides de camp, des jeunes peu loquaces qui lui obéissaient au doigt à l'œil. Judith commença à douter de la belle démocratie participative qu'on lui avait fait

233

miroiter. La famille *Rainbow* ressemblait à toute bonne famille normale avec sa hiérarchie et son lot de tensions. Sa comparaison s'arrêta là : les nouveaux arrivés retiraient leurs vêtements pour les faire sécher près du feu. Un fou rire faillit la trahir. Elle ne s'était jamais imaginé déguster un repas mexicain au milieu d'une tribu d'hommes nus.

Tous mangèrent avec recueillement. Cette trêve donna à l'enquêtrice le loisir d'observer Matéo à la dérobée. Leur nuit avait été éprouvante. Un couple dont la tente avait été inondée leur avait demandé l'hospitalité. Du coup, la promesse amoureuse de Matéo était demeurée sans suite. Son choc culturel, c'était plutôt au lever du jour qu'elle l'avait eu, lorsque les amants s'étaient bruyamment envoyés en l'air. Prisonnière dans ses draps, le temps lui avait paru interminable, et l'idée de quitter son lit, inappropriée.

— J'ai cuisiné, je ne m'occupe pas de la vaisselle, décréta Esmaëlle en s'allumant un *beedie.*

— Les jeunes vont aller tester le lavoir qu'on vient d'installer. Allez, les gars, il faut mériter votre pitance, lança Matéo dans leur direction.

D'une enjambée qui fit tournoyer ses hardes multicolores, Esmaëlle bloqua le chemin au grand barbu qui profitait du brouhaha pour s'esquiver en douce.

— Tu nous quittes déjà, Cyril ?

Judith sursauta. Le prénom n'était pas québécois. D'où des restes d'accent français qu'elle avait détectés chez lui.

— Un bon repas, ça se paie, fit la cuisinière en l'obligeant à demeurer avec eux. Et puis, on a une petite réunion de prévue avec toi et madame de la police.

Prise de court, Judith jeta un regard empreint de reproche à Matéo.

— J'ai tout raconté à Esmaëlle, se défendit-il. Je l'ai prévenue que tu voulais nous aider à savoir ce qui était arrivé à notre sœur Perséides.

Puis il embrassa le groupe du regard et déclara :

— Je pense que chacun de nous détient des informations qui te seront utiles.

— Tu dois aider la mère de ton enfant à trouver la paix, insista Esmaëlle en pointant Cyril.

Judith vit l'homme ouvrir la bouche, l'air stupéfait. Son regard égaré se promenait d'Esmaëlle à Matéo.

— Quoi ? Qu'est-ce qui se passe avec Perséides ? Je ne l'ai pas revue depuis l'été dernier.

Ses grands yeux foncés posaient la question fatale à laquelle personne ne voulait répondre. Matéo se tourna vers Esmaëlle.

— Tu ne le lui as pas dit ?

— Tu viens de m'apprendre ce matin que ma meilleure amie a été trouvée assassinée en plein bois, répondit-elle la voix brisée. Je n'ai même pas eu le temps de réaliser ce qui se passe moi-même.

Démoli par la nouvelle, Cyril s'effondra dans un coin. Matéo se couvrit le bas du corps d'une couverture de laine et s'installa en silence près du feu. « Un conseil indien », pensa Judith, déboussolée de ne pouvoir mener l'interrogatoire à sa façon. En dépit de leurs prises de bec, ces marginaux semblaient unis dans un univers qui lui était totalement inconnu. Elle était l'étrangère, une « Babylonienne », et celle qui était morte, un vrai membre de leur famille.

Esmaëlle se ressaisit et invita l'enquêtrice à prendre place dans le fauteuil bancal tressé par Cyril.

La pluie se remit à tomber de plus belle. Pour se protéger de l'averse, chacun se rapprocha au centre, près du feu. Comme un appel, Esmaëlle ouvrit ses deux bras.

Elle tendit la main à Cyril, qui à son tour, enroula les doigts de Judith qui fit de même avec Matéo qui ferma le cercle avec Esmaëlle. Une plainte berçante monta du groupe, on aurait dit un chant tibétain. Au bout d'une dizaine de minutes, leur litanie improvisée s'estompa. Mal à l'aise, Judith se sentit soulagée lorsque le rituel prit fin. Elle respira un bon coup avant de commencer.

— Quel est le vrai nom de Perséides?

— Elle s'appelait Stella, mais ça lui rappelait sa vie d'avant, répondit Cyril.

— Stella qui? Elle était anglophone?

Il haussa les épaules.

— On s'est rencontrés à Montréal il y a un an et demi. Cet hiver-là, on a squatté chez des amis à moi, à cause du froid.

— … et parce qu'elle était enceinte.

— Aussi.

— Vous êtes le père?

Il ricana.

— Je voulais en être certain. Perséides n'a jamais accepté de passer un test. Pour elle, ce n'était pas important. Pour moi, oui.

— Quand vous êtes-vous séparés?

— L'été dernier. Au rassemblement à Maniwaki. Je me suis tanné. Trop de monde lui tournait autour.

— Et l'enfant?

— Quoi l'enfant? s'emporta-t-il. Il n'est jamais né, c'est mieux comme ça, non? Ne jamais savoir si c'est toi le père, c'est déjà une vraie torture.

Un autre amant de Perséides qui regrettait la mère. Il en voulait à l'enfant de s'être mis entre eux, nota Judith furtivement.

— Lorsque vous vous êtes rencontrés, est-ce que Perséides vous a dit où elle avait séjourné avant?

— On s'est croisés dans une fête. Le Festival de la paix dans le quartier Hochelaga. Tout ce que je sais, c'est qu'elle venait d'arriver à Montréal. Elle ne connaissait pas la ville, elle était seule et n'avait pas d'endroit où dormir, je l'ai dépannée.

— Et vous êtes devenus copains.

— Si on veut.

— Perséides ne voulait appartenir à personne, le coupa Esmaëlle. Toi et Quentin, vous la vouliez juste pour vous. Je la comprends d'avoir foutu le camp.

Judith se tourna vers elle.

— Tu connais la direction qu'elle a prise lorsqu'elle a quitté la ferme ?

Esmaëlle baissa les yeux et écrasa son mégot avec sa botte.

— Non. Au début, j'ai cru qu'elle était partie s'installer chez la naturopathe chez qui elle suivait des ateliers. Puis quand j'ai croisé Marianne la semaine suivante, elle a été la première surprise d'apprendre que Perséides avait quitté le coin. Elle s'inquiétait pour le bébé.

Judith sentit son pouls s'accélérer.

— Est-ce que cette Marianne la véhiculait ? s'empressa-t-elle de demander.

— Oui, expliqua Esmaëlle. Dans ses derniers mois de grossesse, Perséides suivait un stage à Ham-Nord, chez elle.

— Des cours prénataux ?

— Plutôt des cours pour devenir une bonne mère.

— Vous avez le nom complet de la femme ?

— Je sais de qui il s'agit et où elle demeure, intervint Matéo d'un air sombre. Marianne Arsenault. J'aurais dû faire le lien. Chaque fois qu'elle revenait de là, Perséides n'était plus elle-même.

— La dame venait la chercher et la reconduire ? Chaque fois ? De Ham-Nord à la ferme des Hauts-Vents de Saint-Rémi, il y a au mois une trentaine de kilomètres, argumenta Judith.

— Elle en profitait pour ramasser son panier de légumes, précisa Matéo. C'est une de nos clientes. J'avais l'habitude de livrer chez elle, jusqu'à ce qu'elle décide de passer elle-même à la ferme.

— Parfois, c'était Perséides qui lui apportait sa commande en se rendant à son cours, le contredit Esmaëlle.

— Sur le pouce?

— Non, quand elle profitait d'un *lift* avec une autre mère du groupe.

Judith savoura la délicieuse sensation d'avancer dans l'enquête. Elle ne reviendrait pas bredouille de son séjour dans le Témiscouata. La tâche était imposante: retrouver les mères qui avaient suivi les sessions avec la disparue, les interroger une par une, et surtout, cuisiner cette Marianne Arsenault qui venait d'apparaître dans le décor. Avec ces nouveaux témoins, les chances d'éclairer les circonstances de la mort de Perséides se multipliaient. Judith le sentait. L'une de ces femmes allait la conduire au meurtrier. Elle leva les yeux vers Cyril.

— En octobre dernier, où étiez-vous, Cyril?

La question le surprit.

— Après le rassemblement en Outaouais, j'ai suivi le groupe. La plupart ont filé vers l'Oregon pour le *gathering* américain. Si Perséides était demeurée avec moi, elle serait encore là aujourd'hui, ronchonna-t-il.

— Elle n'avait peut-être pas de passeport, supposa Judith.

Cyril s'esclaffa.

— La terre est à tout le monde. Gaïa nous ouvre son chemin partout où nos frères nous appellent.

Depuis la fermeture de plusieurs petits postes de douane, les frontières n'étaient plus aussi étanches pour qui savait s'orienter en forêt. Comment vérifier alors que Cyril était bien aux États-Unis pendant que Perséides se faisait poignarder dans les bois?

— Y a-t-il quelqu'un qui puisse témoigner de vos occupations en octobre et novembre derniers? enchaîna Judith.

— Mes *chums* Sag et Ménad. Ils vont venir nous rejoindre la semaine prochaine.

Judith lui tendit sa carte.

— J'aimerais leur parler.

— Pas de problème, grogna Cyril, insulté.

— Autre chose, ajouta Judith. Est-ce que l'un d'entre vous sait si Perséides voyait un médecin? Un dentiste?

Les trois têtes se tournèrent vers elle comme si elle leur parlait chinois. Ils vivaient sans assurances, sans carte de guichet automatique, sans REER. Aucune compagnie ne les arnaquait avec ses forfaits de téléphonie. La nouvelle hausse du tarif d'Hydro-Québec ne les touchait pas. Avec leurs ordinateurs de fortune, ils squattaient différents Wi-Fi, comme ils le faisaient pour leur hébergement. Pendant un instant, Judith envia ce mode de vie qui leur garantissait la liberté d'aller et venir en marge d'un système qui réduisait tout à une question d'argent. Elle prit la résolution de ne pas renouveler sa carte CAA. Un timide début pour alléger le fardeau financier de sa vie.

34

Dimanche 31 juillet, 6 h 30

Judith somnolait, appuyée contre la vitre du passager. Ils roulaient depuis une bonne heure, le soleil levant dans le pare-brise.

— C'est vraiment l'inondation quand tu jouis.

Fusant de nulle part, la remarque la réveilla d'un coup. Que répondre ?

— Ah.

— Très impressionnant.

Judith se força à sourire. Elle n'avait pas l'habitude de faire un retour sur ses séances de baise. Il était hors de question qu'elle commence à discuter avec lui de la façon dont elle était faite.

— Gicles-tu comme ça chaque fois ? poursuivit-il, l'air narquois.

Judith détourna la tête. Un peu plus et il allait s'en approprier la cause. De quel droit se permettait-il autant de liberté avec elle ?

— Prends-le pas mal, c'est juste que ça m'a vraiment déconcentré. La prochaine fois, je saurai plus à quoi m'attendre. Par contre, ta bouche… tu suces vraiment bien.

Et voilà qu'il s'entêtait à faire le *post mortem* de leurs ébats. Judith aperçut une indication routière pour Lévis. Tingwick était à deux heures de route. Comment échapper à cet échange ? Matéo abordait la sexualité aussi facilement qu'il se dévêtait. Sans aucune pudeur.

— Tu m'avais complètement vidé. Hier soir, je n'aurais pas pu.

Décontenancée, Judith laissa échapper un rire et fit mine de se replonger dans sa sieste. Elle se rappela en effet la vitesse impressionnante avec laquelle son amant était tombé endormi dans ses bras. Ils avaient passé l'après-midi à installer la hutte à sudation. Le frémissement de leurs corps chaque fois qu'ils se frôlaient. Ensuite, un trio d'enfants leur avait collé aux talons toute la journée. De véritables beautés sauvages. Judith n'avait pas su différencier la fille de ses deux frères à l'allure androgyne. Leurs cheveux longs jusqu'aux fesses et leur nez retroussé leur donnaient des airs de farfadets. Ils étaient magnifiques dans leurs vêtements tissés, avec leurs gestes si libres et inventifs. Des gnomes, vivant dans un monde inventé, meilleur selon leurs parents que celui de la société marchande qui confondait jeu et violence. Comment survivraient-ils en dehors de leur paradis protégé ? Ce monde sans pitié ne ferait qu'une bouchée d'eux.

Par jeu, Matéo avait réussi à les semer, puis l'avait entraînée dans une alcôve sur la grève. Judith avait fait glisser son pantalon. Elle se rappela son jet chargé, sa sève délicieuse.

— Aurais-tu voulu que je te caresse ? insista Matéo, pour tirer Judith de sa rêverie.

Mal à l'aise, elle tenta de changer de sujet.

— À vrai dire, ce que je souhaiterais vraiment, c'est que tu m'accompagnes à Ham-Nord.

Il lui sourit, libéra une de ses mains du volant et lui enserra les doigts.

— On arrête à la prochaine sortie se prendre un café et je te passe la roue, ça te va ?

Trop d'affection circulait dans l'habitacle étroit de la Westfalia. Judith paniqua. Elle ouvrit sa fenêtre.

— Je préférerais continuer à dormir.

Matéo regagna la voie du centre de l'autoroute et accéléra.

Arrivés à Victoriaville, ils poursuivirent sur la 161 Sud. Marianne Arsenault, la naturopathe que Perséides avait consultée, habitait le rang des Chutes. En se garant en face de chez elle, ils se butèrent à une maison vide. Ils inspectèrent les environs : pas de voiture dans l'entrée et aucun signe de présence. L'habitation avait des allures de chalet suisse. Les meubles de jardin, les bouquets de fleurs, tout était à dimension réduite. Cela fit sourire Judith.

— Tu ne m'avais pas dit qu'elle était naine.

— Elle est effectivement très menue.

— Quel âge a-t-elle ?

— Et le tien, d'âge ? fit Matéo en lui enserrant la taille. Tu es pas mal secrète avec moi. Je ne sais rien à ton sujet. Je n'ai même pas ton numéro de téléphone personnel.

Instinctivement, Judith se libéra des bras de son compagnon.

— Jamais pendant les heures de travail, le nargua-t-elle.

Il obtempéra, puis ajouta d'un ton plus sérieux.

— Soixante.

— Marianne Arsenault ? Elle a soixante ans ?

— Peut-être un peu plus.

— Si elle est partie en vacances comme la moitié des Québécois, je ne serai pas très avancée.

— Elle n'est pas loin. Elle a annulé la livraison de ses deux derniers paniers de légumes bio, mais pas celui de cette semaine.

— Tu connais bien tes clientes, fit Judith d'un ton faussement méfiant.

Lorsqu'il la reconduisit chez elle, Judith trouva à Matéo un air suffisant. Il sifflotait, probablement fier de sa nouvelle conquête. Pourtant, rien n'était encore écrit entre eux. Elle avait eu tort de se laisser emporter par son besoin qui se résumait finalement à très peu de chose. Toucher un homme, être touchée. Pourquoi ce tiraillement alors, lorsque, seule sur le trottoir, elle regarda s'éloigner la Westfalia vers Saint-Rémi-de-Tingwick et ses hautes terres ?

35

La maison du rang des Chutes paraissait beaucoup plus grande de l'intérieur. Des bouquets sauvages apaisaient le lieu, décoré avec simplicité. La femme qui se tenait devant Judith était effectivement très courte et d'une maigreur à faire peur. Elle avait rarement rencontré des adultes de si petit format. Pourtant, Marianne Arsenault allait et venait dans sa cuisine avec une énergie qui défiait toute logique. « C'est une nerveuse », observa Judith qui se félicita d'avoir tenté cette deuxième visite.

Elle chercha à évaluer son potentiel de violence. Aurait-elle pu agresser à l'arme blanche une autre femme qui faisait deux fois son poids ?

Judith se rappela les coups dans le dos de la victime. Perséides n'aurait pas vu venir le meurtrier, se serait retournée et n'aurait pu éviter la deuxième série de coups sur son bras. Elle se serait ensuite protégé le ventre, laissant son cou et sa gorge se faire prendre d'assaut. Le scénario tenait la route, pour être la meurtrière cependant, il fallait que Marianne Arsenault ait attaqué sa victime alors que celle-ci était penchée ou couchée.

245

— C'est un mélange maison. De mon jardin. Je vous avertis tout de suite, il contient un peu de valériane. Ça vous détendra.

Dissimulant son appréhension, Judith prit le breuvage que son hôtesse lui avait concocté. Elle ne raffolait pas des thés aux herbes et l'allure jaunâtre de celui-ci lui en faisait redouter le goût. Si l'entrevue se déroulait rondement, elle pourrait prendre congé sans avoir eu à s'y mouiller les lèvres.

Marianne Arsenault s'installa à la table ronde où Judith avait déjà pris place.

— Vous avez été chanceuse de me trouver, commenta la femme en la dévisageant avec intensité. Je crois beaucoup à la synchronicité. Vous ?

— Il m'arrive de trouver étranges certaines coïncidences…

— Je ne devais rentrer que demain et me voilà aujourd'hui ici, avec vous. Nos routes devaient se rencontrer.

— La vôtre a aussi croisé celle d'une jeune femme nommée Perséides. Vous la connaissiez bien, je crois ?

Le minuscule visage de Marianne Arsenault se rembrunit. Elle joignit ses mains effilées et ferma les yeux.

— Je savais qu'elle nous avait quittés, mais pas comme les journaux l'ont raconté.

Son regard dériva vers les exemplaires de *La Nouvelle* qui traînaient sur le divan du salon.

— Chaque fois qu'un être de lumière disparaît, c'est le monde qui s'obscurcit, ajouta-t-elle d'un ton professoral.

— Perséides, Stella. Elle portait des noms de lumière, en effet.

— Son enfant aussi. Il possédait le reflet du cristal.

Judith remua sur sa chaise. L'échange prenait une tangente ésotérique qui l'agaçait.

— J'aimerais vous entendre sur les séances de formation que vous donniez aux mères de famille. Je n'ai vu aucun dépliant. Vous n'avez pas de site Internet. Ça ne doit pas être commode pour recruter vos participantes.

Marianne se cabra et agita nerveusement sa cuillère dans sa tisane.

— Ce sont des cours de préparation à la parentalité. Lorsqu'on met au monde les fils de l'archange Kréon, il faut apprendre à les guider. J'enseigne aux mères l'acceptation. Si leur enfant se comporte comme un roi, c'est parce qu'il a conscience de sa supériorité. Cela explique sa difficulté à patienter dans une file, à se tenir sagement tranquille en classe. Il sera frustré si on lui impose des règles trop strictes. Il a les siennes auxquelles nous devons porter attention. Le plus difficile est de faire admettre aux parents que c'est leur enfant qui leur enseignera ce qu'est la vie et non le contraire.

Comment quelqu'un pouvait-il débiter de telles sottises avec autant de sérieux ? Judith en oublia sa prochaine question.

— Suivez-moi, fit Marianne, tout sourire.

Elles s'engagèrent dans un étroit couloir qui menait à l'arrière de la maison. À leur gauche, une porte s'ouvrait sur une salle sans fenêtres de la grandeur d'une classe. L'atelier était tapissé d'affiches aux coloris pastel où se mêlaient des dessins de soleils, de ciels, de paradis feuillus, de rayons de lumière… L'enquêtrice se rappela avoir vu semblable iconographie dans une librairie nouvel âge à Victoriaville. Punaisée au mur du fond trônait une image beaucoup plus imposante que les autres. Impressionnée, Judith s'en approcha. Un enfant, auréolé d'une lumière bleue, la fixait. Dans ses yeux, on pouvait lire la résignation d'un vieillard.

— L'enfant Indigo, expliqua Marianne en rejoignant la policière. L'être nouveau, venu avant son temps, qui a la mission de nous montrer le chemin. Comme quelques autres, Perséides avait été choisie pour porter un de ces élus. C'est un destin difficile à assumer. Les femmes qui viennent ici sont dépourvues devant l'attitude de leur enfant pas comme les autres. À l'école, on leur apprend qu'il est hyperactif, en déficit d'attention, ou autiste. Le monde n'est pas prêt à accueillir les petits messies de l'ère du Verseau.

— C'est ce que vous racontez aux mères qui suivent des cours chez vous ? vérifia Judith, les yeux toujours rivés sur l'affiche.

— Je leur apprends en quoi leur enfant est différent. Je leur montre à user de patience avec lui, à l'écouter, à lui obéir. Ma récompense est de voir les parents sortir d'ici soulagés de réaliser qu'ils ont mis au monde non pas un être handicapé, mais un ange doté de facultés surnaturelles.

Par prudence, Judith se tut. Elle menait une bataille acharnée contre les répliques acerbes qui l'assaillaient. Si elle voulait en apprendre davantage, elle ne devait pas se braquer. Elles retournèrent en silence à la cuisine. La tisane avait eu le temps de refroidir. Son goût était moins âcre que l'information que Judith tentait de digérer.

— Perséides n'avait pas encore accouché. Comment pouvait-elle savoir qu'elle portait un enfant bleu ?

Marianne sourit, en enveloppant amoureusement sa tasse de ses mains.

— Je l'ai vu.

Judith retint sa respiration, redoutant la suite du délire.

— Dès que l'âme de l'enfant habite son corps, ce qui arrive dès les premiers mois dans le développement de l'embryon, on peut distinguer son aura. Le ventre de Perséides irradiait si fort que je me suis sentie appelée. Dès la première fois que je l'ai vue. Il fallait que je m'occupe d'elle et de la petite.

La petite ? Avait-elle bien entendu ? Quentin Nouaux avait dit ne pas connaître le sexe de l'enfant que portait Perséides. Comment Marianne Arsenault aurait-elle pu détenir cette information ?

— Et quand cette première rencontre a-t-elle eu lieu ? enchaîna Judith en sortant le iPad de son sac.

— À la mi-août, l'an dernier. La ferme Les Hauts-Vents avait besoin de bénévoles pour son activité portes ouvertes. Je me suis offerte. J'ai travaillé avec elle durant la fin de semaine. Le courant a tout de suite passé. Je lui ai glissé un mot sur mon atelier de Lumière. Elle a eu la sagesse de comprendre l'importance d'être accompagnée.

Judith eut beaucoup de mal à réfréner son mouvement d'impatience. L'interrogée était imperturbable, se drapant d'explications occultes. Quel chemin prendre pour la confondre ?

— Plusieurs ont remarqué un changement d'humeur chez Perséides à cette époque.

— Sa délivrance approchait.

— Elle croyait à vos…

Judith chercha ses mots.

— Elle croyait en moi, si c'est ce que vous voulez savoir, l'aida Marianne.

— Alors dites-moi, pourquoi a-t-elle décidé de quitter la région ? Elle était à quelques semaines d'accoucher.

Judith avait pris un ton accusateur. Marianne répondit évasivement.

— Un jour, elle n'est pas revenue. Je ne sais pas pourquoi. Elle a peut-être eu peur de ce qu'elle était, ou du destin qui l'attendait.

La naturopathe dissimulait la vérité derrière ses paraboles fumeuses. Perséides avait-elle résisté à ses enseignements ? Marianne s'en était-elle offusquée au point de la contraindre à rester ? Pourquoi ? Pour le bien de son bébé ? Sauver l'enfant Indigo au prix de la mère ?

Judith étouffa un bâillement, sans doute dû à l'effet soporifique de l'infusion qu'elle avait fini par ingurgiter. Il était tard et elle avait sommeil. Elle se promettait quand même de garder cette fumiste à l'œil.

— Je vous laisse mes coordonnées, fit-elle en déposant sa carte à côté de sa tasse vide. J'aurai sans doute besoin de vous reparler bientôt.

— Mes vacances sont terminées.

— Votre voyage a été long, vous devez être fatiguée. Je vais vous laisser défaire vos bagages, dit Judith en jetant un œil circonspect sur le sac à dos déposé par terre dans le coin de la pièce.

Marianne l'accompagna à sa voiture. La voûte céleste était criblée de mille diamants.

— Elle est là quelque part, soupira la petite femme en levant les yeux.

Judith scruta le ciel à son tour. Est-ce que la vie après la vie était la même pour tous ? Sa mère et Perséides habitaient-elles à la même adresse ?

En ouvrant la portière, Judith se rappela la question qui lui avait échappé plus tôt.

— Perséides n'avait pas de voiture. Comment venait-elle ici ?

— Je la véhiculais au début, ensuite elle s'est arrangée avec les autres femmes. Le covoiturage est très populaire chez nos membres.

— J'aimerais que vous me fassiez parvenir la liste des autres participantes. Vous avez mon adresse courriel sur la carte.

— Je n'ai ni ordinateur ni cellulaire. Nous sommes pollués par les ondes. Cela brouille notre contact avec l'au-delà.

— Il me faudrait vraiment cette liste pour demain matin, s'impatienta Judith.

— De nos jours, tout doit être instantané, déplora Marianne. Si vous êtes capable de perdre quelques minutes, je vous transcris les noms maintenant.

— Il fait doux, je vais attendre dehors.

Judith vit Marianne Arsenault disparaître dans sa maisonnette. Se pouvait-il que cette sorcière ait commis un crime aussi barbare ? Judith ajouta mentalement son nom à la liste des suspects. Comme pour Quentin Nouaux, Martin Grimard et même Cyril, elle n'éprouvait rien. Une impression diffuse que ces pistes ne faisaient qu'embourber la route qui menait au meurtrier. La forêt cachait l'arbre.

Elle fit quelques pas vers la cour arrière et jeta un coup d'œil circulaire dans les environs. L'obscurité enveloppait les champs dans un lourd silence. Le face-à-face avec l'infini la plongea dans l'angoisse. Son enquête était profonde comme les ténèbres, le meurtrier, une ombre qui lui échappait un peu plus chaque fois qu'elle tenait un nouvel indice. Elle se recueillit un moment et interrogea la nuit. Pourquoi le coupable était-il si difficile à repérer ?

Une étoile filante traversa le ciel. Ou étaient-ce plutôt les lumières d'un avion ? L'appareil suivait son trajet en ligne droite, comme le faisait peut-être le criminel recherché. Restait-il invisible parce qu'il ne craignait rien ? Elle devait examiner les faits d'une autre façon.

Imaginer le suspect tout près, circulant en toute impunité, ignorant du tort qu'il avait commis.

Marianne Arsenault réapparut dans l'embrasure de la porte. Judith prit le papier qu'elle lui tendait et la remercia. Sans allonger le discours, elle s'engouffra dans sa Honda Accord et disparut dans la nuit étoilée.

***

Pendant que son bain coulait, Judith retourna à la cuisine. Sous ses pieds nus, elle sentit la mince couche de cire qui recouvrait les planches de pin. Son père avait profité de son absence pour terminer le décapage des planchers, et par ses soins avait remis en valeur les traces de leurs couleurs d'autrefois : des teintes d'orange, un peu de bleu et de rouge sang de bœuf. L'ensemble de l'œuvre donnait l'impression de marcher sur une toile impressionniste. En prime, John avait fait le ménage derrière lui, ramassé ses outils et laissé une fournée de muffins aux canneberges sur le comptoir.

Judith s'immergea dans la mousse. Son père lui manquait. Ce soir, il aurait froncé les sourcils en apprenant que Marianne Arsenault exploitait la naïveté de ses patientes et il se serait rué sur l'ordinateur pour en apprendre davantage sur cet intrigant mouvement Indigo.

Des coups à la porte résonnèrent. Qui venait la déranger un dimanche soir à une heure aussi tardive ?

***

Bigfoot n'avait pas voulu s'asseoir. Derrière le comptoir, dans sa robe de chambre blanche enfilée en vitesse, Judith observait le grand homme en silence.

Debout au milieu de la cuisine, il posa ses grosses mains sur le dos d'une des chaises de bois.

— Lucas ne dormait pas dans son lit. Charlaine l'avait emmené avec elle. Dans sa voiture.

Judith voulut poser une question. Bigfoot l'interrompit d'un signe de la main.

— Ce n'est pas facile. Elle m'a menti à moi aussi. Quand elle m'a dit qu'elle avait laissé le petit dans son char, j'ai voulu l'étrangler. J'ai reviré le village à l'envers pour elle ! Me semble que je méritais la vérité. Ben non. Elle avait peur de se faire pogner. Elle n'est pas capable de penser droit. Ses problèmes prennent toute la place. Y a plus d'espace pour rien d'autre.

— Êtes-vous en train de me dire qu'on cherche Lucas Blondin à Tingwick depuis une semaine pour rien ? Que c'est à Warwick qu'il a disparu, en plein festival ?

Bigfoot fit un effort pour se calmer.

— On arrive de Roberval. Charlaine était certaine que c'était sa mère et son beau-père qui avaient fait le coup. Ils sont très chrétiens. Ils ont déjà « emprunté » le petit à sa naissance. Pour le baptiser. Ils auraient pu vouloir le lui enlever de nouveau. On est allés vérifier. D'une traite, tabarnaque ! Le Lac-Saint-Jean, c'est pas à la porte !

Bigfoot tira la chaise sur laquelle il était appuyé et s'y effondra de tout son poids. Judith s'inquiéta pour le meuble.

— Lucas n'était pas là. Les parents de Charlaine non plus. En vacances depuis deux semaines à Old Orchard, selon les voisins. C'est pour ça qu'ils ne répondaient pas à ses coups de téléphone. Après, elle n'en pouvait plus. Elle m'a tout déballé. J'ai jamais été en crisse de même !

Bigfoot se leva d'un bond et scruta Judith.

— Je viens de te donner un os. Je ne veux pas de tes questions. Je suis à bout. Je n'ai pas dormi depuis deux jours. Je travaille demain. Faut qu'il y en ait un qui paye le loyer. Cette fille-là n'a rien dans la vie, comprends-tu? Même pas une mère pour l'aider quand elle est dans la marde.

Bigfoot sortit prestement sans saluer Judith. Elle prêta l'oreille. Pas de ronflement de moto. L'homme était venu à pied jusque chez elle. Pour éviter d'être vu, sans doute. Elle resta un peu derrière le comptoir de la cuisine. Le motard lui avait fait confiance. Elle devait avertir Carl de la bombe qui venait d'être jetée dans sa cour. En consultant son cellulaire, Judith vit qu'elle n'avait reçu aucun message au cours de la fin de semaine. Incapable de rejoindre son collègue, elle lui laissa un mot sur son répondeur pour le mettre au courant des nouveaux développements. Épuisée, elle se mit au lit avec son lecteur numérique.

Sur son écran, le mot «Indigo» clignota comme un danger.

36

Lundi 1er août, 9 h

La matinée pluvieuse n'annonçait rien de bon. Dès qu'elle mit les pieds au bureau, Judith sentit un malaise. Alain la fuyait des yeux et Carl demeurait introuvable. Elle finit par comprendre la source de l'agitation qui régnait au poste : Charlaine Blondin avait été arrêtée tôt le matin et, comme chef des enquêtes, elle n'en avait pas été prévenue. Carl était allé se chercher un mandat dans son dos. Le pire était que Métivier l'avait autorisé. Judith fonça vers l'accueil.

— Je cherche le patron, dit-elle en réprimant sa colère.

— Il ne viendra pas aujourd'hui, lui rétorqua Christiane sur le même ton. Il vous demande de tenir la réunion sans lui.

— La réunion ? Quelle réunion ? Avec qui ? demanda Judith, déconcertée.

— Carl est avec la suspecte. Il n'en a plus pour bien longtemps.

Judith sacra. D'un pas décidé, elle fila vers la salle d'interrogatoire et se posta à côté d'Alain qui observait l'entretien derrière la vitre sans tain.

— Il vient tout juste de lui lire ses droits.

— Merci de l'information, balança froidement Judith.

— Carl a eu du nouveau hier en fin de soirée, il fallait bouger.

— Ah bon ! s'exclama-t-elle.

— Un voisin revenu de vacances a confirmé avoir vu Charlaine glisser un sac de hockey dans son coffre de voiture, lundi dernier.

— Le corps de son petit ! se moqua-t-elle.

— Avoue que c'est tout de même louche.

— Carl s'est enfermé dans son hypothèse et ne veut pas en démordre. Ça l'empêche de chercher plus loin.

— C'est toi qui ne supporterais pas qu'il trouve, marmonna Alain en s'éloignant d'elle.

Judith lui décocha un regard hostile. Sans plus de commentaires, ils reportèrent leur attention sur Carl en train d'en découdre avec la jeune Blondin.

Malgré le café qu'on venait de lui servir, elle semblait toujours mal réveillée. Pour la troisième fois, Carl lui répéta sa question :

— Tu en as fait quoi de la poche de sport ?

— Je l'ai vendue, finit par cracher Charlaine. T'es content ? Tu as ta réponse, j'peux y aller astheure ?

— Et il y avait quoi dedans ? insista Carl.

Charlaine se trémoussa sur son siège en fixant la porte.

— Y est où, mon avocat ? Maudit service d'Aide juridique à marde !

— Avec les bêtises que tu leur as servies tantôt…

— Je leur ai dit que j'voulais une femme.

— Tu n'auras pas besoin d'un avocat si tu nous dis ce qu'il y avait dans le sac.

Charlaine releva la tête et le gratifia d'un regard méprisant.

— J'vois pas le rapport. C'est pour ton petit bobo que tu m'as arrêtée. Sauf que t'as pas de preuve que c'est moi qui t'ai sauté dans face.

— On était deux.

La suspecte tourna lentement la tête en direction de la vitre sans tain. La bouche déformée par un rictus, elle pointa un index accusateur vers l'enquêtrice qu'elle devinait cachée derrière.

— Pour ça, il faudrait que ton amie témoigne. Pas certaine qu'elle a vu ce qui s'est passé.

Carl se leva brusquement. Sa chaise racla le sol en émettant un bruit métallique. Il s'appuya sur la table en se penchant vers la prévenue.

— Si tu n'as rien à te reprocher, finissons-en. Où est le sac ?

Il avait levé le ton. Charlaine se cabra, satisfaite.

— Harcèlement psychologique. Intimidation. J'ai pas beaucoup de vocabulaire, mais ces mots-là, je les connais. Sont payants. J'aime pas les hommes agressifs. Va chercher l'autre. C'est à elle que je veux parler. Toi, tu me donnes des boutons.

Carl flanqua un coup de poing sur la table et sortit en faisant claquer la porte.

Contrairement à ce qu'elle aurait cru, cet interrogatoire improvisé ne stressait pas Judith. Son air détendu fit effet sur Charlaine, recroquevillée sur sa chaise. La suspecte commença par se plaindre.

— Ils sont venus me chercher à 8 h du matin. Tous les enfants du village qui se rendaient au terrain de jeu ont vu les flics m'embarquer. Y a plus un parent qui va laisser son jeune jouer avec Lucas.

— Il a beaucoup d'amis, Lucas ?

— Un peu. Les animateurs du service de garde l'obligent à participer avec les autres.

— Il ne va pas encore à l'école ?

— L'année prochaine. Il commence la maternelle. Il va avoir besoin d'affaires. J'ai eu la liste…

Elle parlait d'une voix qui menaçait de se briser. Elle inspira un bon coup.

— Aïe, 80 $, tabarnak ! Plus la surveillance du midi. Même s'il vient manger à la maison, faut que je paie 172 $ pour les heures de dîner. J'ai pas ça, moi !

— C'est pour ça que tu as vendu le sac ?

— Le sac, le linge qu'il y avait dedans. J'vends tout ce que j'peux. J'achète pis je revends.

— Des vêtements ?

— Je fais toutes les places en ville. Dans les comptoirs familiaux, surtout ceux des petites places comme Sainte-Élisabeth, le monde donne des beaux morceaux. À Victoriaville, il n'y a plus rien, les immigrés prennent tout.

Judith l'observa avec étonnement. Charlaine s'était calmée. Elle parlait d'une voix morne, comme si les faits qu'elle décrivait ne la concernaient pas.

— Et tu revends où ?

— Au Grenier aux Trésors. En consigne.

— C'est là que tu es allée lundi dernier avec ta poche de hockey ?

Charlaine étira convulsivement son chandail. Des sanglots la submergèrent. Judith ne l'avait pas imaginée capable de larmes.

— J'avais besoin de *cash*. Pour y acheter des affaires. Je voulais que le réfrigérateur soit plein quand on retrouverait Lucas.

— Tu avais pourtant gagné beaucoup d'argent samedi soir à la compétition amateur du combat des femmes dans l'huile.

— Gagné et perdu. Mon père me l'a toujours dit : je suis un sac percé. L'argent coule entre mes doigts.

— Et la façon dont tu gagnes ta vie, ça ne dérange pas tes parents ?

— Mon beau-père aurait pu être là. Il aurait adoré les démonstrations de force, et comme le champion Jackie Ouellet vient de Dolbeau-Mistassini…

— Cette année, ils ont préféré Old Orchard.

Charlaine se redressa et balaya Judith d'un regard méfiant. Elle avait repris le sentier de la guerre.

— Vous êtes bien renseignée. C'est Bigfoot qui s'est ouvert la trappe ?

— Il vous aime vraiment. Il veut vous protéger.

— Le tabarnak ! *Fuck, fuck, fuck !*

Judith se pencha vers elle et lui dit le plus calmement qu'elle put :

— Vous avez fait une grosse erreur en nous cachant que Lucas dormait dans votre voiture à Warwick, madame Blondin. Ça fait plus d'une semaine qu'il est disparu. Ça va être difficile de le retrouver. Il faut que vous arrêtiez d'avoir peur de la DPJ et que vous pensiez à lui.

— J'fais juste ça, penser à lui !

— Nous aussi. Mais pour nous aider, vous devez nous dire la vérité.

— C'est ce que je viens de faire.

— Il m'en manque un bout. Il m'arrive de faire les magasins d'occasion avec mon père. Je connais les prix. Même Emmaüs vend de plus en plus cher. La marge de profit sur vos ventes doit être très mince.

Charlaine baissa la tête, l'air coupable.

— J'achète quelques morceaux, et je vole les plus chers. C'est tellement facile, y a pas de surveillance.

Le moment était parfait. Judith joua sa dernière carte.

— La doudoune de Lucas, vous ne l'avez ni volée ni payée.

Après un court silence où Judith se sentit évaluée sous toutes ses coutures, Charlaine lâcha :

— On me l'a donnée.

— Qui ? Une amie ?

Judith ne voulait pas souffler de réponse. La déclaration devait venir de Charlaine. Trop impatiente, elle insista pourtant.

— Il me faut un nom. C'est important. Cette couverture appartenait à une fille de votre âge, enceinte. Je dois retrouver ses parents. Il s'agit de ma seule piste.

Charlaine ne répondit pas tout de suite, se bornant à secouer la tête. Cette information lui coûtait cher. Pourquoi ?

— Une bénévole du Vestiaire de Warwick m'a fait un cadeau, largua-t-elle d'une voix sèche. Elle n'est pas riche et elle a un enfant, elle aussi. Elle vole pour sa petite fille et pour mon gars. Pour m'aider. Elle est la seule qui ne me juge pas quand j'entre là. Elle me comprend. J'veux pas la mettre dans le trouble.

— J'ai besoin de son nom. On veut savoir qui lui a remis l'article. Pour le contenu de votre sac de vêtements, on va vérifier et demander au juge de laisser tomber les accusations. Vous n'aurez même pas besoin de comparaître.

Charlaine la toisa, l'air sceptique. À son grand étonnement, elle lui lança l'information aussi négligemment qu'elle l'aurait fait d'un mouchoir à la poubelle.

— Gisèle Houle.

**

Lorsqu'elle pénétra dans la petite salle de réunion, l'enquêtrice fut accueillie par un silence chargé. Assis côte à côte à l'extrémité de la table, Carl et Alain boudaient comme deux étudiants en retenue. Faisant fi de leur mine renfrognée, Judith se dirigea vers le tableau blanc et traça deux lignes : l'une de couleur verte pour Perséides, et l'autre rouge pour Lucas. Au centre, les lignes se croisaient à la friperie communautaire de Warwick, là où la couverture de Perséides aurait transité de Gisèle Houle à Charlaine Blondin.

— Il faut continuer de suivre la trace de la doudoune pour trouver celui qui a ravi la pièce à Perséides. Je vais interroger cette Gisèle Houle dès cet après-midi.

Devant l'absence de commentaires, Judith poursuivit.

— Une autre piste que j'ai l'intention de fouiller s'est ajoutée depuis hier : celle de Marianne Arsenault, une thérapeute qui a suivi Perséides durant les dernières semaines de sa grossesse. Elle fait partie du mouvement Indigo, une secte surtout répandue en France, qui commence à avoir des adeptes ici.

Judith sortit des documents de son sac et les balança sur la table. Ses deux collègues ne firent aucun mouvement pour s'intéresser aux recherches qu'elle avait menées une bonne partie de la nuit. Elle retourna au tableau et s'entêta dans son monologue.

— Il y a aussi cinq mères qui gravitent autour de Marianne Arsenault et qui auraient pu véhiculer Perséides.

Judith griffonna leurs noms au tableau. Un rire fusa dans son dos. Alain se moquait d'elle avec Carl. Elle continua son explication en parlant de son collègue comme s'il était absent.

— Dès qu'Alain aura dressé le profil de Marianne Arsenault et des participantes de l'atelier, je saurai si je dois enquêter plus à fond sur ce groupe.

L'occasion de rendre la monnaie de sa pièce à Carl se présentait enfin. Judith se retourna et fit claquer le crayon feutre sur la table.

— Quant à Lucas, je pense qu'il faudra attendre l'autorisation de Métivier pour relancer les experts de la SQ sur de nouvelles recherches à Warwick.

Carl se leva en remuant sa chaise avec fracas.

— Arrête de tourner autour du pot et dis le fond de ta pensée, pour une fois !

— Comme tu veux, Carl. On a déjà perdu beaucoup de temps et d'argent avec la première erreur de « ton » enquête, insista-t-elle en détachant chaque mot. Une affaire que tu as très mal démarrée en bousculant sans raison la mère du petit. Tu n'as pas réussi à gagner sa confiance. Tu t'es engagé les yeux fermés dans la direction qu'elle t'a pointée : le lit vide de Lucas à Tingwick. Tes préjugés te nuisent. Tes idées toutes faites aussi. Depuis le début, tu as pris cette fille-là en grippe. Et veux-tu savoir pourquoi ?

— Vas-y donc, tu es bien partie !

— Parce que tu l'as vue se déshabiller devant public et que cette image ne colle pas avec celle que tu te fais d'une bonne mère. Il n'y a pas que des femmes saintes comme ta Nathalie qui ont le droit d'élever des enfants.

Le visage de Carl se vida de toute expression. Judith sentit qu'elle était allée trop loin.

— Excuse-moi... je...

Carl jeta son gobelet à la poubelle et s'adressa à Alain.

— Je vais être à Warwick. Je pense qu'il faut commencer par les abords de la piste cyclable. Pour faire disparaître un corps, voilà bien le genre d'endroit qu'on aurait pu choisir.

— Tu continues à croire que Charlaine est la responsable ? demanda Judith d'un ton conciliant.

— À partir de maintenant, ce que je pense ne te regarde plus, hurla-t-il.

Carl saisit sa veste et se dirigea vers la porte. Elle lui bloqua le passage. Il se fraya un chemin en la bousculant. Judith détourna son regard vers Alain qui la fixait en secouant la tête d'un air réprobateur.

***

Judith tournait en rond dans son bureau, incapable de se concentrer. Comment allait-elle regagner la confiance de Carl ? Alain lui en voulait aussi. Tout cela ne devait pas nuire à leur travail. Avancer dans ces conditions serait plus ardu.

Submergée par un coup de fatigue, elle verrouilla sa porte et s'allongea sur le sol. Profitant d'une brève éclaircie, un rayon de soleil filtra à travers les persiennes de la fenêtre. La chaleur lui fit du bien. Elle regretta les belles journées d'été qui défilaient sous son nez. Quand serait-elle en congé ? Matéo avait annoncé son intention de prendre une semaine ou deux de vacances avant de retourner sur la Côte-Nord. Passer du temps avec lui la changerait de sa routine. Et il faisait bien l'amour, ce qui était un argument de poids. Mieux valait cependant attendre à mercredi pour lui faire signe. Qu'il sente son intérêt, mais ne devine pas son empressement. Loin d'avoir comblé ses envies, les ébats amoureux de la fin de semaine avaient réveillé tous les désirs de son corps endormi.

En fermant les yeux, elle pouvait sentir l'odeur salée de son amant. Ses doigts rugueux et habiles qui l'avaient fouillée. Et son poids sur elle. La pression de ses jambes musclées sur les siennes. Son sexe dur, réprimé contre la toile de son pantalon. Une goutte de sperme avait mouillé le tissu pâle. Cela l'avait excitée.

Les coups frappés à sa porte la firent sursauter. Judith se leva d'un bond et agrafa son pantalon. Christiane se tenait devant elle, l'air souriant. L'avait-elle entendue gémir ? Elle lui tendit une feuille.

— J'ai réussi à t'obtenir un rendez-vous à l'Institut médicolégal de Montréal à 8 h demain matin. Carole Richer est débordée. C'est le seul moment où elle peut te rencontrer.

— Merci, dit Judith.

Christiane était déjà repartie.

Ce voyage la contrariait. Néanmoins, revoir les restes de Perséides l'aiderait à comprendre. Souvent, les marques sur les cadavres révélaient le scénario du meurtre, et même le mobile. Voilà la pièce maîtresse qui manquait au casse-tête. Car pour l'instant, qu'avait-elle ? Un trio de suspects : Martin Grimard, Quentin Nouaux, Marianne Arsenault. Ils avaient tous côtoyé la victime dans des circonstances pouvant mener au crime.

Dans l'immédiat, une visite à Gisèle Houle lui donnerait l'impression d'être utile, de gravir une marche de plus dans l'escalier qui la mènerait vers l'assassin. Combien de témoins à interroger avant de retracer celui qu'elle pourrait enfin coffrer ?

37

Lundi 1er août, 11h

Garée devant le 3, rue Astell à Victoriaville, Judith frappa son volant des deux mains, exaspérée. Le numéro de téléphone de Gisèle Houle, donné par la directrice du Vestiaire, était hors service. Elle débarqua de sa voiture en faisant claquer la portière. La pluie avait repris de plus belle. Elle rabattit sur sa tête le capuchon de son coupe-vent et effectua un rapide tour de la maison. Il n'y avait personne. Le petit bungalow des années quatre-vingt annonçait un couple comme il faut. La haie de cèdres était fraîchement taillée et des jouets d'enfant jonchaient un minuscule carré de sable. Un détail la choqua. Elle s'approcha de la corde à linge qui traversait la cour. Un harnais y était noué. Comment des parents pouvaient-ils attacher leurs enfants? Selon Annie Potvin et Céline Dufresne, celui de leur nouvelle employée se nommait Béatrice. Un nom que Judith trouvait joli. Elle retourna à sa voiture et fila vers la rue Notre-Dame.

Dix minutes plus tard, la tête trempée, Judith arpentait l'espace encombré de la friperie Le Grenier aux Trésors. En plus des vêtements de maternité, on y trouvait un vaste choix de morceaux pour enfants.

La propriétaire, une grande noire au sourire accroché, s'empressa de lui offrir son aide.

— C'est pour une amie ? s'informa-t-elle en jetant un œil expert sur son ventre plat.

— Pour une enquête, la reprit Judith en brandissant son insigne. J'aimerais examiner le lot mis en consigne par Charlaine Blondin.

— Ah… s'étonna la femme en gardant la bouche ouverte.

Elle invita la policière à la suivre au sous-sol, se précipita derrière son comptoir et en sortit une pile de paperasse. Contrairement à l'ordre qui régnait au premier, la marchandise y était présentée en vrac dans de grands bacs classés selon les différentes tailles de vêtements d'enfants. Hésitante, la vendeuse lui tendit un dossier.

Judith parcourut la consignation numéro 26. Rien d'intéressant à première vue : une description sommaire de fringues disparates, dont certaines déposées il y avait une semaine. Les prix de vente la firent sursauter.

— Ce n'est pas donné ! s'exclama-t-elle, en se retenant d'ajouter « pour du linge usagé ». Quelle est votre commission ?

— Je prends 70 %, répondit sans honte la propriétaire avant de lui tourner le dos. Excusez-moi, je suis seule dans le magasin et j'ai entendu un client entrer.

Judith resta pensive. Pourquoi Charlaine se donnait-elle cette peine pour une si maigre marge de profit ? Elle devait voler beaucoup plus que ce qu'elle avait avoué. Et cette Gisèle Houle qui fouillait les sacs pour elle ? Bénéficiait-elle d'une ristourne, elle aussi ? Ses collègues avaient confirmé qu'elle travaillait les mardis et samedis après-midi seulement. Au salaire minimum. Le mari devait détenir un bon emploi. Robert Leblanc, selon l'adresse du permis de conduire de sa femme. Elle rendrait visite au couple ce soir, avec Carl.

Son cœur se serra. Elle ne supportait pas d'être en froid avec son collègue. Elle prit la décision de l'inviter à souper avant le travail pour tenter de rafistoler leur relation. À cette idée, Judith se sentit plus légère. Elle grimpa l'escalier en vitesse et renversa le panier d'osier qui occupait le dernier palier. D'innombrables paires de chaussettes dévalèrent les marches. Judith s'activa pour ramasser ses dégâts, puis s'arrêta aussi sec : des taches de couleur vive parsemaient le plancher de ciment gris. Rouge. Des bas rouges. Elle n'en avait jamais vu autant à la fois. Une information qu'elle avait survolée la veille sur le site Internet des enfants Indigo refit surface dans son esprit : «… le fait de porter des bas rouges aide les enfants à dormir et va même jusqu'à leur faire quitter leur enveloppe charnelle pour se promener à travers les dimensions. »

Elle prit la paire la plus près d'elle. Elle l'aurait juré : l'étiquette portait le numéro de consignation 26. Charlaine Blondin, Gisèle Houle, Marianne Arsenault, Perséides. Des femmes reliées entre elles. Par quel fil ?

Les averses annoncées en matinée s'étaient calmées. L'air était meilleur. Judith poursuivit son chemin vers Ham-Nord, pour interroger de nouveau Marianne Arsenault au sujet de ses liens avec les autres femmes. En route, elle fit une halte au casse-croûte Chez Julienne. Même si l'endroit était passant à cause de la 161, elle trouva un coin plus calme derrière le petit bâtiment. Elle choisit une table à pique-nique moins détrempée, à l'ombre, près de la rivière Nicolet. L'eau lui sembla assez propre pour s'y baigner, son bas niveau l'en dissuada toutefois. Elle ferait une saucette quelque part en fin de journée, après son entraînement. Elle avalait en vitesse un souvlaki au poulet qui n'avait de grec que le nom, quand elle reçut un appel d'Alain Dessureaux.

— Ça va? questionna-t-elle, la bouche pleine.

— Si on veut. Ce n'était pas très habile ce matin, ton petit numéro savant devant Carl. Je ne sais pas s'il va accepter de te reparler.

— Il a ses torts, lui aussi, objecta-t-elle.

— Je ne veux pas être pris en sandwich dans vos chicanes, tu comprends?

— Je me charge de réparer les pots cassés. Tu as raison, on doit se concentrer sur l'enquête.

— Judith, chaque nouvel indice nous suggère que tout est imbriqué, s'excita Alain. On dirait qu'il n'y a plus deux affaires, mais une seule.

— Accouche! Tu as trouvé quoi? s'impatienta Judith en disputant les restes de sa boisson gazeuse à une guêpe.

— J'ai fouillé les antécédents de notre dame Arsenault. Elle est accréditée par le EMF Balancing, qui serait un genre de technique d'harmonisation des champs électromagnétiques. Elle a vécu quelques années en France avec un mari qu'elle a quitté en 1987 pour revenir au pays. Rien de criminel, aucune plainte contre elle à ce jour. Par contre, il y a toute une campagne en Aquitaine, où elle a vécu, contre la dérive sectaire du mouvement Indigo.

— Et les mères?

— J'y arrive. J'ai réussi à joindre trois des cinq femmes qui suivaient les ateliers avec notre Perséides.

— Seulement trois? demanda Judith, en tentant de masquer sa déception.

— Elles demeurent toutes dans des directions opposées à Saint-Rémi. Cela explique pourquoi aucune d'entre elles ne voyageait avec Perséides.

— Je pensais que tu avais de bonnes nouvelles ?

— Le meilleur s'en vient. Gisèle Houle est connue du groupe.

— Quoi ? s'écria Judith, interloquée.

— Ce matin, quand j'ai entendu son nom de la bouche de Charlaine Blondin, je l'ai noté dans mon calepin. Je l'avais sous les yeux quand j'ai eu les femmes au téléphone, ce matin. À la dernière, j'ai demandé à tout hasard si elle la connaissait.

— Et ? le pressa Judith en se levant.

— C'était leur gardienne.

— Leur quoi ?

— Elle s'occupait des enfants pendant que les mères étaient avec la gourou. Elle a donc nécessairement croisé Perséides.

Judith ne savait trop où classer cette nouvelle information.

— Gisèle Houle habite à Victoriaville. Tu penses qu'elle aurait pu offrir à Perséides de covoiturer ?

— Tout ce qu'on sait se résume à ceci : Gisèle Houle connaissait Perséides et elle a eu entre les mains la doudoune confectionnée par la jeune mère avant sa mort.

— Il faut s'empresser de rencontrer cette madame Houle ce soir. J'ai l'intention de demander à Carl de m'accompagner. Je suis tout près de chez Marianne Arsenault. Avec ce que tu viens de m'apprendre, je vais lui faire avouer tout ce qu'elle sait.

— Parfait. J'essaie quand même de retracer les deux autres mères.

— Merci, Alain. Tu as eu du flair en posant la bonne question au bon moment.

Il raccrocha rapidement. En tant que chef-détective, Judith était plutôt avare de compliments. Elle se promit d'améliorer son attitude.

38

Lundi 1ᵉʳ août, 14 h

L'enquêtrice trouva Marianne Arsenault accroupie dans la cour arrière, en train de sarcler son jardin de fines herbes.

— Je l'ai délaissé deux semaines. Il ne me le pardonne pas, marmonna-t-elle sans détourner la tête.

Un pâle soleil baignait la grande cour de ses rayons. Gorgées d'eau, les fleurs plantées au cœur du potager exhalaient un arôme sucré. Malgré le sol trempé, la policière se mit à genoux à côté de la jardinière et décida de l'accompagner dans son sarclage.

— Je répands du foin dans les rangées, mais il n'y a rien à faire. Une plante qui veut pousser, rien ne l'empêche. Les bonnes comme celles qui nuisent. Il est parfois difficile de les départager.

— Les mères qui viennent vous voir, ce sont toutes de bonnes personnes? demanda Judith en acceptant le gant de jardinage que Marianne lui offrait.

La vieille continua de nettoyer la terre sans la regarder.

— Une mère est une mère. La question ne se pose pas.

— Moi, je dois me la poser.

— Les gens ne sont pas mauvais. Quelquefois, ils sont simplement aspirés vers la terre par des âmes souffrantes.

— Vous voulez dire par des morts ?

Marianne releva son chapeau de paille pour essuyer la sueur qui lui mouillait le front.

— Ceux qui perdent la vie de façon accidentelle ou criminelle. Ils sont arrachés à la terre de façon violente et sont condamnés à errer. Ces esprits en détresse vampirisent les vivants les plus vulnérables. Cela explique le mal chez les humains.

Son regard continua de se perdre au loin. Face tournée vers l'infini, elle semblait en pleine méditation.

— Le mal s'explique aussi par l'intérêt, l'argent, le pouvoir, non ?

La relance que venait de tenter Judith n'ébranla pas Marianne. Elle récita sa leçon sur le même ton dogmatique.

— Plusieurs médecines anciennes conçoivent la maladie mentale comme une prise de possession de l'esprit par les âmes errantes.

Judith l'écoutait d'une oreille distraite. La petite femme ânonnait un chapelet de croyances qui ne l'intéressaient pas. Seuls les faits étaient garants de vérité. Le reste, elle s'en balançait.

— Et Gisèle Houle dans tout ça ?

Marianne quitta son calme lunatique, déposa sa petite pelle et s'assit sur ses talons en fixant celle qui l'interrogeait.

— Il lui est arrivé quelque chose ?

Son visage raviné trahissait l'inquiétude. De la peur aussi, ou était-ce de la culpabilité ?

— Non. Seulement, on a appris qu'elle travaillait pour vous.

Marianne Arsenault éclata d'un rire cristallin. Un son juvénile qui ne cadrait pas avec les rides qui ravageaient ses mains.

— Personne ne travaille pour moi. Gisèle est une connaissance. Il lui est arrivé de me donner un coup de main. S'entraider n'est pas un crime.

— Quand vous êtes-vous croisées pour la dernière fois?

La femme avait retrouvé son flegme. Elle traçait distraitement des dessins dans la terre du bout des doigts.

— En octobre dernier.

— Vous ne l'avez pas rencontrée depuis?

— Non. Elle devait déménager. On s'est perdues de vue. Dommage.

— Vous saviez qu'elle travaillait à la friperie de Warwick?

— Ah, ce serait nouveau. Gisèle est une préposée aux bénéficiaires. Était, devrais-je dire. Après son *burnout*, elle n'est jamais retournée à l'Hôtel-Dieu d'Arthabaska.

Judith sourcilla.

— Son *burnout*?

— Oui, elle était en congé de maladie quand on s'est connues. Elle est passée chez moi. C'était en juin. Je vends des herbes médicinales. On a fait un échange. Du troc. Je cherchais quelqu'un pour s'occuper des enfants de mon groupe de mères. Ce ne sont pas toujours des gamins faciles. Elle avait un don pour les calmer.

— Elle a donc connu Perséides?

Marianne réfléchit un peu. La tournure de l'entretien parut l'ennuyer.

— Elles se sont côtoyées durant les repas. Mais Perséides n'est venue aux séances que quelques fois, à la session d'automne.

— Vous ne les avez jamais vues arriver ou partir ensemble, dans la même voiture ?

— Gisèle restait toujours pour m'aider à tout ranger. Elle me racontait ce qu'elle avait observé chez les petits anges. Ça m'est utile pour faire un retour avec les mamans à la rencontre suivante.

— Vous n'avez donc pas revu Gisèle Houle depuis octobre dernier, récapitula Judith.

Marianne baissa les yeux.

— Non. On a eu un différend, avoua-t-elle. C'est personnel.

Elle se remit à bêcher la terre avec acharnement. Judith choisit de ne pas insister. Elle n'avait qu'une envie, filer à l'hôpital pour en apprendre davantage sur les raisons du congé forcé de cette Gisèle aux pouvoirs calmants.

Elle quitta Marianne Arsenault en l'incitant à la contacter si d'autres détails importants refaisaient surface. Elle gagna sa voiture et fonça à vive allure vers la 161 Sud, en direction d'Arthabaska.

39

Lundi 1er août, 18 h

La soirée s'annonçait fraîche. Dans la rue Astell, l'odeur des grillades voyageait d'une cour à l'autre en mêlant les différentes épices. L'arrivée de l'auto-patrouille créa un attroupement d'enfants. Précédée de Carl, Judith sortit de la voiture le cœur serein. Le souper qu'ils venaient de partager à la cafétéria de l'hôpital leur avait permis de faire la paix. D'ailleurs, avaient-ils le choix? Ils devaient croiser leurs informations pour avancer. L'édredon tombé entre les mains de Gisèle Houle était le chaînon manquant entre leurs victimes respectives. Pour l'instant, ils en savaient peu sur cette préposée aux bénéficiaires. Elle travaillait à l'urgence et faisait souvent des remplacements dans divers départements. Mais la dame était en congé depuis un an. Pour des motifs de confidentialité, ils n'avaient pas eu accès à son dossier de santé. La responsable l'avait décrite comme assidue et rigoureuse dans son travail. Une personne timide et très dévouée. Elle était appréciée de ses collègues pour les services qu'elle rendait et les heures supplémentaires qu'elle acceptait de faire sans rechigner. Une femme sans histoire.

La sonnette d'entrée était hors d'usage. Carl cogna à la porte sans succès. Pourtant, le son d'une télévision en marche confirmait que les occupants n'étaient pas bien loin. Du regard, Judith l'invita à s'aventurer dans la cour arrière. Ils y furent accueillis par les aboiements hostiles d'un barbet. Prisonnier de son harnais, il défiait les intrus de ses petites dents jaunes, en faisant glisser sa laisse sur la corde à linge. Un homme ouvrit la porte-fenêtre et se présenta sur la galerie en intimant l'ordre à « Loulou » de se calmer. Ses traits doux tranchaient avec sa stature imposante. Il correspondait à l'allure de « bon gars » que Judith s'était imaginée. Selon l'information qu'Alain leur avait transmise, le mari de Gisèle Houle possédait sa propre compagnie de goudronnage. La vétusté de la camionnette stationnée dans l'entrée évoquait une entreprise plutôt modeste.

Pendant que Carl faisait les présentations d'usage, Judith s'intéressa à l'enfant que Robert Leblanc tenait dans ses bras. Il était enveloppé dans une serviette bleue qui lui recouvrait la tête. Elle vit une paire de petits yeux en amandes l'étudier.

— Il est pas mal sauvage avec les gens qu'il ne connaît pas, expliqua le père du jeune trisomique.

Ce n'était pas le handicap de l'enfant qui décontenançait Judith.

— Un garçon ? articula-t-elle.

— Un vrai petit mâle comme son père, hein, mon beau Thomas ?

Judith et Carl échangèrent un regard stupéfait. Selon la directrice du Vestiaire de Warwick, Gisèle Houle avait une fille âgée de quelques mois, du nom de Béatrice.

Robert fixa les deux policiers. Il ne semblait pas disposé à les inviter à s'asseoir. Dérouté, Carl énonça sa requête.

— En fait, nous sommes venus ici pour rencontrer votre épouse.

Une ombre de suspicion traversa le visage de l'homme.

— Elle travaille ce soir. Elle ne sera pas là avant 21 h. Qu'est-ce qui se passe ?

— On veut seulement lui poser quelques questions pour nous aider dans une enquête en cours, le rassura Carl.

Cela n'apaisa pas les appréhensions de Robert Leblanc.

— Où travaille-t-elle ? reprit Judith.

— Au IGA sur Bois-Francs, près de la place Saint-Georges. Pourquoi ? Myriam est une femme rangée. Elle n'a jamais eu de problèmes avec la justice, même pas une contravention.

Thomas commença à chigner. Judith et Carl étaient confondus.

— Vous êtes bien Robert Leblanc, le mari de Gisèle Houle ? demanda Judith.

Robert Leblanc bondit.

— Ciboire ! s'emporta-t-il. La maudite ! Elle ne me câlissera donc jamais patience !

Le son de sa voix fit sursauter Thomas. Les jappements de Loulou se mêlèrent à ses pleurs. Estomaqués, Judith et Carl regardèrent Robert Leblanc se réfugier à vive allure dans la maison. Le nom de Gisèle Houle l'avait visiblement mis hors de lui.

— Ce n'est peut-être pas sa femme, mais il a l'air de la connaître, supputa Carl.

— Et de ne pas trop la porter dans son cœur…

L'enfant toujours accroché à son cou, l'homme ressortit presque aussitôt en affichant une humeur plus contenue. Il s'approcha de l'enquêtrice.

— Quand vous l'aurez trouvée, dites-lui donc de ma part de faire son crisse de changement d'adresse.

Des dizaines d'enveloppes non décachetées atterrirent dans les mains de Judith. Du courrier qui datait de près de deux ans, dont une série de chèques d'une compagnie d'assurance.

— C'était votre conjointe ? vérifia Carl.

— Oui, avoua l'homme. Excusez-moi. Je ne devrais pas rager après elle. Elle est malade.

— Vous lui en voulez ?

D'un geste automatique, il se mit à faire sautiller Thomas dans ses bras.

— C'est une longue histoire.

— On n'est pas pressés.

— Attendez-moi.

Quinze minutes plus tard, le trio prenait place dans la cour sous la fenêtre ouverte de Thomas qui avait été mis au lit. Judith reluqua la bière fraîche que Robert et Carl venaient de s'ouvrir et regretta d'avoir sagement accepté une limonade.

L'ambiance calme de la cour la surprenait. Cette résidence de banlieue était moins exposée au bruit que sa maison qui vibrait chaque fois que les bétonnières allaient s'approvisionner à la carrière de sable au bout de son rang. La campagne venait avec son lot d'illusions.

Robert Leblanc alluma un feu dans une cuve de vieille laveuse rouillée. Puis, le témoin amorça un récit que ni Carl ni Judith n'osèrent interrompre avant son dernier mot.

— Gisèle Houle et moi, on a vécu trois ans ensemble. Là-dessus, je dirais qu'il y en a eu deux de trop. Je suis parti, je suis revenu. Plusieurs fois. La dernière, je m'étais dit que c'était la bonne, et en fin de compte je n'ai pas pu. Elle m'avait annoncé qu'elle venait de tomber enceinte. Je ne pouvais pas la lâcher. On avait tellement essayé. Je m'étais fait «dévasectomiser» pour elle. Elle approchait de ses quarante ans. Avec son autre mari, ça n'avait jamais marché. À cause de son cancer. Il est mort avant de lui laisser une progéniture. Je me disais que le petit allait nous donner une famille, nous recoudre, lui faire passer sa folie du ménage. Parce que, maniaque comme elle, je n'avais jamais vu ça. Elle guettait mon assiette pour aller la laver. À la fin, c'était complètement fou son affaire. Elle me suivait dans le salon pour essuyer les traces de pieds que je laissais sur le tapis. Elle m'a obligé à avoir ma propre entrée par le sous-sol avec ma douche. Je devais me laver et me changer avant de monter. Elle m'a tellement bien dressé que je le fais encore aujourd'hui, crisse! Avant de faire l'amour, je devais passer sous le jet de la douche. Froide, parce que l'eau chaude détruit les spermatozoïdes.

Robert Leblanc prit une longue gorgée pour se donner le courage d'exhumer des souvenirs profondément enterrés.

— Du jour où elle est tombée enceinte, je ne pouvais plus l'approcher. Là, j'ai vu que je n'étais rien pour elle. Un étalon, c'était tout. Quelques mois après, elle m'a appris qu'elle l'avait perdu. Dans les toilettes. Comme ça. J'ai commencé à me demander si elle ne m'avait pas monté un bateau depuis le début juste pour que je revienne. Je voulais des preuves. Je ne la croyais plus. Je l'ai mise à la porte. Je suis chez nous, ici! La maison, c'est mon père qui l'a bâtie.

L'homme s'enfila une autre rasade de bière. Le regard tourné vers l'intérieur, il continua.

— Pendant deux ans, je n'ai pas eu de ses nouvelles. Je savais qu'elle travaillait toujours comme préposée à l'Hôtel-Dieu d'Arthabaska, pas plus. Je me suis mis en ménage avec Myriam. On se fréquentait au secondaire.

On s'est retrouvés par hasard. Elle était seule, moi aussi. Un an après, on a eu Thomas. Notre petite livraison spéciale. Ils l'ont gardé quelques semaines à l'hôpital pour des tests. Puis, mon ex est revenue dans le décor. Ça l'avait rendue folle de savoir que j'avais fait un enfant avec une autre. Un matin, on reçoit un appel. Ciboire !

Robert Leblanc s'éjecta de sa chaise et respira un grand coup.

— Le cœur a failli me lâcher. Le bébé n'était plus dans son lit. Ce jour-là, j'ai senti que même infirme, ce petit morveux-là, c'était le mien. Y a personne au monde qui allait lui faire du mal.

L'homme jeta un regard vers la chambre de son fils et prêta l'oreille.

— Myriam a fait une crise de nerfs. Moi, j'essayais de ne pas perdre la tête. On s'est précipités à l'hôpital. Quand on est arrivés, les infirmières avaient retrouvé Thomas. Dans la chambre des naissances, couché sur le ventre de Gisèle. La crisse de folle ! Elle était tombée endormie avec lui en essayant de lui faire passer ses coliques. C'est ce qu'elle leur a raconté. Méchante malade !

Les pleurs de Thomas fendirent l'air. Loulou vint pour japper, mais un regard de son maître le fit opter pour un gémissement.

— Excusez-moi, dit Robert en déposant sa bouteille vide.

— On vous laisse vous occuper de votre famille, fit Carl en lui laissant une carte. Je comprends, j'en ai trois à la maison.

— Si on a besoin de vous joindre pendant la journée, j'imagine qu'on utilise le numéro inscrit sur votre camionnette ? ajouta Judith.

— Vous avez l'œil. Myriam prend les appels. Elle peut aussi vous confirmer tout ce que je viens de vous raconter.

Les pleurs du bébé se firent plus insistants. Robert Leblanc leur tourna le dos, puis disparut dans la maison en marmonnant.

— Si jamais elle approche, je la tue.

Carl et Judith prirent congé sans avoir pu le remercier. L'air songeur, Carl inséra la clé dans le contact sans démarrer la voiture.

— Avec ce que je viens d'entendre, j'ai l'impression que notre Gisèle Houle est peut-être plus reliée qu'on ne le pense à la disparition de Lucas. Si le garçon dormait dans l'auto de Charlaine à Warwick, la nuit du festival, il a très bien pu lui ouvrir sans se méfier. Le petit a déjà dû la croiser avec sa mère au Vestiaire. Ce n'était pas une inconnue.

— Sais-tu si Charlaine avait verrouillé les portières ?

— Ce matin, après ce que tu m'a envoyé en réunion…

Son ton trahissait la blessure encore fraîche.

— Écoute, Carl, je…

— Laisse-moi finir, veux-tu ? Je suis retourné interroger mademoiselle Blondin. Je n'étais pas particulièrement content. Elle m'en devait une. Elle se souvenait d'avoir verrouillé l'auto. Elle m'a même confié qu'elle s'était garée dans la cour arrière du Vestiaire de Warwick. Ça lui permettait de quitter Warwick par les rangs et d'éviter ainsi les barrages policiers, qui sont nombreux pendant le Festi-Force.

— Quand elle a repris sa voiture, elle a vérifié si Lucas y était ?

— Trop soûle. Elle n'a pas prêté attention. Elle ne sait pas quand il a disparu. En fait, elle ne se souvient de rien. Elle l'a « perdu », comme elle dit.

« "Perdu" comme on égare son portefeuille », s'indigna Judith. Comme les enfants oubliés à la garderie,

281

ou pire, dans un stationnement en plein soleil. Lucas avait été abandonné à lui-même dans une voiture verrouillée. Il avait donc consenti à ouvrir la portière soit pour s'échapper, soit pour répondre à une invitation.

— Il faut vérifier les allées et venues de Gisèle Houle dans la soirée de samedi jusqu'au petit matin, dit Judith.

— Ça, à condition qu'on la retrouve. Je n'aime pas trop le fait qu'elle se promène avec une fausse adresse.

— Qu'est-ce que tu penses du portrait qu'en a fait son ex?

Carl éclata d'un grand rire.

— Pour deux amis en chicane qui ne voulaient pas travailler ensemble, nous voilà mal pris. Nos enquêtes couchent dans le même lit.

Judith s'amusa de la blague de son collègue. La complicité se retissait peu à peu.

— Gisèle Houle est une femme fragile, continua-t-elle. Elle ne semble pas être allée bien loin, bien qu'elle ait déjà kidnappé un enfant. Elle connaît Charlaine et Lucas. Le dernier endroit où le petit a été vu par sa mère est le lieu de travail de Gisèle.

— Ce ne sont que des indices circonstanciels. Je ne possède aucune preuve directe. Un juge ne m'accordera jamais de mandat d'arrêt avec si peu, déplora Carl. Je dois la trouver.

— Je veux aussi la coincer. Pour éclaircir son lien avec Perséides, comprendre pourquoi elle s'est retrouvée avec la doudoune volée. Heureusement, elle ne se doute de rien. Elle devrait se présenter au travail demain midi. Elle n'a jamais manqué.

— Faudrait questionner les autres femmes de la friperie avant son arrivée.

— Avec un recoupement d'infos de différents témoins, tu pourras procéder plus facilement à son arrestation, fouiller sa voiture, sa maison.

— Tu as raison, renchérit Carl, heureux. J'ai vraiment l'intuition d'avoir mis la main sur celle qui détient Lucas. L'enfant doit tout bonnement être chez elle, soupira-t-il.

— En sécurité ?

— Cette femme-là a déjà une fille. Les enfants, c'est sa vie. Je ne vois pas pourquoi elle leur ferait du mal.

— Ça sent la ligne d'arrivée, tu ne trouves pas ? l'encouragea-t-elle.

Mais Judith se consolait mal de ne pas en savoir plus sur le parcours de l'édredon fabriqué par Perséides. Carl avançait dans son enquête, elle piétinait dans la sienne.

40

Aussitôt qu'elle mit les pieds chez elle, Judith monta à sa chambre. Trop épuisée pour sa course journalière, elle enfila son maillot de bain. Elle avait besoin de se reposer. Après avoir rangé son arme dans l'armoire scellée au-dessus de son bureau, elle ramassa la pile de vêtements qu'elle destinait au lavage. En vidant les poches de son pantalon, elle trouva le cliché que Robert Leblanc lui avait remis plus tôt en soirée. Elle le punaisa sur son tableau de liège à côté de ceux de Lucas et de Perséides. La photo datait de quelques années. On y voyait Gisèle Houle, une femme dans la quarantaine, arborant une coupe masculine, coiffée sur le côté, dont la sévérité tranchait avec la rondeur de ses traits. On aurait dit un déguisement, ou plutôt une renonciation à son potentiel de séduction. « Comme les religieuses défroquées », pensa Judith. Étrange pour une femme qui se voyait mère. Le visage de Gisèle était si anonyme qu'il avait déjà attiré son attention, elle en était sûre. Où Judith l'avait-elle croisé ? Rien ne lui revint en mémoire. Elle savait que le temps venu, le souvenir lui tomberait dessus comme une pomme bien mûre.

N'ayant pas le courage de se taper trente minutes de route vers le lac Nicolet, Judith se résolut à faire un saut dans la piscine de sa voisine Élise. Pas de voiture devant la maison, qui était silencieuse. Elle n'aurait pas à payer son entrée en s'obligeant à soutenir une conversation.

Lorsqu'elle plongea dans l'eau fraîche, elle sentit tout le stress de sa journée se dissoudre. Elle émergea avec un soupir de plaisir. L'odeur de chlore était faible. En fermant les yeux, Judith pouvait facilement s'imaginer être ailleurs. Roulant sous l'eau, elle se rappela ses jeux d'enfant dans la rivière Gatineau. L'histoire du requin qui voulait les dévorer. Le défi consistait à trouver la meilleure stratégie pour échapper au danger. Cette fois-là, sa sœur Sarah avait eu du génie : il fallait se faufiler entre les dents de l'énorme poisson pour ne pas être mâchées, nager vers son estomac et ensuite brasser ses entrailles pour lui donner mal au cœur. En le faisant vomir, elles seraient libérées. Elles s'étaient mises d'accord, sans rechigner sur la voie dégoûtante qu'exigeait leur délivrance.

Le vent du soir la fit frissonner. Elle sortit de la piscine en vitesse. Elle avait oublié sa serviette de bain. Comme la majorité des habitations du village, la maison d'Élise n'était pas fermée à clé. Judith pénétra dans le salon en essayant de ne pas mouiller le plancher de bois franc. Elle se dirigea vers la salle de bain et trouva rapidement l'étagère où était rangée la lingerie. Une fois séchée, elle chercha un bout de papier pour dire qu'elle était passée. En rédigeant sa note sur le comptoir de la cuisine, elle aperçut le DVD du spectacle qu'Élise avait tourné à Warwick, lors du combat de femmes dans l'huile au Festi-Force. La soirée du barbecue refit surface. Aucune nouvelle de Philippe depuis leur brève aventure. Tant mieux. Cet égarement d'un soir était une erreur qui aurait pu lui coûter l'amitié de sa voisine. Élise était vraiment une femme intéressante. Quel cran! Même enceinte jusqu'aux oreilles, elle avait pris le risque de filmer son intervention. Distraite par l'homme qui lui tournait autour, Judith n'avait pas porté attention à la vidéo présentée ce soir-là. L'occasion s'offrait à elle. Aujourd'hui, les ébats de la lutteuse Charlaine Blondin l'intéressaient particulièrement. Une note vite griffonnée lui donna bonne conscience.

Judith hésita à traverser la rue Desharnais en maillot de bain. Drapée dans la serviette empruntée, les cheveux ébouriffés, elle pressa le pas. Une Pontiac grise se dirigeait vers elle en sens inverse. En tournant dans son entrée de garage, Bernard Ouimet fit crier son klaxon. Judith s'approcha.

— Je suis allée faire un saut dans votre piscine, se justifia-t-elle.

— Pas de problème, répondit son voisin, qu'elle voyait pour la première fois mal rasé.

D'un ton mi-joyeux, mi-préoccupé, il ajouta:

— Je viens d'aller voir les enfants chez ma mère. Élise est à l'hôpital depuis hier. Elle a accouché prématurément. On n'a pas eu le temps de se préparer.

— Tout se passe bien? s'informa Judith, inquiète.

— Oui, oui. La maman et le bébé sont en parfaite santé. Ils pourront revenir à la maison dans quelques jours.

— Bravo! le félicita Judith qui ne savait trop quoi dire en pareille circonstance. Si vous avez besoin de quoi que ce soit, je ne suis pas loin.

Bernard la remercia et redémarra. Dès qu'elle aurait une minute de libre, Judith passerait voir Élise à l'hôpital. Sa copine séjournait dans le même lieu que Martin Grimard, toujours en observation sous la chasse gardée de son psychiatre. Elle pourrait essayer à nouveau d'obtenir un droit de visite.

Judith s'enferma chez elle, enfila un fuseau confortable et se concocta un sandwich au jambon. Allongée sur le vieux canapé d'époque en velours bourgogne que son père lui avait dégoté, elle s'installa pour visionner le DVD.

Après une vingtaine de minutes de piètre captation amateur, son combat contre le sommeil fut récompensé. Judith fit « pause » sur les visages hystériques de Céline Dufresne, la directrice du Vestiaire de Warwick, et de son adjointe, Annie Potvin, brandissant leurs petites culottes comme des trophées sous le nez d'un danseur nu qui les humait en se trémoussant. En arrière-plan, Gisèle Houle, déconfite. Telle une prisonnière escortée, elle fixait le sol comme si elle voulait s'y couler. Voilà où elle avait déjà entrevu ce visage.

Judith sauta sur le téléphone. Carl ne répondit pas à son appel. Elle lui laissa un bref message : avec cette preuve que Gisèle Houle était à Warwick le samedi de la disparition de Lucas, ils devaient tenter leur chance pour obtenir un mandat du juge de paix avant 13 h demain et au plus vite joindre Métivier pour lui soutirer son autorisation. Elle raccrocha avec le sentiment d'avoir été trop directive. Carl pourrait vite se consoler : tous les faits autour de l'enlèvement de Lucas pointaient dans la direction de Gisèle Houle. C'était beaucoup de tracas pour une pauvre femme dérangée. La personne à blâmer dans cette histoire était Charlaine Blondin. La DPJ serait sur son dos aussitôt qu'elle récupérerait son bambin.

Judith entendit une voiture se garer devant sa maison. Par la fenêtre du salon, elle vit Matéo enjamber les trois marches de la galerie avec le panier de légumes qu'elle lui avait commandé. Elle lui ouvrit et le laissa poser ses affaires. Une distance avait eu le temps de s'installer.

L'élan de l'embrasser ne lui vint pas. Pourquoi cette froideur l'habitait-elle ? Elle chercha. Aucune phrase sensée ne lui vint en guise de mot de bienvenue.

— J'ai faim. J'imagine que tu as déjà soupé ? s'enquit Matéo d'un ton jovial.

— J'ai grignoté.

— Parfait. Tu permets ? demanda-t-il en abandonnant son sac à dos sur le comptoir de la cuisine.

— Fais comme chez toi, l'invita Judith.

Matéo avait déjà sorti son malaxeur, quelques légumes frais, et des herbes que Judith aurait été embêtée de nommer. En moins de deux, il avait foutu le bordel dans sa cuisine. Elle l'aida à trouver deux grands verres qu'il remplit d'un mélange vert sombre.

— À ta santé, lui murmura-t-il en lui offrant sa boisson énergisante.

Malgré son apparence peu appétissante, le breuvage avait bon goût.

— Tu me laisseras ta recette, le taquina Judith.

— Jamais. Je ne veux pas que tu apprennes à te passer de moi.

En disant cela, il lui avait enserré le visage de ses grandes mains calleuses.

— On dirait que tu ne me reconnais plus, s'offusqua-t-il.

— L'enquête me prend complètement. J'ai de la difficulté à décrocher, se justifia-t-elle.

— Pourtant, on a travaillé pas mal fort en fin de semaine, argua-t-il en lui effleurant le cou.

— Je ne sais pas pourquoi…, avoua Judith. On dirait que…

— Chut… chut… On ne se connaît pas encore. On est allés un peu vite en affaire. Je suis passé chez toi juste pour te dire bonsoir. On ne se doit rien. Laissons venir les choses. Viens…

Il l'attira vers le divan, l'installa près de lui et lui retira ses sandales. Il lui massa les pieds. Une caresse d'une douceur sans fin. Judith ferma les yeux.

Le temps cessa sa course. C'était inusité. Elle cédait à la tendresse de cet homme. D'habitude, il lui était difficile de se laisser aimer sans se sentir obligée d'offrir en retour. Délivrée de cette pression, elle eut envie de se donner. Elle saisit la main de Matéo et la guida vers sa poitrine.

— Il y a quelqu'un qui arrive, lui chuchota-t-il à l'oreille en se pressant contre elle.

John ! Se sentant prise en défaut, Judith rabaissa son t-shirt en vitesse, ouvrit et se précipita dehors. Ce n'était pas son père, mais l'auto-patrouille de Carl qui partait.

— Il est tard. Je vais te laisser te reposer, suggéra Matéo en la rejoignant sur le perron. Il lui déposa un baiser dans les cheveux.

— Je ne t'ai pas payé le panier, s'excusa Judith, confuse.

— Une bonne raison pour se revoir, lui répondit-il avant de filer.

Plus tard, en rangeant les légumes, Judith trouva un mot dans le fond du sac :

Belle amoureuse de l'eau, laisse-moi te faire connaître un paradis. Tu n'as besoin que de ton passeport. Réserve-moi une fin de semaine au mois d'août.

41

Mardi 2 août, 8 h

Judith eut un élan de joie. Trouver un stationnement dans le quartier Centre-Sud de Montréal était un exploit. Elle gara sa voiture à quelques coins de rue de l'édifice qui abritait le Laboratoire des sciences judiciaires et de médecine légale du Québec, avant de s'engager d'un pas ferme vers la rue Parthenais. La pluie qui s'était invitée pour la journée acheva de la réveiller.

À la réception, un garde de sécurité la conduisit au sous-sol. Dans l'ascenseur, l'odeur d'encaustique la prit à la gorge. Elle ne s'était jamais faite à l'ambiance glauque de la morgue. Comment Carole Richer parvenait-elle à y passer ses journées? Judith la trouva à la salle d'autopsie numéro trois de l'aile Est. Elles se connaissaient peu. Elle sentit dans l'accueil de l'anthropologue judiciaire une chaleur qui tranchait avec l'atmosphère des lieux.

— Judith Allison!

La spécialiste oublia les gants stériles qu'elle portait et lui serra vigoureusement la main.

Un silence s'installa entre elles. Judith fit quelques pas vers la table d'autopsie. Des fragments d'os, patiemment placés sur une surface éclairée, formaient un squelette de masse fragile.

— On a presque tout. Il manque le fémur gauche, la partie inférieure de la jambe. Malgré l'élargissement du périmètre, on n'a pas réussi à la retrouver.

— Une bête aura fait ses provisions pour l'hiver, supposa Judith, nerveuse.

Que le cadavre soit unijambiste ne l'intéressait pas. C'était le sternum qui captait son attention. Carole devina ses pensées. Avec une infinie précaution, elle souleva un fragment d'os de la poitrine et vint le placer sous la loupe.

Judith vit clairement la marque des coups dentelés. Elle blêmit.

— Il n'y a pas d'équivoque. On l'a bien assassinée, trancha Carole.

Judith sentit l'anthropologue se raidir à ses côtés. Son ton était devenu sec.

— On a analysé ses vêtements. D'après les signes du sang et le mouvement des déchirures, elle a été éventrée, murmura-t-elle.

Judith manqua défaillir. Éventrée ! On avait fouillé dans le ventre de Perséides ! Le mot « fœticide » toupina dans sa tête. Carole Richer lui énuméra d'autres détails qu'elle écouta à peine.

— La deuxième ronde de recherches effectuée sur le site par mon équipe nous a permis de trouver d'autres minuscules ossements près du corps de la victime. Les tests confirment qu'ils appartiennent au nouveau-né.

L'enfant arraché du sein de sa mère ! Judith se sentit faiblir.

— Je prendrais bien un café, réclama-t-elle, la gorge sèche.

— J'en ai du frais.

Une fois à l'abri dans l'immense bureau de Carole Richer, Judith reprit ses esprits.

— J'ai quelque chose qui devrait vous intéresser, lui confia la spécialiste en ressortant un vieux dossier. En 1983, on n'était pas informatisé. J'ai dû insister pour faire sortir ces rapports de la voûte.

Elle en feuilleta négligemment quelques pages.

— Je n'avais que vingt-cinq ans à l'époque. Ça ne me rajeunit pas. Marie Lavoie, vingt-huit ans, enceinte, éventrée. Une de mes premières autopsies.

— Pourquoi voulez-vous que je jette un œil à ça?

— La ressemblance entre les deux histoires m'a frappée. Il s'agit d'un crime tellement rare! Aux États-Unis, on n'a répertorié que quelques cas. Ici, si c'est ce que je pense, il n'y a qu'un seul précédent au pays, l'affaire Jacinthe Deschamps, l'accusée de ce meurtre sordide

Judith ne savait plus où poser les yeux.

— Une femme?

— Une folle en mal d'être mère. À son deuxième procès, la femme a été déclarée irresponsable pour cause d'aliénation mentale.

— Vit-elle toujours?

— Je ne sais pas. Elle aurait soixante-douze ans aujourd'hui. Je peux m'informer.

Judith resta sans voix. Son inexpérience l'aurait empêchée de s'ouvrir à des hypothèses beaucoup plus sadiques que ce que son imagination pouvait supporter.

— Un autre café? sympathisa Carole.

— Plus tard. Racontez-moi d'abord.

Carole Richer joignit les bouts de ses mains comme une prière, sous son menton.

— Ça s'est passé en 1983 à Valleyfield. En début de soirée, les policiers avaient reçu un appel. Un mari qui s'inquiétait que sa femme ne soit pas rentrée.

La disparue, Marie Lavoie, était enceinte de huit mois, ses amies l'attendaient à la maison pour un *shower*. Après avoir patrouillé dans le centre-ville, ils firent le tour des parcs. Vers 22 h, ils reçurent un autre appel. De l'hôpital cette fois. Un couple qui s'était présenté à l'urgence avec son nouveau-né. Le bébé était décédé. Après l'avoir examiné, le médecin avait vu que l'histoire ne collait pas. La femme n'avait jamais accouché, comme elle le prétendait. L'enquêteur se rendit sur place. Jacinthe Deschamps finit par tout lui avouer : il pleuvait, elle avait fait monter Marie Lavoie dans sa voiture. En jasant, elles s'étaient rendu compte que leurs maris travaillaient à la même usine. La jeune Lavoie avait accepté le café que la conductrice lui avait proposé.

Carole Richer marqua une pause. Le ton de sa voix descendit d'une octave.

— Ils ont trouvé le corps de la victime chez Jacinthe Deschamps. Dans un accès de folie, elle l'avait éventrée.

Atterrée, Judith se carra au fond de son fauteuil. Elle avait écouté sans prendre de notes. Une histoire scabreuse, le personnage de Perséides se substituant à celui de Marie Lavoie. Dans le rôle de Jacinthe Deschamps, une ombre qui restait floue pour l'instant.

42

Mardi 2 août, 11 h

À son retour de Montréal, Judith se dirigea vers
Warwick, où l'attendait Carl. Lorsqu'elle pénétra au Vestiaire, Céline Dufresne et Annie Potvin se tenaient au
garde-à-vous derrière le comptoir-caisse, furieuses d'avoir
eu l'ordre de fermer leur commerce pour la journée.

Carl conduisait son interrogatoire comme si les
femmes étaient au banc des accusés.

— Vous attestez donc avoir vu Gisèle Houle quitter le
Festi-Force de Warwick vers 22 h, le samedi 23 juillet au
soir, attaqua-t-il.

— Elle est allée aux toilettes et on l'a perdue de vue.
On ne sait pas ce qu'elle a pu faire après, répondit
Annie.

— Elle est peut-être allée visiter les autres kiosques,
avança Céline.

— Ça me surprendrait, reprit Annie. Elle avait hâte
de rentrer chez elle. Son mari était seul avec la petite.

— Quel âge a Béatrice ?

— Trois, quatre mois environ. Un bel enfant ! s'exclama Céline. Je dois avoir une photo quelque part.

Elle attrapa sa sacoche et se mit en frais de la vider.

Carl secoua la tête. Judith s'approcha et tenta une discussion moins formelle.

— La fois où Charlaine Blondin a laissé son petit tout seul dans le parc, est-ce que Gisèle Houle était ici?

— Je comprends! s'insurgea Annie. Elle est allée chercher Lucas et elle nous l'a ramené. Moi, je suis allée faire savoir à la jeune Blondin qu'elle n'avait pas de bon sens.

— Le petit ne devait pas être un cadeau.

— Sa mère n'en vient pas à bout, confirma Céline, déçue de n'avoir rien trouvé dans son sac à main. Elle lui laisse faire ses quatre volontés. Il s'est déjà jeté à terre, ici, en plein milieu de la place. Il a fallu se mettre à trois pour l'amener à son auto. Par contre, quand Gisèle était autour, on n'avait rien à craindre. Elle le prenait dans ses bras. Le petit glissait sa main dans son cou. Ça le calmait.

Judith sentit la vibration de son cellulaire dans la poche de son pantalon. Elle consulta l'afficheur.

— Métivier, dit-elle en jetant un regard interrogateur à son collègue.

Judith s'excusa auprès des deux femmes et sortit, suivie de Carl. Ils coururent s'abriter de l'averse dans l'auto-patrouille. Judith enclencha la fonction du haut-parleur.

— Où es-tu? demanda-t-elle à Métivier.

— Au bureau. Carl est avec toi? s'informa-t-il.

— Je suis à côté, intervint Carl. Tu as eu mon message pour le mandat d'arrestation de Gisèle Houle?

— C'est fait. Alain va passer le prendre. Vous l'aurez avant midi.

— Parfait.

— Non, ce n'est pas parfait.

Le ton de leur patron était dur.

— Vous allez m'écouter tous les deux. Il ne faut pas que la prévenue nous échappe. Je n'ai pas besoin de vous rappeler que notre nouvel état-major de police

régionale est toujours en période d'essai. Notre évaluation annuelle approche. Pas question d'écoper d'une
mauvaise note en ratant cette opération.

— Attends, Claude. De quoi parles-tu ? l'interrompit
Judith.

— L'Escouade tactique de la Sûreté du Québec va
procéder à l'arrestation de Gisèle Houle.

— On est capables tous seuls. On n'a besoin de
personne, protesta Carl.

— L'équipe est déjà en route. Rejoignez-moi à
Victoriaville.

Il raccrocha sans rien rajouter.

— Calvaire ! Il capote ! aboya Carl.

***

L'auto-patrouille filait sur la 116 sous un ciel lourd
qu'aucun soleil ne menaçait de percer. Pas un mot ne fut
échangé durant le trajet. Aussitôt arrivé au poste, sur le
boulevard Labbé, Carl demeura au volant de la voiture.

— Je vais me chercher à dîner. Tu peux retourner
à Warwick tantôt pour l'arrestation si tu veux, moi, il
n'est pas question que je me croise les bras pendant que
les autres font ma *job*. Quand la madame sera au poste,
tu me feras signe. Ça, si on me laisse l'approcher, bien
entendu.

Judith regarda l'auto-patrouille s'éloigner. Devait-elle
rapporter cette insubordination ? Elle s'était fait piéger
dans la tâche ingrate d'évaluer son collègue. Et lorsque
leur supérieur avait tort, fallait-il encore lui obéir les
yeux fermés ?

***

Judith cherchait à s'entretenir avec Métivier, mais il était constamment pendu à son cellulaire. « Il ne veut pas me parler », conclut-elle en s'enfermant dans son bureau. Déjà midi, elle décida de terminer son rapport. Avant de s'attaquer à sa tâche, elle alla s'acheter un sandwich et un jus à la distributrice. Une fois attablée avec son repas, elle sortit de sa serviette l'enveloppe que Carole Richer lui avait remise en matinée. Cette affaire morbide s'était déroulée il y avait trente ans. Elle éparpilla les papiers devant elle : jugement de cour, articles de journaux qui menaçaient de se déchirer. « Parfois, il est bon de savoir que l'inimaginable s'est déjà produit », tel était le conseil sibyllin que lui avait prodigué l'anthropologue.

Attentive, elle classa d'abord ces articles par ordre chronologique. Puis, elle suspendit son travail, trop fascinée par les photos que dominaient les grands titres : « 48 coups de couteau, le cœur transpercé 11 fois », « Crime sordide », « Je suis un monstre », « Éventrée par une femme qui lui extirpe le bébé des entrailles »…

La défunte publication *Allô Police* offrait une reconstitution en dix dessins de la scène du meurtre. Le plus horrible était la présence des photos du cadavre retrouvé sous un escalier. On pouvait y distinguer clairement le sac de couchage et la bâche de plastique qui recouvraient la partie supérieure du corps de la victime. Les jambes nues de la jeune mère et ses entrailles ravagées étaient offertes à la vue de tous. Comment les journalistes avaient-ils pu avoir accès à la scène du crime ? À cette époque, on devait être moins strict en matière de déontologie.

Judith délaissa son sandwich et dévora avec une curiosité morbide l'ensemble des coupures de journaux. Le nom de Carole Richer était cité parce que l'anthropologue avait autopsié le corps de la parturiente assassinée. Pourquoi lui avait-elle remis cette horreur ? L'idée qu'une femme puisse être éventrée par une autre était si terrible que Judith n'arrivait pas à l'accepter.

Troublée, elle abandonna les articles épars et partit à la recherche de Carl. Elle trouva son collègue à l'extérieur, installé à la table en résine sous le *gazebo* qu'Alain s'était décidé à installer.

— Tu avais raison, commenta-t-il lorsqu'il la vit approcher.

— À propos de quoi ?

— On est mieux dehors pour réfléchir.

Il roula en boule l'emballage de son sandwich et le lança avec succès dans la poubelle.

— Tu es déçu ?

— Je ne sais pas si j'ai toujours envie de devenir enquêteur, râla-t-il. Je n'ai pas ta patience pour endurer que Métivier m'enlève le volant au fil d'arrivée.

— On s'habitue, l'encouragea Judith. Et puis, on serait deux.

Carl esquissa un sourire. Judith prit place à ses côtés.

— Laisse-le faire son *show*. Nous, on a une double enquête à boucler, enchaîna-t-elle. Ce n'est pas le moment de te défiler. J'ai vraiment besoin de toi, Carl.

— Tu n'as pas l'air dans ton assiette, remarqua-t-il.

— Ma Perséides a peut-être été poignardée par une femme en pleine crise psychotique.

— Raconte, la pressa Carl.

Judith rapailla les images horribles qui affluaient dans sa tête depuis le matin et en fit une brève description à son collègue.

Un court silence suivit. Carl se leva et alla se poster derrière Judith.

— Et cette fois-ci ? Tu crois que Gisèle Houle aurait pu vouloir arracher l'enfant à Perséides ?

— Il y a tant de points qui se recoupent. Son infertilité, son besoin fou d'être mère. Le fait qu'elle ait déjà approché l'enfant de son ex. D'un autre côté, ce qui ne colle pas, c'est que Gisèle Houle était enceinte d'environ quatre mois quand le meurtre de Perséides a eu lieu. Une femme meurtrière, oui... enfin, peut-être..., mais une femme enceinte qui en éventre une autre, je n'habite pas sur cette planète-là.

— Tu as raison. Tout relie Gisèle Houle à Lucas, mais rien encore ne l'incrimine pour Perséides.

— Je dois tout reprendre à zéro, gémit Judith, découragée.

Carl la prit par les épaules, la tourna vers lui et la secoua avec douceur.

— Allez. Il est bientôt 13 h. On doit aller accueillir nos amis de l'Escouade tactique de la SQ.

Il avait changé d'idée. Judith l'apprécia.

43

Mardi 2 août, 13 h

Dans la petite municipalité de Warwick, le dispositif de crise s'était mis en place avec la plus grande discrétion. Des policiers de l'Escouade tactique étaient postés à différents endroits stratégiques : dans le rayon pour hommes, un couple feignait de magasiner une chemise, un autre duo sirotait un café sur la terrasse du bistro Le Paris-Brest. Il avait été convenu qu'à l'arrivée de Gisèle Houle, ils entreraient en scène comme clients. Quatre policiers surveillaient la sortie arrière du bâtiment. Près de la piste cyclable, une voiture banalisée était stationnée avec trois agents en renfort. Celui qui menait l'opération, un certain Roch Malouin, occupait le siège du passager. Pour avoir une meilleure vue sur ce qui se déroulerait à l'intérieur, on avait libéré la grande vitrine avant de son abri solaire fabriqué d'horribles sacs verts. L'orage qui venait d'éclater n'allait pas leur faciliter la tâche. On avait demandé à Carl et à Judith d'attendre sagement à l'intérieur de la vieille gare, qui avait été réquisitionnée pour l'opération.

— C'est complètement démesuré, explosa Judith. Comme si elle allait venir au travail armée. Tous ses

301

employeurs l'ont confirmé, il n'y a pas plus doux qu'elle.

— Quand il y a rapt d'enfant, les policiers sont sur les dents. La population suit l'affaire comme un téléroman. Si on laisse échapper la méchante, on ne le pardonnera pas à Métivier.

— Elle va être traumatisée par son arrestation. Si elle est psychotique, je ne donne pas cher de l'état dans lequel on va la ramasser. On ne pourra rien tirer d'une femme en délire. On a besoin de son adresse pour retrouver Lucas. Son témoignage est crucial pour identifier Perséides. Si tu savais comme j'ai hâte de régler cette affaire et de tomber en vacances !

— Vous avez des projets ? se moqua Carl en laissant flotter une mer de sous-entendus.

Carl avait surpris Matéo chez elle. Judith s'en voulut de ne pas avoir fermé les stores.

— C'est sérieux ? insista-t-il.

Réagissant à son indiscrétion, elle lui assena un coup de coude qu'il évita de justesse. Les bras dans les airs, il riposta :

— Je suis content que tu aies quelqu'un dans ta vie. Je suis contre le gaspillage. Une belle fille comme toi, il faut que ça serve.

Comme elle allait lui rentrer dedans, le sergent Malouin fit interruption dans le hall où ils étaient postés. Son long visage trempé affichait un air nerveux. La pluie s'était intensifiée.

— Il est 13 h 30. Je n'aime pas trop ça. On me dit que la dame n'est jamais arrivée en retard. Qu'est-ce que je dois comprendre ?

Sur le coup, Judith ne sut que répondre. Puis elle se mit dans la peau de Gisèle Houle. Dans les souliers d'une mère. Voilà comment il fallait réfléchir. Si elle détenait Lucas, en plus de sa propre fille, la femme recherchée avait sous sa garde un enfant turbulent. Une évidence prit forme dans son cerveau.

— Elle ne viendra pas, affirma Judith, en se sauvant au pas de course.

Sous la pluie battante, elle traversa la rue sans regarder, entra en coup de vent dans la friperie et se dirigea vers Céline et Annie qui s'étaient mises à l'abri, comme convenu, dans la salle de repos des employés.

— Vous l'avez attrapée ? clamèrent-elles à l'unisson.

— Qui garde la fille de Gisèle lorsqu'elle vient travailler ? les pressa Judith.

Les deux femmes se consultèrent du regard.

— Son mari, j'imagine, supputa Céline. Il a sa compagnie, ses propres horaires.

— Vous l'avez déjà rencontré ? Il vient la chercher parfois ?

— Non, on ne l'a jamais vu. Mais elle lui téléphone souvent. Le samedi soir de son anniversaire, elle l'a averti qu'elle rentrerait plus tard.

— Merci.

Judith sortit aussi vite qu'elle était entrée. Abritée sous la marquise de la friperie, elle leva les yeux. Elle était dans la mire de tous les membres de l'équipe tactique. Elle bougea pour échapper aux regards interrogateurs. Une fois dans le dépanneur voisin, elle put réfléchir en paix.

Gisèle Houle faisait-elle comme si Robert Leblanc était toujours son mari ? Avait-elle un nouveau conjoint ?

Carl entrebâilla la porte du dépanneur et la héla.

— On remballe. Ils viennent d'intercepter un appel. Gisèle Houle a avisé la patronne qu'elle ne rentrerait pas. Son enfant fait de la fièvre.

— Vont-ils pouvoir retracer le numéro ? cria-t-elle en suivant Carl sous les trombes d'eau.

— Seulement si elle n'a pas utilisé un cellulaire. Les choses sont plus compliquées maintenant. Le nombre de compagnies augmente sans cesse.

— Il faut chercher du côté des forfaits les plus économiques. La dame n'est pas riche.

Ils s'engouffrèrent dans la voiture. Comme Carl s'apprêtait à démarrer, Judith l'arrêta.

— Il y a quelque chose qui cloche. Depuis qu'elle a été engagée au Vestiaire, Gisèle Houle n'a jamais manqué un seul jour de travail. Pourquoi aujourd'hui ? Elle a toujours prétendu avoir un homme à la maison pour garder la petite.

— Peut-être que le monsieur trouve ça moins drôle avec le nouveau petit frère hyperactif.

— … ou peut-être qu'il n'y a jamais eu de nouveau monsieur dans l'histoire, soupesa-t-elle à voix haute.

À cette idée, Carl lui saisit le poignet.

— Judith…

Il était aussi pâle que sa chemise. Les deux policiers s'éjectèrent en même temps de la voiture et se précipitèrent à l'intérieur de la friperie.

— Vous avez déjà vu Béatrice ? demanda Judith.

— Un beau poupon tout rond ! s'exclama Céline. Gisèle en était achalante. Toujours à nous montrer des photos.

— Je ne vous parle pas de photos, haleta la policière. La Béatrice en chair et en os. Vous l'avez déjà vue ?

— Euh… je ne pense pas, non, réfléchit Céline. Toi, Annie ?

Cette dernière remua la tête en signe de négation.

— Est-ce que madame Houle aurait pu inventer son histoire d'enfant ? demanda Carl en tentant de conserver son calme.

Les deux femmes éclatèrent de rire.

— Ce serait surprenant. Avec tout ce qu'elle a acheté, objecta Annie.

— Gisèle travaille le mardi après-midi pour être la première à voir les arrivages sur leurs cintres, rigola Céline. Le beau qu'elle a trouvé! Je me moquais d'elle: «Tu vas lui faire porter une robe par jour, si ça continue…»

Carl contacta aussitôt Robert Leblanc qui corrobora les dires des employées du Vestiaire: l'enfant de Gisèle Houle n'avait jamais été vu.

— Tu as besoin d'avoir un bon plan, Judith, parce que notre fausse maman vient de se terrer comme une belette dans sa cachette.

Judith n'avait pas de plan, pas d'adresse, et trop de scénarios étaient possibles.

Quand elle arriva au poste et qu'elle aperçut Marianne Arsenault qui l'attendait sagement à la réception, Judith se dit qu'un début de réponse venait peut-être à elle.

44

Mardi 2 août, 15 h

Marianne Arsenault se tenait bien droite sur sa chaise devant Carl Gadbois et Alain Dessureaux, assis à l'étroit dans le petit bureau de Judith. L'enquêtrice invita la naturopathe à leur répéter l'étrange histoire qu'elle venait de lui raconter. Ils devaient faire vite, Métivier les attendait à 16 h pour un *debriefing*. Pour l'instant, dépité par l'échec de sa stratégie à grand déploiement, il s'était cloîtré dans ses locaux avec le sergent Malouin de la SQ.

— Sur le coup, je n'ai pas pensé que c'était important. Puis je me suis dit que sa sœur avait peut-être continué de la tourmenter…

— C'est votre séminaire à Lily Dale, dans l'État de New York, qui nous intéresse, reprit Judith.

— Oui, le séminaire. C'est ma cinquième année. Mon pèlerinage annuel. En juillet dernier, j'ai proposé à Gisèle Houle de m'accompagner. Elle possède une vieille *minivan* dans laquelle on peut installer des matelas. Si on peut économiser un peu… On a passé une semaine là-bas. L'endroit est magnifique. Gisèle était contente d'y aller. Elle a adoré les ateliers. Mais ce qui l'a fascinée le plus, ce sont les séances de médiumnité.

On se recueille dans la grande chapelle et l'officiant laisse les esprits venir à lui. Puis sa voix s'adresse à quelqu'un au hasard dans l'assistance. Parfois, il s'agit d'un mari décédé, d'une mère, d'un enfant quelconque qui veut entrer en contact avec l'un de nous. Je n'ai jamais été choisie encore. Ça m'a même un peu vexée que le médium se tourne vers Gisèle à la dernière séance. Il s'est approché d'elle, s'est placé dans son dos et l'a tenue entre ses bras. Sa voix est devenue aiguë. La sœur défunte de Gisèle a parlé par sa bouche. « Tes souffrances achèvent, ton enfant arrive », lui a-t-elle promis. Gisèle s'est effondrée. Je ne l'avais jamais vue pleurer. On ne s'en est pas reparlé, sauf que… Je ne suis pas une spécialiste, mais…

— Continuez, l'incita Judith.

— Quand on a repris les cours pour les mamans en août, à Ham-Nord, elle s'est présentée à l'atelier en m'apprenant qu'elle voulait en faire partie. Elle était enceinte.

— Vous ne l'avez pas crue ?

— Comme je vous l'ai dit, je ne suis pas médecin, mais… son bébé, je ne le sentais pas.

— Vous l'avez auscultée ?

Marianne sourit d'un air condescendant.

— Avec les facultés que j'ai développées, je n'ai plus besoin de toucher pour distinguer ce qui est vivant de ce qui ne l'est pas.

— C'était ça, votre différend ?

— Oui. Elle a continué à fréquenter les ateliers quelques semaines parce que j'avais besoin d'elle, puis en octobre dernier, je lui ai fait comprendre que son énergie m'était toxique.

Judith se tourna vers ses collègues.

— Vous avez des questions ?

Alain leva la main comme à la petite école, puis la rebaissa aussitôt en réalisant l'absurdité de son geste.

— Vous avez mentionné que madame Houle conduisait une fourgonnette. Vous souvenez-vous de la couleur, de la marque ?

— Elle est blanche. Pour le reste, vous savez, moi…

— Avec votre pouvoir, vous ne seriez pas capable de lire la plaque ? ironisa Carl.

Judith lui administra un coup de pied sous la table. Alain fit diversion.

— Dans nos dossiers, on a plutôt des immatriculations pour une Hyundai *charcoal* 2003.

— Sa fourgonnette était pas mal finie. Gisèle payait ses plaques l'été seulement. Elle parlait de s'en débarrasser.

Judith remercia Marianne pour le temps qu'elle leur avait accordé et la reconduisit à l'accueil. Elle en profita pour respirer une bouffée d'air avant le *debriefing*. La pluie n'avait pas cessé. Elle s'abrita sous le *gazebo*.

Ce que venait de leur révéler Marianne Arsenault était précieux. Gisèle Houle donnait foi à des voix pour guider ses gestes. Son obsession de maternité était maladive, puissante. Avait-elle franchi la ligne de la raison au point de tuer pour avoir un enfant ?

Cela semblait improbable, surtout si elle était elle-même enceinte. Or, Marianne Arsenault ne croyait pas à cette grossesse. Cette Béatrice, sa prétendue fille naturelle, existait-elle vraiment ? Charlaine Blondin avait déjà mentionné l'existence de l'enfant. Et si Gisèle Houle était déjà mère, pourquoi alors aurait-elle kidnappé Lucas ?

45

Mardi 2 août, 16 h

Claude Métivier n'était pas content. Il haranguait l'équipe rassemblée dans la petite salle de réunion. Judith Allison l'interrompit.

— On a une suspecte solide. Les preuves amassées sont incriminantes.

— Je n'en ai rien à foutre si vous n'arrivez pas à lui mettre le grappin dessus. On a déjà trop attendu, je ferai un signalement public dès cet après-midi. Gisèle Houle n'est pas une extraterrestre. Elle a des voisins. Aux nouvelles de 18 h, quand ils verront sa binette sur leur écran géant, on sera prêts à intervenir.

— Tu oublies qu'elle a la télévision, elle aussi. Si elle se sent traquée, on ne sait pas comment elle va réagir. C'est une femme qui a des problèmes de santé mentale, défendit Judith.

— Aliénation mentale ! éclata Métivier. On a juste ce mot-là à la bouche de nos jours. Une criminelle est une criminelle. Les faits sont clairs : elle a enlevé un enfant.

— … et peut-être assassiné une femme enceinte, ajouta Judith, offusquée.

— Tant qu'on ne sait pas de qui il s'agit, pour moi ça demeure un paquet d'ossements non réclamés. Son ADN ne correspond à celui d'aucune femme disparue au Canada, cette morte ne relève plus de notre juridiction. Les infos ont été envoyées aux différentes agences internationales. On va les laisser faire leur travail.

— Voyons, Claude ! Tu sais le temps fou qu'ils mettent à bouger, s'énerva Judith.

— Il n'y a personne qui la pleure. Ça fait déjà plus de huit mois qu'elle est hors circuit, l'affaire peut attendre.

Le ton détaché de son patron irrita l'enquêtrice. Elle pensa à Quentin Nouaux. Une fois de plus, sa requête allait demeurer lettre morte.

Judith tenta une dernière offensive.

— Les deux affaires sont liées. On ne peut en éclaircir une sans fouiller l'autre.

— Peut-être, mais moi, c'est le petit morveux qui a sa face sur tous les poteaux de la région qui m'intéresse. On doit le trouver au plus sacrant si on ne veut pas passer pour des incompétents. On fait donc comme je dis.

Judith voulut protester, d'un geste Métivier lui intima de se taire. Carl, qui n'avait pas encore ouvert la bouche, se risqua.

— Écoute, Claude, Judith a raison. La dame pourrait avoir des réactions imprévues. Imagine qu'on échappe le petit. Ce serait plus désastreux pour notre réputation que de mettre quelques jours de plus à le retrouver.

Métivier semblait écouter. Carl continua de l'appâter.

— On a une piste sûre pour repérer Gisèle Houle. Laisse-nous un peu plus de temps avant de publier l'avis de recherche.

— Quelle piste ? s'étonna Judith, frustrée de ne pas avoir été mise au courant.

— C'est l'autre dame qui travaille au Vestiaire de Warwick, Lucie Royer. Elle vient de me téléphoner pour me dire qu'elle trouvait étrange que Gisèle Houle prétende habiter à Victoriaville, alors qu'elle quitte le travail en empruntant la direction de Tingwick. Ça circonscrit pas mal nos recherches.

Judith réprima une grimace. La disparition de Lucas Blondin avait été affectée à Carl. Elle devait s'habituer à lui laisser du lest. Avec cette avancée, il marquait des points pour se qualifier comme enquêteur.

Métivier fit la moue. Il jeta un œil à la ronde.

— Va pour trois jours. Je veux voir Gisèle Houle avant samedi, sinon on va pouvoir admirer sa photo dans les journaux. Et pas seulement les régionaux !

— Pour ce qui est de Perséides..., ajouta Judith, j'ai avec moi le rapport final du laboratoire médicolégal de Montréal.

— Et ? la pressa, Alain, curieux.

— Ils confirment par d'autres tests ce qu'ils supposaient depuis le début : le décès du fœtus. L'analyse de la moelle épinière des restes retrouvés a permis d'établir que l'enfant était de sexe féminin, fit-elle d'une voix vacillante, en glissant les feuilles vers ses collègues.

Des images monstrueuses défilèrent dans la tête de Judith : le corps éventré de Marie Lavoie, ses viscères mal dissimulés par les sacs d'ordures, le bébé baignant dans ses entrailles, mort d'asphyxie quelques minutes après le décès de sa mère. Pour faire disparaître les fantômes, elle se leva et s'approcha du tableau aimanté.

— Gisèle est obsédée par la maternité. Si elle était enceinte à l'époque du meurtre de Perséides, elle n'avait donc aucun mobile pour l'assassiner.

Judith biffa d'un gros X le nom de Béatrice sur le schéma et encercla celui de Lucas. Il était dans une bulle. « L'enveloppe placentaire de Gisèle », pensa-t-elle.

— Il est aussi possible qu'elle ait menti à Marianne sur sa grossesse, tout comme elle avait déjà menti à son mari. Dans ce cas, elle rencontre Perséides chez Marianne Arsenault, convoite son bébé. Devant le refus de la mère de le lui céder, elle la traque dans un endroit retiré, la poignarde en tentant d'épargner le ventre de la victime, tout comme nous l'indique la carte des coups de couteau. Sauf que sa tentative échoue. Le fœtus est mort. Pour se consoler, elle reluque un autre enfant. Elle jette son dévolu sur Lucas, un pauvre garçon que sa mère indigne laisse sans surveillance, la nuit, dans une voiture.

Judith déposa son marqueur et observa la réaction de ses collègues. Alain toussota.

— Si je peux me permettre… fit-il en empruntant le crayon feutre.

— Je serais aussi porté à croire que Gisèle Houle n'a jamais eu d'enfant naturel, commença-t-il. J'ai épluché tous les registres des naissances depuis un an. Ou elle a accouché toute seule dans un champ de neige, ou elle a mené tout le monde en bateau. Cependant, plusieurs éléments favorisent l'hypothèse d'une naissance.

À coté du nom rayé de Béatrice, il dressa la liste d'un certain nombre de faits : photos du bébé, achat compulsif de vêtements d'enfant, propos sur la santé de sa fille, préoccupation de gardiennage.

— Ça ne prouve rien, la contredit Carl. La femme est folle. Elle veut tellement un enfant qu'elle s'en invente un.

— Ce qui nous fait douter de l'existence de Béatrice est que personne ne l'a vue, lui rappela Judith. Avant la réunion, j'ai laissé un message urgent à Charlaine Blondin pour vérifier si elle-même avait déjà croisé l'enfant.

— Si elle le confirme, je ne comprends plus rien, s'impatienta Carl. Le fœtus de Perséides a été réduit en bouillie. Si Gisèle Houle se trimbale avec un bébé, il a bien fallu qu'elle accouche !

Judith se figea, frappée par une pensée soudaine.

— Elle vit peut-être avec une petite fille qui n'est pas la sienne, hasarda-t-elle.

Claude Métivier déglutit.

— Es-tu en train d'insinuer qu'il pourrait y avoir un autre enfant volé ?

— Je ne suggère rien, je réfléchis tout haut, c'est tout, le calma Judith.

— On s'égare, les ramena Métivier. Concentrons-nous sur les victimes connues.

— Toi, Claude, demanda Carl en prenant un ton intéressé, avec ton recul, tu en penses quoi ?

Judith soupira. Son coéquipier avait le tour de se magasiner des galons.

L'interpellé se rejeta en arrière et fit durer l'attente avant de répondre.

— J'ai parcouru tous vos rapports et je dois reconnaître que la thèse de l'enlèvement de Lucas est bien documentée. Beau travail !

Le félicité savoura le compliment. Métivier continua de distribuer ses avis comme des prix de fin d'année.

— Pour ce qui est de l'enquête sur l'éventration de la jeune femme du lac Sunday, je trouve qu'on perd notre temps. On attribue un peu trop facilement le crime à madame Houle. Il ne faut pas oublier que la jeune victime avait la jambe légère. Ça se battait à la porte pour coucher avec elle.

Judith se sentit bafouée. Métivier ne l'aimait pas. Il la visa d'un regard hautain.

— Judith, je trouve que tu as vite blanchi les hommes de l'histoire : Quentin Nouaux, le fou à Martin Grimard et l'autre, là, comment il s'appelle déjà ?

Alain souligna d'un trait noir le nom de Cyril dans un coin du tableau et répondit :

— Il a un alibi qu'on a vérifié.

— De jeunes drogués. Pour ce que ça vaut, rétorqua Métivier.

Judith s'accrocha au bord de la table pour ne pas lui sauter à la figure. Son patron continua.

— Si ça se trouve, madame Houle n'a rien à voir avec le carnage de l'érablière. Son seul tort est d'avoir croisé la victime. Si c'était mon enquête, je ferais attention de ne pas laisser contaminer mon jugement par un vieux fait divers qui s'est produit à une époque où la médecine ne pouvait pas grand-chose contre l'infertilité. Aujourd'hui, il y a des moyens plus simples pour se faire faire un petit que d'aller l'arracher des entrailles d'une autre. D'après moi, on a affaire à l'œuvre d'un prédateur sexuel ou à un crime passionnel.

La fureur empourpra les joues de Judith. Quel paternalisme ! Comment osait-il la discréditer de cette façon ? Elle lui décocha un regard meurtrier qu'il esquiva en se tournant vers Christiane, qui s'était immiscée dans l'entrebâillement de la porte. Elle avait changé de coiffure. Des mèches mauves zébraient ses courts cheveux noirs taillés en pointe. Un look qui, au lieu de la rajeunir, lui conférait un aspect d'électrocutée.

La réceptionniste justifia son interruption en adressant un large sourire à Judith.

— Tu es demandée à l'accueil. Un beau jeune homme ! Je lui ai dit que tu étais en réunion, mais il insiste vraiment pour te voir.

Les farces ne se firent pas attendre. Le regard fuyant, Judith s'empressa de quitter la salle. Quand elle se présenta à l'accueil, elle n'y trouva aucun visiteur. Christiane avait disparu. À quoi jouait-on ? En rogne,

Judith revint dans la salle de réunion. Elle la trouva déserte. Où étaient donc ses collègues?

Le bruit d'une détonation emplit la pièce. Instinctivement, Judith se projeta au sol et rampa sous la table. Des rires éclatèrent. Son corps tout entier tremblait. Elle se releva avec précaution, en domptant son souffle. Dans le cadre de porte se tenaient Alain, Carl, Christiane, Métivier. Derrière eux, d'autres agents du poste. Pourquoi?

— «Ma chère Judith... c'est à ton tour de te laisser parler d'amour...»

Christiane fit apparaître quelques flûtes sur la table et invita Alain à verser le champagne. Après un flottement, Judith avoua:

— Ce n'est pas mon anniversaire.

— Mais sur ton compte Facebook? la contredit Alain, ahuri.

— Je n'ai pas mis la vraie date..., par sécurité.

— Niaise-nous pas, c'est au début d'août, s'interposa Christiane, je m'en souviens très bien.

— Tu as raison. C'est dans deux jours.

— Parfait, rattrapa Christiane en invitant Alain à servir tout le monde. Rien ne nous empêche de prendre de l'avance.

Judith prit le verre qu'on lui offrait et le leva. Elle aimait son équipe. Quand elle trinqua avec Christiane, la standardiste lui glissa une note dans la poche de sa veste. Une fois à la salle de bain, Judith déplia le billet:

«Carole Richer m'a chargée d'un mot personnel pour toi: Jacinthe Deschamps est décédée en septembre dernier. Accident de voiture.»

Judith resta figée sur le siège des toilettes. Les trois verres de champagne qu'elle venait d'avaler lui donnaient le tournis. Les âmes tourmentées évoquées par Marianne Arsenault, dont celle de cette Jacinthe Deschamps, défilèrent devant elle. Son malheur n'était pas d'avoir été enfermée la moitié de sa vie dans une institution psychiatrique. Le véritable drame qui l'avait hantée jusqu'à sa fin était celui de n'avoir pas eu d'enfant. Et après sa mort subite ? Était-elle revenue vampiriser Gisèle Houle, comme le supposaient les croyances de Marianne ? Judith chassa ces chimères. La vie après la mort ne l'intéressait pas. La réalité portait déjà assez d'éléments insolites sans s'obliger à en inventer.

S'apprêtant à actionner la chasse, elle suspendit son geste. Un filet de sang rouge clair se mêlait à l'eau souillée en traçant des volutes. Ses dernières menstruations remontaient à une dizaine de jours. Réglée comme une horloge, elle s'inquiéta. Pour la première fois, son cycle s'était brisé.

Béatrice

46

Mercredi 3 août, 9 h

D'une main, Gisèle Houle tenait un mouchoir sous le nez morveux de Lucas. De l'autre, sa tête.

— Souffle fort par tes narines, l'encouragea-t-elle. Le rhume va sortir comme la fumée d'une cheminée.

Le petit s'exécuta avec toute la précision dont il était capable.

— Une dernière fois, l'implora-t-elle en saisissant un *kleenex* propre.

Elle jeta les mouchoirs souillés dans la poubelle et s'enduisit les doigts de Purel. Il était trop tard. Elle se gronda. Par ses mains, Béatrice avait reçu les microbes du plus vieux. Elle s'était pourtant désinfectée chaque fois qu'elle était passée de l'un à l'autre.

La petite était silencieuse. Chaude et molle dans son berceau. Elle ne tenait plus dans sa chaise haute. Les dernières nuits avaient été plus fraîches. Malgré leurs grosses couvertures de laine, les enfants avaient pris froid. Ses réserves de rondins étaient épuisées. Elle devait se procurer du bois. Peut-être que son voisin, le vieux Paradis, lui rendrait ce service sans écornifler. À 80 $ la corde, ce n'était pas donné ! Il fallait retourner

323

travailler. Son poste de préposée était beaucoup plus payant que le maigre salaire que la radine de Céline Dufresne lui offrait au Vestiaire. Cela représentait à peine de quoi payer son essence et quelques aliments de base. Maintenant, elle avait deux enfants à nourrir et Lucas manifestait déjà un appétit d'homme.

Elle regarda Lucas mordre dans son bout de pain avec la même intensité qu'elle l'avait observé pendant qu'il dormait. Aucune lumière bleutée n'auréolait sa petite tête. Il n'y avait que Marianne Arsenault pour déceler les enfants choisis. Un jour, elle y parviendrait. Grâce à son don. Lucas lui faisait confiance et, en retour, elle le vénérait pour ce qu'il était : un être d'exception, venu sur terre pour enseigner aux humains à vivre dans un nouveau siècle qui serait meilleur pour tous. Un monde de lumière où toute souffrance serait effacée. Un univers de bonté pour accueillir les enfants de la Nouvelle Ère comme sa Béatrice. Ces petits êtres d'un siècle tout neuf goûteraient au bonheur de l'enfance dont elle-même et sa sœur avaient été cruellement privées.

Gisèle extirpa sa fille de son lit et lui passa une débarbouillette d'eau froide sur le front. La petite n'eut aucune réaction. Si la fièvre ne baissait pas, elle passerait voir le médecin.

La malade dans les bras, elle rapprocha le berceau du poêle et alluma le four. À la vue des draps défaits, elle imagina tous les germes qui s'y étaient logés.

— Viens t'asseoir sur le divan, mon homme, pour surveiller ta sœur pendant que maman change son lit. Tu finiras tes céréales après.

Lucas rechigna. Gisèle sourit. Il avait été élevé en enfant unique et, comme tout être Indigo, il n'avait pas envie de partager l'attention. Elle lui apprendrait à maîtriser sa jalousie, ferait des activités seule avec lui. Le fait qu'il parlât peu confirmait la richesse de son monde intérieur. Avait-il réellement des pouvoirs de guérison, comme l'avait laissé entendre l'enseignante Marianne Arsenault ? S'il possédait cette faculté, il pourrait soulager la grippe de Béatrice.

Gisèle pressa Lucas de se hâter. Le garçon sauta de sa chaise.

— Passe d'abord te laver les mains, mon chou.

Il s'exécuta, puis vint se coller près de Gisèle, installée sur le divan.

— Tiens-la bien en maintenant le linge sur sa tête, lui expliqua-t-elle en lui confiant le bébé.

D'un geste rapide, elle se leva et arracha les draps souillés du berceau. Elle ouvrit la porte de la cave. Le ballot dévala les escaliers et alla rejoindre la montagne de vêtements d'enfants qui jonchaient le sol.

Avant de sortir, la petite femme promena son regard dans le salon connexe à la cuisine. L'émotion lui noua la gorge. Elle avait sous les yeux l'image de la famille dont elle rêvait depuis si longtemps. La soupe à l'orge mijotait sur le poêle ; son grand garçon racontait des histoires à sa petite sœur et elle vaquait au bien-être des siens, enfin heureuse d'exister dans le cadre d'une vie normale. Avec un peu d'imagination, les failles du portrait étaient faciles à combler : l'homme était parti aux champs, ou bien il s'était éloigné pour un travail à l'extérieur, il n'était surtout pas avec cette Myriam qu'il délaisserait bientôt pour venir la retrouver.

Elle prit son panier à linge, sortit sur la galerie arrière et se jucha sur une vieille caisse de bois pour décrocher les petits draps fleuris qu'elle avait mis à sécher en début de matinée. Elle regarda avec découragement le reste de la longue filée de vêtements qui ballottait au vent sur sa corde à linge. Le ciel était clair. Son ouvrage attendrait. D'abord s'occuper de Béatrice.

***

À moins de deux kilomètres de là, un nuage de poussière se souleva dans l'horizon. La Nissan rouillée de Charlaine Blondin fendait l'air.

La jeune femme roulait à tombeau ouvert. Sa tête voulait éclater. Elle ralentit et, sans arrêter la voiture, ouvrit la portière pour vomir. Malgré les efforts désespérés de Bigfoot, Charlaine n'avait rien avalé de consistant depuis que le juge lui avait permis de retourner chez elle. Elle devait se représenter sous peu pour répondre à une accusation de négligence parentale.

En arrivant au sommet de la côte du 6e Rang, Charlaine faillit entrer en collision avec un transporteur de lait qui sortait de l'entrée d'une ferme. Elle donna un coup de roue qui la fit déraper sur l'accotement, puis elle réussit de justesse à reprendre la maîtrise du volant. À la vitesse où elle roulait, ses pneus usés faisaient de l'aquaplanage sur le chemin de gravier. Pour se remettre de ses émotions, elle vida le reste du 26 onces de Jack Daniel's qu'elle tenait coincé entre ses cuisses, maudissant la folle qui lui avait ravi son petit.

Hier, au poste de police, elle avait surpris une conversation entre deux agents : Gisèle Houle était bien celle qu'ils recherchaient pour l'enlèvement de Lucas. Pas question de faire confiance à qui que ce soit pour retrouver son fils, pas plus à la jeune Allison qu'à son cave de partenaire. Aucune promesse ne tenait dans ce monde pourri. Aussitôt retrouvé, Lucas lui serait enlevé par la DPJ. Elle devait mettre la main dessus avant la police et filer vers Roberval, où il lui restait quelques bons amis.

Un pâté de maisons surgit à sa droite. Elle avait une longueur d'avance sur les enquêteurs : elle savait où habitait sa donneuse de linge. Dans une construction en briques rouges du 6e Rang. Où était-ce le 7e ? Elle ne s'en souvenait plus très bien. Elle n'y était venue qu'une seule fois. Avec Lucas. Son cœur se serra. Elle revit son enfant accroché aux jupes de Gisèle. Il voulait la couverture de soie colorée qui séchait au soleil printanier. Gisèle Houle lui en avait fait cadeau. « De la part de ma petite Béatrice », avait-elle spécifié, la larme à l'œil. Une prime aux deux poches de vieux vêtements qu'elle s'était pressée de revendre. Elle aurait dû se débarrasser de l'édredon à ce moment-là. Ce tissu leur portait malheur. Mais Lucas y tenait.

Elle donna un coup d'accélérateur qui fit gronder les pneus. La personne qui allait lui enlever son petit n'était pas encore née et si elle l'était, ses jours étaient comptés. Elle fracassa la bouteille vide contre le tableau de bord pour s'en faire une arme. Sa main droite pissa le sang. Le tranchant du goulot l'avait coupée. Absorbée par sa blessure, elle quitta la route des yeux. La voiture rata le virage et plana au milieu du champ en faisant plusieurs tonneaux avant de s'immobiliser. Quelques vaches cessèrent de brouter et fixèrent, hébétées, les roues qui continuaient de tourner.

***

Alors qu'elle rentrait sa bordée de linge frais dans la maison, Gisèle Houle aperçut sa petite Béatrice qui gisait sur le tapis natté du salon. Elle échappa son panier et se précipita vers elle. L'enfant ne bougeait plus. Affolée, elle ramassa un drap propre, l'en enveloppa, puis chercha des yeux Lucas. Les cris qu'elle poussa apeurèrent le petit. Elle l'entendit gémir. Le son provenait de la cave. La porte était restée entrouverte. Au pied de l'escalier, le tas de vêtements sales remua.

— Attends-moi ici ! Maman va faire une commission et revient dans pas long.

Sa voix était sèche. Cet enfant était déjà mauvais. Comme sa mère. Elle l'avait pris trop tard. Elle lui réglerait son compte au retour.

Après avoir verrouillé la porte qui menait au sous-sol, elle attrapa son sac à main et se hâta vers sa voiture. Comme elle n'avait pas de siège d'auto, elle glissa Béatrice dans sa veste de laine à moitié boutonnée. Avant de démarrer, elle essuya les larmes qui lui embrouillaient la vue. Le petit cœur qui battait contre son ventre lui rappelait les jours de sa grossesse, la période la plus heureuse de sa vie.

47

Mercredi 3 août, 10 h

Les deux autos-patrouilles se suivaient de près. Dans la première, Judith et Carl qui avait sauté sur le volant en apprenant l'accident de Charlaine Blondin, dans la seconde, Alain avec Métivier qui avait insisté pour accompagner l'équipe.

À Warwick, ils croisèrent une zone de garderie. Judith incita son collègue à ralentir. Carl observa avec émotion le groupe de petits se diriger vers le parc. Cette histoire de vol d'enfant l'affectait. Judith n'osa imaginer la bête qu'il deviendrait si on s'avisait d'approcher l'un des siens.

— C'est aujourd'hui que ça se passe, clama-t-il.

Ce ton confiant. Carl tramait quelque chose.

— Explique-moi cette histoire avec Lucie Royer, questionna Judith.

Il lui balança l'information.

— Quand elle m'a téléphoné hier, elle m'a confirmé que Gisèle Houle et elle partageaient les mêmes horaires.

— Je ne vois pas où ça nous mène…

— Gisèle n'a jamais manqué le travail. Puis un mardi, elle est arrivée en retard. Lucie avait pris l'appel.

La dame était chez elle, le manteau sur le dos. Elle avait eu un imprévu, mais jurait qu'elle serait là dans quinze minutes.

Judith fit tournoyer le nouvel indice dans sa tête. Gisèle Houle habitait quelque part en direction de Tingwick, à quelques minutes à peine d'où ils se trouvaient. Excitée, elle prit son cellulaire et mit en marche la fonction chronomètre.

Ils venaient de passer devant le Vestiaire et gravissaient la longue pente du chemin de Warwick. Lorsqu'ils arrivèrent à Tingwick, elle nota le temps parcouru.

— Huit minutes exactement. Prends par la rue Saint-Joseph, commanda-t-elle.

Par le rétroviseur, Judith vit la voiture d'Alain se diriger comme convenu vers la maison de Bigfoot près de l'école Saint-Cœur-de-Marie. De son propre chef, le motard avait appelé au poste pour les informer que Charlaine Blondin était chez lui. Quoiqu'un peu sonnée, elle n'était pas blessée.

Dès qu'ils arrivèrent dans le 6e Rang, là où on leur avait signalé l'accident, ils aperçurent la carcasse de la Nissan renversée sur le dos au milieu du champ. Carl rangea la voiture sur l'accotement, Judith stoppa son chrono.

— Douze minutes, ponctua-t-elle.

— Ton jouet ne nous servira pas à grand-chose, maugréa Carl. Il y a plusieurs chemins pour se rendre à Tingwick depuis Warwick. Pour aller chez elle, Gisèle Houle aurait pu tourner sur...

Judith ne l'écoutait plus. Elle sortit de l'auto et balaya des yeux la scène de l'accident. Carl la rejoignit. Le paysage d'ordinaire si paisible offrait une image désolante. Par les fenêtres et les portières, la voiture accidentée avait craché tous les biens de Charlaine Blondin dans la nature. Des casseroles, des draps, des vêtements accrochés à leurs cintres gisaient, éparpillés au milieu des blés.

— Elle avait le projet de s'éclipser en douce avec Lucas, murmura Judith.

— Quoi ? lui fit répéter Carl.

— Elle n'aurait jamais quitté la région sans son fils. D'après les traces de freinage, elle roulait vite et se dirigeait en direction de Saint-Paul de Chester.

— Tu penses que…

— Je ne pense pas, j'en suis certaine.

— La tabarnak de menteuse ! s'emporta Carl. Pendant tout ce temps, elle savait où demeurait Gisèle Houle.

Il s'engouffra dans la voiture et établit le contact.

— *Envoye*, embarque ! grommela-t-il. Je vais lui plonger ma main au fond de la gorge s'il le faut, mais cette fois-ci, elle va parler.

Judith s'opposa.

— J'appelle Métivier pour qu'il se charge de lui soutirer des indications. Nous autres, on a mieux à faire. Si mes calculs sont justes, la maison de Gisèle Houle est à plus ou moins trois minutes de l'endroit où on se trouve. On explore le périmètre et dès qu'on la repère, on demande du renfort.

Ce jeu de rallye automobile plut à Carl. Sans attendre, ils se mirent en route à basse vitesse.

***

La carte topographique qui avait servi aux battues était dépliée sur les genoux de Judith. La route Luneau, sur laquelle ils avaient bifurqué, devenait impraticable.

— Ça ne sert à rien de continuer, admit-elle. On s'enfonce dans des terres à bois. Il faut reprendre le 6e Rang aux Quatre-Chemins.

Carl fit demi-tour, tendu. Ils venaient à peine de rejoindre le 6ᵉ Rang qu'ils aperçurent sur leur gauche une ancienne maison en briques rouges qui n'avait pas retenu leur attention. L'habitation était protégée par d'immenses sapins. De cette direction nord, on avait une meilleure vue sur la cour.

— Ralentis, souffla Judith.

Sur une corde à linge battue par le vent, de petites robes se balançaient, tels des enfants. Judith en compta sept. Une par jour.

— C'est ici.

Sa voix était à la fois inquiète et fébrile. Carl mena l'auto-patrouille jusqu'à la maison voisine, une fermette qui était à vendre, puis la laissa s'immobiliser en douceur derrière le chêne qui en ombrageait l'entrée. Comme il s'apprêtait à téléphoner à Métivier et Alain pour leur signaler leur position, Judith ferma l'émetteur.

— Ils vont débarquer ici avec les sirènes. Je crois qu'il faut approcher Gisèle Houle en douceur.

— On va se faire taper sur les doigts.

— Ce ne sera pas la première fois.

Carl lui rendit son sourire. Ils dégainèrent leur arme et s'engagèrent discrètement dans le sentier de terre qui traversait les champs. Le chemin boueux leur permit d'accéder à la cour sans se faire remarquer. Au bout d'une centaine de pas, Carl s'immobilisa. La Hyundai *charcoal* de Gisèle Houle était stationnée contre le mur arrière de la maison. Judith resta sans voix. La Westfalia orange de Matéo s'y trouvait aussi.

Carl serra l'épaule de sa collègue.

— Ne pense pas trop et avance.

Judith fonça vers la galerie. Pour chasser sa nervosité, elle devança Carl et gueula :

— Police ! Ouvrez !

Aucun son ne leur parvint. La porte moustiquaire n'était pas verrouillée. Ils pénétrèrent à l'intérieur. Comme dans l'histoire de Boucle d'Or, trois bols de céréales à moitié entamés étaient abandonnés sur la table. Celui de la maman, celui du petit garçon et celui du bébé. Dans le salon, des jouets éparpillés et, près du four dont la porte était ouverte, la chaleur réchauffait un berceau vide. La vie subitement interrompue.

D'un hochement de tête, Carl invita Judith à faire le tour des lieux. À la suite l'un de l'autre, le pistolet en joue, ils inspectèrent chaque pièce de la cave au grenier.

Quand ils furent certains d'être seuls, les deux policiers relâchèrent la tension et regagnèrent la cuisine.

— Je ne comprends pas pourquoi les voitures sont toujours ici, fit Judith en appréciant la propreté impeccable des lieux.

Carl avait déjà le nez dans le réfrigérateur. Un sifflement fusa lorsqu'il ouvrit le compartiment supérieur.

— Viens voir ça !

Judith s'approcha. Le congélateur était rempli au maximum de récipients de plastique. De la purée pour bébé. Orange, verte, brune.

— Les pots sont classés par grandeurs, couleurs et dates. Ça correspond au profil de Gisèle Houle, admira Judith.

Sidérés par les signes qui marquaient la présence de deux enfants dans la maison, ils n'avaient, ni l'un ni l'autre, osé commenter ce que le décor leur racontait. Dans cette maison, la petite Béatrice existait réellement, comme le petit bain rose accroché au mur de la salle à langer, près d'une tablette où se trouvaient du talc et de l'oxyde de zinc. Si Gisèle jouait la comédie pour se valoriser auprès des autres femmes, pourquoi continuer son cirque entre les quatre murs de sa maison ? Le rapport de Carole Richer confirmait sans équivoque la mort du fœtus de Perséides. Pouvait-il s'agir d'une autre petite fille, comme Judith l'avait supposé ? L'enfant de qui ? De Matéo ? Gisèle en serait la gardienne et il serait venu le récupérer ? Sinon qu'est-ce que sa Westfalia faisait ici ? Trop de scénarios saugrenus l'assaillaient. Elle dérapait. La voix forte de Carl la sortit de sa tourmente.

— Donne-moi une minute.

Il s'en fut à la course vers la salle de bain à l'étage et en revint aussitôt en dévalant les escaliers. Puis il fit claquer les portes d'armoire sous l'évier de la cuisine jusqu'à ce qu'il trouve les poubelles de table. Il prit le sac, se précipita dehors et en répandit le contenu sur le gazon. Il fit de même avec les trois gros bacs de récupération. Judith l'avait rejoint.

— Qu'est-ce que tu cherches ?

— Des couches. Il n'y a pas de bébé qui vit ici. Pas de pipi, pas de caca, pas de bébé. Notre folle s'amuse avec une poupée.

Judith n'avait pas envisagé ça. Elle s'accroupit et respira calmement. Le délire pouvait-il aller jusqu'à cuisiner des petits plats pour un jouet ? Le souvenir des poupées Bout de chou lui revint. Sa tante en gardait une chez elle et un silence d'hôpital était imposé durant sa sieste. Dans son enfance, elle-même s'était pliée au jeu des Tamagotchi, jusqu'à nourrir son robot tous les jours pour qu'il ne meure pas de faim. La thèse de Carl était la plus probable. Pour l'heure.

— O.K. Supposons qu'il n'y ait pas de bébé. On sait quand même qu'elle détient Lucas.

Judith avait trouvé des bas rouges dans la commode d'une chambre.

— Elle n'a pas pu aller loin, sa voiture est là, répéta Carl.

«Celle de Matéo aussi», songea Judith.

Pendant que son collègue s'accrochait à son cellulaire pour faire son rapport à Métivier, Judith sortit à l'extérieur. Au-delà de la cour, délimitée par une clôture de poteaux de cèdre, des champs de maïs se perdaient dans l'horizon. Le peu de pelouse qu'occupait un ensemble de meubles de jardin était fraîchement coupé. «Comme ses cheveux», pensa Judith. Or, un rectangle d'herbes jaunies oublié dans le fond de la cour brisait cette perfection. Judith s'approcha. Des traces de pneus confirmèrent ses doutes. Elle héla Carl et lui cria:

— Gisèle est partie avec sa *van*. Dis à Métivier de donner le signalement pour une vieille fourgonnette blanche.

Quand il vint la rejoindre, Carl examina l'endroit où avait été rangé le véhicule.

— Les douanes sont proches, lâcha Judith. On y est en moins d'une heure et demie. Il faut avertir les postes frontaliers.

— Je m'en occupe, proposa Carl en se remettant au téléphone.

Judith ne pouvait imaginer Gisèle Houle prendre la fuite sans avoir rangé derrière elle. La personne qui avait sauvagement abattu Perséides avait pris soin de tout nettoyer. Quelque chose l'avait forcée à fuir en vitesse. Et pourquoi avoir choisi un véhicule qui n'était pas en ordre? Mue par son instinct, Judith s'approcha de la Hyundai. L'intérieur était aussi rutilant que la cuisine. Elle aperçut la clé dans le contact. En démarrant la voiture, le clignotant de la jauge à essence lui indiqua que le réservoir était vide. Carl réapparut, l'air préoccupé.

— Par les derniers enregistrements, Alain a retracé la marque de la fourgonnette blanche. Une Ford Econoline 2000. Toutes les patrouilles disponibles sont là-dessus. Tant qu'elle roule, on a de meilleures chances de l'intercepter.

— Tu leur as dit que Lucas était avec elle ? s'inquiéta Judith.

— Oui, *boss*, la nargua Carl.

Ses yeux moqueurs la quittèrent et se posèrent, inquiets, sur le champ de maïs derrière elle. Judith se tourna et scruta à son tour la plantation, à l'affût du moindre mouvement. Des pleurs d'enfant déchirèrent le silence. Le danger était tout près. Le corps en alerte, Judith entraîna Carl avec elle derrière la voiture. Les cris se rapprochaient. « Lâche-moi. Je veux maman ! Maman ! Maman ! » En voyant les épis s'agiter, ils se tinrent prêts à intervenir. Si l'enfant était dans les bras de la ravisseuse, ils ne pourraient pas tirer. Il fallait surtout éviter que Gisèle Houle ne prenne la fuite. La silhouette qui émergea des épis n'était pas celle d'une femme. Matéo apparut dans toute sa grandeur. Comme une poche jetée sur son épaule, il tenait Lucas, qui se débattait comme un petit démon. Nullement impressionné de les voir l'arme au poing, il lança en fanfaronnant.

— J'espère que vous avez du désinfectant, cette petite bête enragée m'a mordu.

***

Judith regarda Carl boucler la ceinture de Lucas Blondin. Elle aurait préféré appeler une ambulance, mais son collègue avait insisté pour conduire lui-même l'enfant à l'hôpital. Il avait réussi à calmer le gamin en l'attirant avec le gyrophare.

L'enquêtrice téléphona à son patron pour le mettre au courant des dernières nouvelles. Il l'avisa qu'il retournait au poste pour orchestrer les demandes de mandats.

Quant à Alain Dessureaux, il se chargeait d'emmener Charlaine Blondin à l'urgence pour qu'elle y retrouve son fils. Judith imagina les retrouvailles. Métivier voulait une photo-choc pour la presse, il serait servi. Pour l'obtenir, il avait même accepté de reporter d'une heure l'arrêt de la conductrice qui avait un taux d'alcoolémie de 135 mg, presque le double de la limite permise. L'enfant semblait en bonne forme. Les services sociaux accepteraient-ils de le laisser à sa mère ? C'était une autre histoire, aussi tragique que celle qu'ils venaient de traverser.

Les experts en scène de crime étaient en route. Judith disposait de peu de temps. Elle retrouva Matéo à l'arrière, assis à l'ombre, sur la première marche de la galerie de bois. Elle se posta debout, face à lui, l'air mauvais. Que faisait-il chez Gisèle Houle ? Il lui devait des explications. Le gaillard parut lire dans ses pensées. Il se leva, un sourire réprimé au coin de la bouche.

— Es-tu fâchée parce que je l'ai retrouvé avant toi ? dit-il en lui posant la main sur l'épaule.

La remarque de Matéo insulta Judith. Elle planta son regard dans le sien.

— Tu savais qu'on cherchait à retracer Gisèle Houle.

— Moi, je ne la cherchais pas et je l'ai trouvée, expliqua-t-il avec un geste nonchalant. Le hasard. Je livrais mes paniers, j'ai vu une maison à vendre, je me suis arrêté pour demander des informations aux voisins…

— Tiens, c'est nouveau ça ! Tu te cherches une maison dans le coin maintenant, ironisa Judith.

— J'étais curieux d'en connaître le prix, rétorqua-t-il sur le même ton. En m'y rendant, j'ai entendu un enfant crier, je me suis approché, la porte était ouverte, je suis entré, je suis descendu à la cave et le petit léopard m'a filé entre les jambes.

Judith resta hébétée durant quelques secondes. L'explication était toute simple, anecdotique. Tout ce qu'elle s'était imaginé ! Les larmes lui montèrent aux yeux. Matéo la serra dans ses bras.

— Tu viens de vivre beaucoup de stress. Tu as besoin de vacances. As-tu pensé à ma proposition ?

Judith revit la note glissée au fond de son panier de légumes. Elle n'avait pas la tête à la détente. Même la caresse enveloppante de Matéo ne lui faisait pas d'effet. Elle se dégagea.

— J'ai jusqu'à samedi pour boucler mon enquête. Si j'échoue, je ne sais pas si j'aurai le cœur à m'amuser.

Matéo inclina la tête, résigné, puis il se dirigea d'un pas pesant vers sa Westfalia. Judith se précipita à sa suite, ouvrit la portière du passager et s'installa.

— Je suis à pied, au cas où tu ne l'aurais pas remarqué !

48

Gisèle Houle se replia au fond de l'ascenseur pour laisser entrer les deux chariots. L'heure du dîner était la plus affairée de la journée. Les préposés n'étaient pas assez nombreux et les repas distribués sur les étages avaient souvent le temps de refroidir avant d'atteindre leur destination. Un peu plus d'un an déjà qu'elle avait été forcée de quitter son emploi. Elle allait beaucoup mieux maintenant. Elle était prête à reprendre le travail. Elle devait aussi passer chez Robert récupérer son courrier, même si l'idée d'y croiser sa rivale lui était insupportable. Elle sortit au 4e étage et se dirigea vers le salon des employés. Quand elle fut devant son casier, elle poussa un soupir de satisfaction. Son cadenas y était toujours. On lui avait conservé sa place dans le dernier département où elle avait travaillé. Elle y vit un signe de bienvenue. Avec la petite clé qu'elle conservait précieusement dans un compartiment de son sac, elle ouvrit. Ses souliers blancs et son uniforme bleu pâle attendaient son retour.

***

Ils n'avaient pas échangé un seul mot depuis les dix minutes qu'ils roulaient. Judith regrettait déjà son attitude avec Matéo. Elle ne l'avait même pas remercié. Il avait agi en toute bonne foi et avait eu les bons réflexes en se mettant en chasse pour rattraper Lucas. Elle glissa timidement sa main sur la jambe de son amant. Matéo l'enveloppa d'un sourire qui la fit fondre.

— Pour un technicien en ingénierie, tu es très athlétique, le taquina-t-elle en jouant des doigts sur les muscles de sa cuisse.

— J'ai plein d'autres belles qualités que tu ne veux pas voir.

Le cellulaire de Judith se mit à vibrer. Carl.

— Oui. Où ? J'arrive !

Une montée d'adrénaline secoua Judith. Elle se redressa sur son siège et lança ses ordres comme un capitaine en pleine tempête.

— On s'en va à l'hôpital. Prends le chemin le plus court. Ils ont repéré la camionnette de Gisèle Houle dans le stationnement. Tu peux faire de la vitesse, tu as ma bénédiction.

Avant d'obtempérer, Matéo se tourna vers elle.

— Lucas, vous l'avez envoyé où ?

***

Gisèle était heureuse. Une collègue qui venait de la saluer s'était réjouie de son retour. Elle s'était même informée de sa santé. Une autre lui envoyait la main. Elle était accueillie par des sourires. Rien n'avait changé depuis un an. Gisèle trouva facilement les chariots pour débarrasser les plateaux. Elle s'affaira. Ses gestes, si souvent répétés, étaient automatiques, son esprit tranquille. La vie reprenait son cours. Elle avait confié sa fille aux anges blancs qui la guériraient. Elle aurait un travail stable pour bien la faire vivre. Quant à Lucas, elle s'était cachée de lui dès qu'elle l'avait vu arriver à l'urgence. On l'avait conduit dans une salle d'examen, entouré de sa mauvaise mère, Charlaine, et des policiers. Il ne serait jamais le fils de Kréon. Comme plusieurs enfants Indigo que les parents avaient mal aimés, il avait déjà retourné ses pouvoirs en violence contre lui-même et contre les autres. Il en serait autrement de Béatrice. L'enfant promise savait déjà garder la maison en son absence, tenir les mauvais esprits à distance. Ses facultés de télépathie étaient surprenantes. Elle l'avait sommée de ne pas s'inquiéter, elle n'avait fait qu'une chute bête et elle prenait déjà du mieux. On ne la retiendrait pas très longtemps à l'hôpital, loin de maman.

En entrant dans la chambre 410, Gisèle n'y trouva qu'un seul lit occupé. La femme en train de se tirer du lait expliqua :

— L'autre maman a eu son congé ce matin, la chanceuse. Je n'en peux plus d'être ici !

Gisèle comprit vite la situation.

— C'est un prématuré ?

— De trois semaines. Ce n'est pas beaucoup, mais assez pour qu'il refuse de boire. J'ai les seins qui veulent exploser, ragea-t-elle. On dirait qu'il ne veut rien savoir de moi.

Gisèle s'assit au coin du lit et fixa la mère.

— Les enfants sentent tout. Peut-être est-ce vous qui ne voulez rien savoir de lui.

— Comment pouvez-vous dire ça ! gueula-t-elle. Je viens de le porter huit mois, de me déchirer le périnée en souffrant le martyre pour laisser passer ses grosses fesses.

La patiente s'arrêta pour reprendre son souffle, puis baissa la tête. Elle se calma.

— On a beau crier que c'est la dernière fois, quand tout est fini, et qu'on voit son enfant couché sur notre ventre, ses petites mains qui nous cherchent, c'est fou comme on oublie tout notre mal.

— Vous avez besoin de vous reposer, dit Gisèle en se relevant.

Puis elle approcha l'assiette et réprimanda la femme.

— Pour fabriquer du lait, il faut manger.

— Je n'ai pas très faim, et puis, c'est l'heure de son boire.

Le cœur de Gisèle s'emballa. Une chaleur lui monta au front.

— Je peux m'en occuper pendant que vous reprenez des forces, lui offrit-elle, la voix tremblante.

La femme hésita avant de lui remettre le biberon.

— Merci. Soyez patiente, surtout. Ça lui prend une heure à avaler deux onces de lait.

Gisèle sortit de la chambre sur le bout des pieds. Elle avait noté le nom de la parturiente : Élise Provencher.

Les effluves du lait maternel qu'elle tenait contre sa poitrine lui emplirent les narines. Elle en fut troublée. Aucun petit ongle ne lui grifferait jamais la poitrine comme à cette mère. Son esprit vacillait.

Jacques Saint-Denis, le seul gars de l'équipe, passa près d'elle, une pile de serviettes propres dans les mains.

— Tu sors de chez l'enragée ? Je suis content que tu t'en occupes. Je te laisse lui nettoyer le bas du corps. Elle ne veut rien savoir de se faire laver par moi.

— Je dois d'abord m'occuper de son poupon, fit Gisèle en reprenant ses esprits. Il est aux soins intermédiaires ?

— C'est le seul sous incubateur. Il est avec Pauline. Quand tu la verras, dis-lui que je vais dîner.

— Elle pourra aller te rejoindre, j'en ai pour un bout de temps avec le petit.

La salle de soins était au bout du couloir. Gisèle s'y dirigea d'un pas aérien.

***

La Westfalia fit une entrée remarquée dans le stationnement réservé aux ambulances. Judith abandonna Matéo aux gardiens de sécurité qui affluaient pour lui demander de dégager. Depuis quinze minutes, elle avait le cellulaire collé sur l'oreille et menait les opérations à distance. La police avait fouillé l'Econoline sans rien trouver. Selon les apparences, Gisèle Houle était à l'intérieur de l'hôpital. Métivier ne voulait pas d'évacuation. Si un patient les poursuivait pour dommages subis à cause de cette manœuvre, ils auraient mauvaise presse. Charlaine et Lucas avaient été installés dans une des salles d'examen de l'urgence. Alain faisait le guet dans la salle d'attente. La suspecte n'y avait pas été vue.

Carl attendait Judith devant le bureau des admissions, à l'accueil.

— Le bâtiment est grand, pesta Judith en l'y rejoignant. Va faire un tour en pédiatrie, et moi, je me rends au Centre naissance-famille. Garde ton cellulaire allumé. Si tu l'aperçois, tu ne bouges pas avant que j'arrive.

Son collègue la gratifia d'un regard exaspéré. « *Control freak.* »

— O.K. Quel étage, la pédiatrie ?

D'un mouvement synchronisé, ils s'adressèrent à la réceptionniste qui leur tourna le dos d'un geste agacé. Elle avait une urgence à gérer. Elle se pencha sur son micro. Son annonce résonna dans les haut-parleurs.

«Code 5... 4e étage, aile gauche. Je répète, code 5...
4e étage, aile gauche. »

Judith donna un coup de coude à Carl.

— On a notre réponse, conclut-elle.

Ils repérèrent les escaliers et les grimpèrent à folle
allure. Des cris les guidèrent vers le poste des infirmières.

— Dégagez, police ! hurla Carl en se taillant un passage.

Judith le suivait de près. La main sur son arme, elle se
répétait mentalement la formule apprise pour mettre en
arrêt un suspect. Mais rien ne l'avait préparée à ce qui
se jouait devant elle.

En face du comptoir de l'accueil, une grande vitre
incrustée donnait sur la salle des soins intermédiaires.
Une lumière bleutée y éclairait un incubateur vide.
L'unique porte était verrouillée.

Carl éloigna la horde des infirmières et des préposés.
Il leur ordonna de se tapir dans les chambres aux côtés
des mères et des nouveau-nés. Judith demeura seule
devant le poste de soins. Elle s'approcha de la fenêtre et
risqua un œil à l'intérieur. Rien ne bougeait. Puis elle
entendit de l'eau couler. Le bruit était venu de la droite.
Elle vit la porte des toilettes s'entrouvrir et Gisèle Houle
en sortir avec un bébé dans les bras. Rien d'autre que
l'enfant ne semblait exister pour elle. La femme ouvrit
la fenêtre extérieure à sa pleine grandeur et s'installa
dans la berceuse qui lui faisait face. Gisèle Houle détacha ensuite son uniforme et dégrafa son soutien-gorge.
Le biberon collé contre son sein, elle se mit à allaiter le
marmot. Judith eut l'impression qu'elle fredonnait.

La suspecte lui tournait le dos. Comment forcer la
porte sans faire de bruit ? Pour ne pas mettre l'enfant en
danger, il faudrait négocier. Où était Carl ? Elle devait le
consulter. Cette intervention était délicate. Elle s'éloigna
de la scène pour l'appeler en renfort. Ce fut une erreur.

Alors qu'elle téléphonait, Élise Provencher fonça comme une démente dans le couloir. Tout se passa très vite. Judith lui cria de se calmer, mais elle ne put l'intercepter à temps. Son amie fracassa la grande vitre avec la première chaise qui lui tomba sous la main.

Le réflexe de Gisèle Houle fut de protéger l'enfant en le serrant fort contre elle. Trop fort. Les jambes coupées par les éclats de verre, Élise était déjà de l'autre côté du mur. Comme un Christ en sang, elle se tenait debout devant la voleuse en lui tendant les bras.

— Donne-moi mon bébé.

Sa voix était celle d'une morte. Le regard perdu, Gisèle ne broncha pas. Ses bras enserrèrent encore le trésor qu'elle ne voulait pas lâcher. Le petit se mit à pleurer. Élise poussa un cri. Gisèle se précipita vers la fenêtre ouverte et jeta un œil vers le stationnement. Des gyrophares près de sa fourgonnette !

À la suite d'Élise, Judith avait enjambé les débris de la fenêtre intérieure. Elle se dissimula dans l'angle mort de la criminelle. Elle fit signe à Élise de s'éloigner de quelques pas. Il fallait agir avant que le bébé n'étouffe. Pour l'instant, il gémissait toujours.

Carl arriva en secours. D'un geste, Judith lui demanda de la couvrir. Toujours immobile, la femme traquée resserrait sa prise sur le bébé. Il cessa de pleurer. Un silence terrifiant emplit l'espace. Élise poussa un hurlement qui secoua Gisèle. Réalisant tout à coup ce qu'elle venait de faire, elle remit l'enfant à sa mère et recula d'un pas.

— Je ne voulais pas… excusez-moi, je ne voulais pas…

Judith gueula en direction d'Élise.

— Sauve-toi ! Sors d'ici, vite !

Élise détala en direction de la porte et la déverrouilla à la hâte. De l'autre côté, un groupe d'infirmières attendaient le petit Léandre, sauvé de la mère folle.

Gisèle sursauta en entendant la voix derrière elle. Oubliant l'enfant qu'elle venait de perdre, elle dévisagea Judith avec une grande curiosité, comme si elle tentait de la replacer.

— Je suis Judith Allison, de la police d'Arthabaska. Vous devez me suivre, madame Houle.

Sa voix était feutrée. Elle n'osait dégainer.

— Ce que j'ai fait est mal, je le sais, admit Gisèle avec détachement. Personne ne me comprendra.

La douleur qui se lisait sur son visage était telle que Judith eut pitié.

— Vous allez pouvoir tout me raconter au poste, la rassura-t-elle. D'abord, je dois vous passer les menottes. Levez les bras au-dessus de votre tête, madame Houle.

Judith avait parlé doucement, en détachant chaque syllabe comme on l'aurait fait pour empêcher une avalanche au moment de sortir un blessé d'une crevasse. Gisèle sembla comprendre. Judith fut soulagée. Juste comme elle saisissait les poignets de Gisèle Houle, celle-ci se jeta sur elle de tout son poids et la fit tomber.

— Je ne peux pas aller en prison ! Je dois m'occuper de Béatrice ! lui bava-t-elle au visage.

Un coup de feu fendit l'air, suivi d'une plainte. Judith sentit du sang chaud se répandre sur sa jambe. Carl la délivra de la femme qui s'accrochait à elle dans un dernier effort pour lui chuchoter quelques mots à l'oreille.

***

Pendant qu'on la désinfectait pour éviter qu'elle ne soit contaminée par le sang de la criminelle, Judith reçut trois textos.

1. Élise Provencher et son bébé allaient bien.
2. Charlaine Blondin et Lucas étaient introuvables.

3. Les techniciens du service de l'Identité judiciaire avaient découvert trois sépultures dans la cour de Gisèle Houle : enterrés en surface, un tas de draps souillés de sang et deux urnes funéraires.

Judith manifesta sa surprise :

« Urnes ? »

La réponse d'Alain fut immédiate :

« T'attendent sur ton bureau. »

49

Mercredi 3 août, 18 h

Judith n'avait jamais mis les pieds au complexe funéraire Talbot et Frères. On y accueillait le visiteur dans le monde des morts avec une musique céleste qui jouait en boucle. Dans l'entrée, de mauvaises reproductions de statues grecques se baignaient dans deux fontaines grotesques.

L'enquêtrice n'aurait su dire ce qui justifiait le sourire radieux de Patrice Talbot : le fait de la revoir ou de retrouver ses cendres volées ? Son bureau spacieux était empreint d'un luxe digne d'un PDG. Elle faillit demander si les toiles au mur étaient des originaux, mais se tut de peur de paraître inculte. La situation était déjà assez incongrue. Les urnes retrouvées chez Gisèle Houle trônaient sur la table de verre, à côté des deux tasses de tisane fade que la réceptionniste venait de leur servir.

Judith but une gorgée à la mémoire des mortes dont elle venait d'apprendre les noms.

— Line Houle. Si je devine bien, elle est parente avec Gisèle Houle ?

— Sa jeune sœur, précisa-t-il, en sortant le fichier de sa cliente. Décédée en bas âge, à treize ans... en 1984, pour être plus précis.

— Je pensais que la crémation était une pratique plus récente, fit remarquer Judith.

Patrice Talbot bomba le torse.

— J'ai été le premier à offrir ce service dans la région, se vanta-t-il. Au début, j'avais des forfaits très alléchants pour le faire connaître.

— C'est vrai que les Houle ne devaient pas être très riches, répliqua Judith en durcissant le ton. Même aujourd'hui, se faire incinérer demeure l'option la plus économique. Pas besoin d'embaumement.

Sa mère à elle avait refusé que l'on gaspille de l'argent pour sa dépouille. Pas de cercueil, pas d'exposition du corps, pas de stèle. Elle avait demandé qu'on disperse ses cendres dans la rivière Gatineau.

— Tu veux d'autre tisane ? susurra le grand Talbot en reprenant sa tasse.

Ses gestes avaient quelque chose d'efféminé qui agaça Judith. De longs doigts blancs aux rares poils noirs. Elle eut un frisson en les imaginant effleurer sa nuque. D'un geste brusque, elle déclina l'offre. Elle n'avait qu'une envie, quitter l'endroit au plus vite. Elle prit la plus petite des urnes entre ses mains.

— Béatrice Houle, la fille de Line Houle, l'informa Patrice Talbot.

Judith accusa le coup. Accoucher à treize ans. Cela cachait quelque chose de monstrueux. Son interlocuteur semblait savourer l'aspect macabre de l'histoire qu'il lui livrait.

— Le bébé est mort durant sa délivrance en même temps que la jeune mère. L'an dernier, lorsque monsieur Armand Houle est décédé, les deux urnes, dont il payait la niche dans notre mausolée, ont disparu. Comment le voleur s'y est pris, cela reste un mystère. Le Jardin du Temps est protégé par une porte vitrée. L'endroit est

sécuritaire puisqu'on le tient fermé à cause de la tempé-
rature qu'il faut contrôler.

Judith ne comprenait pas l'importance de conserver
des cendres au frais. Elle s'abstint toutefois de demander
pourquoi. Ils étaient passés devant un somptueux mur
de granit circulaire. D'un ton surchargé de compassion,
Patrice Talbot lui témoigna sa gratitude.

— Au nom du défunt, je tiens à te remercier d'avoir
retrouvé sa famille. Monsieur Houle et les siens repose-
ront désormais ensemble côte à côte.

Il allait saisir son butin, Judith le devança. Leurs doigts
se frôlèrent. Comme si elle les protégeait d'un mauvais
sort, Judith cala les deux urnes contre sa poitrine, prit son
sac et se dirigea vers la sortie.

— Je dois malheureusement les conserver. Ces pièces
sont consignées pour l'enquête.

L'homme bafouilla quelque chose qu'elle n'écouta
pas. Le bruit de la fontaine enterra une vague invitation
à souper.

— Je t'avise dès que tu pourras les récupérer, lui jeta-
t-elle, sur le seuil, pour le calmer.

Elle était déjà dehors. Soulagée. Le croque-mort pourrait toujours attendre. Pas question de faire dormir la
jeune fille et son enfant à côté de ce père que Gisèle
Houle avait jugé trop indigne pour passer l'éternité à les
hanter. Judith espérait que l'accusée lui confirmerait ses
doutes. Elle avait promis d'être à ses côtés aussitôt que
sa blessure serait pansée et qu'on autoriserait la police
à la questionner. Le psychiatre Jean-Guy Langelier, le
même qui lui refusait toujours de rencontrer Martin
Grimard, avait été difficile à convaincre. Grâce au mandat, on lui accorderait une heure, pas plus. Au moindre
signe d'énervement de la malade, on lui demanderait
de partir.

Judith demeura un moment debout à côté de sa voiture. La soirée était douce, l'air, léger. Seuls les bruits agressants de la 116 troublaient le calme des lieux. Même les morts ne pouvaient goûter au silence. Elle consulta sa montre. L'hôpital Hôtel-Dieu d'Arthabaska était à une quinzaine de minutes. Cette journée avait été la plus longue de sa vie, et elle n'était pas encore terminée. Une femme l'attendait en psychiatrie pour lui raconter une histoire. La sienne. Elle avait promis de l'écouter. Elle rangea les urnes dans le coffre arrière, éteignit son cellulaire, se donna un coup de brosse et s'engouffra dans sa Honda Accord pour rouler toutes fenêtres ouvertes, l'album *Various Positions* de Leonard Cohen à plein régime.

50

Mercredi soir 3 août, 19 h

Je, Gisèle Houle (23-07-69), déclare solennellement que, au mois de juillet 2010, j'étais enceinte et que, au mois d'octobre, je ne devais plus l'être…

Le sang. Entre mes jambes. Et moi qui pleure. Lorsqu'il se met à couler, le monde s'écroule. Je cherche un coin à l'écart, je glisse la main dans ma culotte, j'ai peur de regarder le bout de mes doigts. Rouge. Je hais cette couleur. Le désespoir chaque fois. Mois après mois après mois. Ça m'a rendue folle. Non, je ne suis pas folle. N'écrivez pas cela. J'ai toujours eu toute ma tête. Même quand je l'ai… Mon Dieu! Comment est-ce que j'ai pu? Je suis un monstre. Ne le dites pas à mon mari. Il ne voudra plus de moi. Je sais qu'il va me revenir. Dès qu'il en aura fini avec l'autre.

C'est à cause de la mort. Elle est sur mes talons depuis que je suis petite. J'avais douze ans, ma sœur Line, dix. Notre mère a été emportée par une pneumonie. Une maladie bénigne. Dieu la voulait pour lui, il nous l'a prise. Notre enfance s'est arrêtée là. Mon père nous a formées à son service. D'abord pour les repas, le ménage, puis son lit. Il préférait ma sœur. Elle sentait meilleur que moi. C'est vrai que mes règles ont toujours été très odorantes.

Line est morte en couches. J'étais là, dans le coin de sa chambre. Des hommes en bleu s'agitaient autour de son lit. J'ai vu le sang tacher leurs uniformes, leurs mains. Du sang sur le bébé mou qui ne pleurait pas. Il était calme, moi aussi. Béatrice. Elle l'aurait appelée Béatrice, comme la bonne sœur Béatrice qui nous enseignait. Mon père a été menotté et moi, placée chez ma tante Josette. Mais la mort était déjà dans mes poches. Le jour où j'ai donné mon vieux manteau à ma cousine, elle s'est fait frapper par une voiture. Ma tante a dit que j'apportais le mauvais sort. J'ai été placée dans une autre famille, puis dans une autre.

Avec mon premier mari, on a tout essayé, même les cliniques de fertilité. Les médecins m'ont dit que j'étais normale, que c'était lui, à cause de son cancer. Lorsqu'il est mort, j'ai repris espoir. Avec mon nouveau compagnon, Robert, j'ai pensé que ça arriverait. Eh bien, non ! Le sang encore et toujours, dans la cuvette chaque mois. Alors il y a eu cette première fois. Le début de mes sacrées foleries.

Je suis allée dans un bar à Drummondville. J'ai demandé à un homme de venir avec moi. Il a payé pour la chambre. Je voulais que tout se fasse très vite. J'ai dit que mon mari m'attendait. Je ne voulais pas qu'il mette de condom, il a insisté. Quand il est parti, j'ai vidé le préservatif et j'ai glissé son jus dans mon corps avec mes doigts. Je n'aime pas me toucher.

Une autre fois, j'ai eu très peur. De moi, surtout. J'étais à Montréal. Je revenais de la clinique. Je l'ai vue qui quêtait assise sur le trottoir. J'ai mis un billet de 20 $ dans son chapeau. Pour attirer son attention. Elle n'avait pas seize ans, ça se voyait, et son bébé avait froid, je l'ai senti. Lorsqu'ils sont naissants, il faut leur mettre un bonnet sur la tête pour qu'ils gardent leur chaleur. Ses petits orteils me faisaient signe à travers ses chaussons de laine. Il me demandait de lui réchauffer les pieds. Je me suis penchée vers l'adolescente. « Je te donne 5 000 $ si tu me le laisses. Avec moi, il sera heureux. » Je n'ai rien vu venir. Elle s'est levée d'un coup et m'a tailladé la joue avec son canif. J'en ai la marque ici, regardez. Elle s'est enfuie avec mon bébé. Acheter des enfants n'est pas si facile que ça. D'abord elles disent oui, puis elles changent d'idée.

Mes envies sont devenues de plus en plus fortes. Chaque ovulation me déchirait le ventre. L'enfant voulait venir. Il était en colère contre moi. Une fois, il m'a conduite jusqu'au CHSLD. Mon père était mourant. J'ai passé la nuit à son chevet. Il m'a demandé de le faire une dernière fois. Un enfant qui veut venir au monde trouve son chemin.

Les derniers temps, je me suis mise à voler. De petites choses d'abord. Une plume, des vêtements. Rien de précieux. Cela m'apaisait. La vie me doit tellement. Je donne, et qu'est-ce que je reçois en retour ? J'aime aider. Cette jeune mère au centre commercial. Elle n'arrivait pas à manger son hamburger. Son bébé qui pleurait dans ses bras, l'autre qui avait renversé son jus. Je lui ai offert de tenir le bébé quelques minutes. Elle était contente. Elle me l'a prêté. Je me suis éloignée un peu. Elle m'a regardée de travers, je lui ai fait signe qu'il était en train de s'endormir. Puis elle s'est occupée de l'autre. Elle ne me surveillait plus. Je voyais la porte tout près. Mes jambes voulaient courir. J'ai eu peur. Je lui ai rendu son enfant et je me suis sauvée.

Je ne laisserais jamais mon petit à quelqu'un d'autre. C'est si simple. La poussette est là, sans surveillance, à la porte du magasin. Tu te penches pour faire guili-guili et hop ! tu glisses le paquet doucement dans ton sac. C'est petit, un bébé. Avec moi, ils ne pleurent jamais. J'ai un don.

Mais je ne suis pas une voleuse. On ne choisit pas les enfants, ce sont eux qui nous préfèrent. Je n'ai pas kidnappé Lucas. Il est venu vers moi. Il pleurait dans la voiture. J'ai frappé à la vitre. Il m'a reconnue, m'a ouvert et m'a tendu les bras. Je lui ai dit que sa maman travaillait et qu'elle m'avait demandé de le garder. Pour le calmer. J'allais le lui rendre. Quand elle serait sobre. Elle peut bien promettre d'arrêter de boire, moi, je sais qu'elle préfère s'amuser. C'est trop injuste. Certaines femmes ne sont pas capables d'être mères, mais elles tombent enceintes comme des lapines. Charlaine ne mérite pas son gars. S'exhiber comme elle le fait ! C'est pour l'aider que je tiens son garçon loin d'elle. Elle ne le comprend pas. C'est un être choisi, un enfant Indigo. Il faut en prendre bien soin. Moi, je sais comment. Sinon, il deviendra malin. Il a déjà commencé à pourrir.

L'autre, l'enfant de l'Américaine, je n'ai jamais voulu le lui prendre. J'avais déjà le mien. J'étais enceinte de trois mois. Je me sentais puissante, invincible, si heureuse. Le médium avait vu juste. Par sa bouche, ma sœur m'avait annoncé la fin de mes souffrances. La vie allait enfin me donner une autre vie. Une fille, comme la sienne. Mon enfant promis, je le tenais en moi.

Dès que je suis revenue de mon séminaire de Lily Dale aux États-Unis, mes règles ont cessé. Je me suis mise à grossir. Mon amie Marianne ne me croyait pas. Elle disait que c'était dans ma tête. Elle était jalouse. Je ne voulais rien entendre. Je savais que ma petite sœur Line m'avait aidée. Elle m'avait rendue attirante aux yeux du médium. Par lui, elle m'avait ensemencée.

J'étais du côté des mères. Dans les ateliers à Ham-Nord, je laissais les enfants toucher à mon ventre. Les femmes me donnaient des conseils. Parce que je portais, j'étais tout à coup quelqu'un d'important, j'existais. Même Perséides, si secrète, est venue vers moi. Elle s'est confiée. Elle voulait aller retrouver ses parents. Ils auraient bientôt une petite-fille. Elle ne pouvait pas leur enlever cette joie. Je connaissais un poste frontalier où c'est facile de passer. Près de Highwater. Il n'y a qu'un seul douanier. Il suffit d'y aller tôt le matin quand il y a un achalandage de remorques. Ils font passer les femmes sans fouiller leurs voitures. Elle n'avait pas de passeport. Je pouvais la cacher. J'étais heureuse de l'aider.

Seulement les choses ne se sont pas déroulées comme prévu.

J'avais oublié la mort, mais la mort s'est souvenue de moi. Le jour où je devais passer prendre Perséides, je me suis réveillée dans une mare de sang. Je ne comprenais pas. Mon bébé avait coulé, là, au creux de mon lit. Tout brisé. Je suis morte ce matin-là.

J'ai eu beau essayer de laver mes draps tachés, je n'y arrivais pas. J'ai pris une douche. L'eau me brûlait le corps, pourtant je ne sentais plus rien. Je ne me souviens pas de tout. Par exemple, les vêtements que je portais. Comment peut-on penser à ce qu'on va se mettre sur le dos alors que son enfant vient de mourir ? Quand je me souviens de cette journée, c'est dans le bois que je nous revois. Perséides voulait arrêter à la cabane à sucre pour récupérer sa trousse de couture et dire au revoir à son ami Quentin. Elle est sortie de voiture nu-pieds. En plein mois d'octobre ! Elle s'est précipitée dans la cabane et y a trouvé ce qu'elle cherchait. Je l'y ai suivie pour la réprimander. Je lui ai dit qu'elle ne prenait pas bien soin d'elle, que son enfant allait se briser comme le mien. Qu'elle devrait me le donner. Elle était jeune. Elle pouvait en fabriquer un autre. Tandis que moi... Je l'ai suppliée de venir demeurer chez moi le temps qu'il vienne au monde. Après, j'irais la reconduire où elle voudrait.

J'ai lu la peur dans ses yeux. La même que celle de l'autre, la petite sans-abri qui m'avait filé entre les doigts. On n'allait pas m'empêcher une autre fois d'avoir mon enfant. J'ai pensé aux ciseaux dans le coffre qu'elle tenait contre elle.

C'est là que l'idée m'est venue. Je vous le jure, cette idée-là ne m'était jamais passée par la tête avant. Ce n'est tellement pas moi, ma foi du bon Dieu! Jamais je n'avais pensé pouvoir faire ça. Rien que d'y penser, je me serais haïe comme je me hais en ce moment.

Elle n'arrêtait pas de parler. Elle voulait s'en aller parce qu'elle voyait que j'étais nerveuse. Je viens toute plaquée rouge quand je suis nerveuse. J'ai cherché à la retenir. Je ne voulais pas qu'elle parte. Je voulais continuer à discuter, essayer de la convaincre. Je l'ai bousculée. J'ai pris les ciseaux. Elle s'est sauvée dehors. Je l'ai rattrapée par les cheveux et je l'ai frappée, je l'ai frappée, j'ai frappé, frappé, frappé, frappé. Quand j'ai réalisé ce que je venais de faire, combien c'était épouvantable, ça m'a assommée. Je ne sais pas comment j'ai pu faire cela. Je suis un monstre. Je regrette. C'est horrible!

J'ai essayé de réfléchir. J'essaie toujours de tout analyser. Pourquoi ceci, pourquoi cela? Pourquoi moi? Je me croyais intelligente, dans la moyenne, normale. Je suis colérique, oui, mais pas violente. Je me fâche souvent, mais me déchoque aussitôt. Je suis plutôt tolérante, certains me trouvent même bonasse. Je ne me reconnaissais pas. Ce n'était pas moi qui venais de faire ça. Les minutes ont passé. Puis j'ai pensé au bébé. Il fallait que je le sorte de là. J'ai pratiqué une césarienne. Ça a été plus difficile que de la frapper. Je venais de la poignarder et j'étais incapable de faire une petite coupure. Et là... le bébé, j'ai dû trop attendre, il était mort. J'avais fait tout ça pour rien. Tout ce mal. Je me suis dit : « Il faut que je paie pour ça. » Je ne veux pas qu'on mette ça sur le dos de la folie. C'est trop facile. Au bout de quelques années, on nous relâche. Je mérite de payer. Ce que j'ai fait est horrible. Il faut être puni quand on fait des choses comme ça. J'avais décidé de téléphoner à la police.

Mais elle m'en a empêchée. Elle s'est mise à bouger au fond des entrailles déchirées. J'ai tassé la chair. Elle était là, au creux du ventre. Ma petite. Béatrice. Ma petite Béatrice. Sa sœur jumelle l'avait protégée de mes coups.

Je l'ai prise dans mes bras. J'ai coupé son cordon et fait un nœud. Puis je suis allée la baigner dans l'évier. J'ai chanté pour elle. Je l'ai enveloppée bien serré comme un petit Jésus, dans un linge à vaisselle propre. J'ai tout nettoyé derrière moi. J'ai fait disparaître les ciseaux, le couteau. J'ai replacé la trousse de couture pour effacer notre passage. J'ai tiré le corps de Perséides derrière les cordes de bois. Ce n'était pas facile, j'avais le goût de vomir. Je l'ai caché, je ne voulais pas qu'on la trouve, que l'on soupçonne quelqu'un d'autre à ma place. Si je la faisais disparaître, j'arriverais à l'oublier.

J'ai ramassé des feuilles pour la recouvrir et je suis repartie à la maison avec mon bébé. On m'avait vue enceinte. Quelques mois plus tard, je serais maman. J'étais enfin du bon côté de la vie.

Un long silence suivit la confession de Gisèle Houle. Complètement sonnée, Judith l'avait laissée filer sans l'interrompre. Elle ferma l'enregistreuse de son iPad. Trop de questions se bousculaient dans sa tête. Sauf celle que la femme lui posa.

— Je peux la voir?

— Qui?

— Ma fille, fit Gisèle Houle sur un ton de reproche.

— Excusez-moi, je reviens tout de suite.

Judith sortit de la chambre sur la pointe des pieds pour ne pas effrayer la pensée qui traçait son chemin comme une couleuvre dans son cerveau. Dans le couloir, elle s'appuya contre le mur et inspira à fond. Un patient en jaquette, l'air égaré, passa devant elle en traînant les pieds. Son teint olivâtre faisait peur. Les médicaments sans doute. Il lui adressa une grimace de mépris du bout de ses lèvres gercées. Judith reconnut Martin Grimard. Il s'approcha d'elle en tendant un doigt menaçant.

— On m'a volé un couteau. Je dois le retrouver. Père Darveau ne sera pas content. Il va me punir.

L'agent posté à l'entrée de la chambre de Gisèle Houle observait la scène d'un œil soucieux. Judith lui fit signe que tout était sous contrôle. Martin continua son chemin en marmonnant. Judith s'éloigna jusqu'à l'autre bout du couloir pour y voir clair. L'homme venait de lui parler de l'arme avec laquelle Gisèle Houle avait extirpé le bébé du sein de sa mère. Des jumelles, dont une seule avait survécu. Il y aurait donc une Béatrice vivante quelque part. Ils n'avaient pas cru Gisèle. La petite faisait réellement de la fièvre. Il ne s'agissait pas d'un leurre. Inquiète, cette mère s'était précipitée à l'hôpital avec l'enfant en gardant Lucas en contention durant son absence.

Judith dévala les six étages qui menaient à l'urgence. Brandissant son insigne, elle bouscula les patients qui faisaient la file pour s'enregistrer. Un visage cerné la zieuta derrière des lunettes tombantes.

— Oui ?

— Avez-vous reçu une Gisèle Houle aux admissions, ce matin ? Elle se serait présentée avec un jeune bébé.

— Je n'étais pas là, soupira la dame.

— J'aimerais que vous consultiez les registres, la pressa Judith.

La dame fit une recherche rapide.

— J'ai bien une dame de ce nom avec son enfant Béatrice admise vers 10 h. Mais... Donnez-moi un instant. On a fait circuler chez les employés une note qui pourrait vous intéresser.

Elle fit un appel et passa aussitôt le récepteur à Judith.

— Le Dr Catellier veut vous parler.

Judith vacilla. Elle le connaissait. Il siégeait à leur comité de prévention pour les jeunes contrevenants. Sa spécialité était la pédiatrie.

Quelques instants plus tard, Judith retournait au 4e. Le Dr Catellier vint à sa rencontre. Il lui serra la main, puis se dégagea pour laisser apparaître une infirmière qui tenait un poupon dans ses bras. L'enfant qui gazouillait n'avait pas six mois.

— On a craint une commotion cérébrale, mais à part une mauvaise grippe, la petite est en pleine forme. Je suis prêt à lui signer son congé, par contre nous n'arrivons pas à joindre la mère. Elle est partie chercher les cartes de l'enfant, oubliées chez elle dans l'énervement, et n'est jamais revenue. Le problème est que nous n'avons aucun dossier au nom de son enfant.

— La mère est hospitalisée pour une blessure à la jambe, rétorqua derechef Judith. Elle sera heureuse de savoir sa fille hors de danger.

— Ça explique tout. Il faudra qu'elle autorise un autre membre de la famille à venir chercher l'enfant avec ses papiers. En attendant, je peux vous la laisser pour lui faire faire une courte visite.

Judith n'eut pas le temps de protester que l'infirmière lui avait refilé le paquet. Appelé par ses patients, le Dr Catellier, sa belle assistante à sa suite, lui avait déjà faussé compagnie.

Sourd à l'agitation du corridor, le temps s'arrêta. Judith soupesa le poids du bonheur calé dans le creux de son bras. La chaleur d'un enfant, grouillant de vie contre son cœur, la troubla. Ses narines frémirent au parfum de lait suri. Comment avait-elle pu oublier ? Elle questionna le petit visage rond. Béatrice la fixait avec un mélange d'insécurité et d'étonnement. Pendant une fraction de seconde, Judith fut transportée dans un souvenir lointain. Elle, petite, transportant une enfant sur sa hanche. Sa cousine Mathilde, traînée comme une poupée, durant les vacances, au chalet de leurs grands-parents à Wakefield. La même Mathilde emportée par la leucémie à six ans, et partie avec elle à tout jamais l'envie de Judith de catiner. La mort était une criminelle que personne encore n'avait réussi à arrêter.

Une petite main lui effleura le lobe de l'oreille. Attirée par le bijou qu'elle portait, Béatrice approcha sa bouche baveuse. Judith n'avait rien à lui offrir. Sa seule goutte de lait était cette perle dure. L'enfant replongea ses immenses yeux noirs dans les siens. Judith accepta l'appel : comme pour SA maison, elle trouverait SON enfant sur sa route. Un jour, elle l'entendrait frapper à sa porte. La petite fit une deuxième tentative pour téter. Frustrée, elle poussa un cri qui ramena Judith à la réalité.

L'enquêtrice savait ce qu'elle devait faire : avertir les services sociaux, la règle lors de l'arrestation ou du décès des parents. Le bébé serait placé dans un foyer d'accueil en attendant le jugement de la Chambre de la jeunesse. Personne n'avait réclamé Perséides, qui voudrait de son enfant ? Même s'il mettait tout son amour dans la balance, Quentin Nouaux ne réussirait jamais à amadouer un juge. Il n'était pas le père biologique et sa condition était trop précaire. La situation était insolite. Béatrice était aimée comme tout enfant devrait l'être, mais d'une femme qui avait tué sa mère. Pas question de la remettre dans ses bras.

Bébé commença à gigoter. Judith se mit à lui parler doucement. Une grimace plissa son front mécontent. La moue annonçait une séance de larmes salée.

51

Dimanche 7 août, 10 h

Judith sortit de la douche glacée et s'ébouriffa les cheveux devant le grand miroir de la commode. Sa peau était affreusement blanche. Au diable les crèmes protectrices, elle avait besoin de prendre un peu de soleil. Le temps était radieux et Lewis Elbow, le témoin américain avec qui elle avait rendez-vous, avait proposé de la rencontrer en fin d'après-midi au camping où il logeait sur le bord d'un lac magnifique, ce qui n'était pas sans lui déplaire. Matéo ne serait pas bien loin. Après ce dernier boulot, ils fileraient vers le parc Peaks-Kenny, petit coin perdu dans les forêts, au nord du Maine.

Malgré leur arrivée matinale au Fairbanks Inn, ils avaient obtenu l'accès à leur chambre. Elle n'était pas luxueuse, bien que décorée avec soin. Le Northeast Kingdom ne ratait pas une occasion de vanter les mérites de ses lacs et rivières. Au-dessus du lit *queen* trônait un esturgeon empaillé que le taxidermiste avait saisi dans son saut. Au mur, quelques photos rappelant la proximité des pentes de ski de Stowe. L'été, l'endroit était moins achalandé. Y dégoter un hébergement à la dernière minute avait été aisé. Le prix était raisonnable.

Métivier ne trouverait rien à redire. Il avait manifesté son contentement devant la résolution de ces deux affaires qui leur étaient tombées dessus en plein été. Ses hommes pourraient enfin prendre leurs vacances.

Pour Judith, la page ne serait tournée qu'une fois l'identité de Perséides éclaircie. Quelque part, des parents la cherchaient et ces gens étaient, sans le savoir, devenus grands-parents. Hier matin, accompagnée de Matéo, la belle Esmaëlle s'était présentée chez elle avec un cadeau inestimable.

Jeudi dernier, la pleine lune avait été célébrée au rassemblement *Rainbow* près de Cabano. La nouvelle de la mort de Perséides s'était répandue comme une traînée de poudre. Il ne fallait pas s'en surprendre, le réseau Arc-en-ciel étant une famille tissée serré. La vie alternative n'excluait pas l'usage des nouvelles plates-formes et Facebook permettait de relayer des informations, les bonnes comme les mauvaises, à l'échelle internationale.

Tous les membres de la communauté *Rainbow* s'étaient mobilisés pour dire au revoir à leur sœur. Dans une vieille chaloupe, ils avaient érigé un autel tressé de corbeilles de fleurs, brodé de beaux tissus et de mots d'amour. Illuminé de cierges, le bateau avait dérivé au large du lac Moreau.

Parmi les deux cents personnes présentes, quelques Américains comme d'habitude. Un couple avait connu Perséides pour avoir déjà travaillé avec elle au Bread and Puppet Theater à Glover, au Vermont. En fait, il connaissait surtout son petit ami de l'époque, Lewis Elbow. Le jeune homme était un permanent de l'équipe formée pour assurer la relève. *The Circus of the Possibilitarians*, leur dernière création, était en représentation ce mois-ci, à Glover, tous les dimanches à 14 h.

Matéo avait reproché à Judith de ne pas connaître cette troupe célèbre et son directeur artistique, l'artiste Peter Schumann, une icône de la contre-culture américaine. Ce danseur-sculpteur encore capable à soixante-dix-huit ans de grimper sur des échasses de quatre mètres n'intéressait pas la policière. Seul importait le nom de ce Lewis, dont Esmaëlle savait peu de chose. Ce « peu » avait néanmoins été suffisant pour délier la bourse de Métivier.

Quelqu'un appela son nom en frappant à la porte de la chambre. Judith reconnut aussitôt la voix de Matéo et lui ouvrit. Elle l'aida à ranger les provisions qu'il était allé chercher dans la Westfalia. Quelques légumes et pâtés achetés à un marché local. Toutefois, ils avaient magasiné le vin dans une grande surface. En passant devant le rayon des couches, le discours enflammé de Matéo contre le suremballage avait produit un déclic. Gisèle Houle avait évité les couches par souci d'économie. Elle préférait se taper le lavage de montagnes de petites robes et laisser à sa fille le plaisir de vivre nu-fesses.

— On aurait pu dîner au restaurant, se plaignit Judith en déposant les sacs sur la petite table ronde au fond de la chambre.

— Jamais de la vie, s'insurgea Matéo.

En sillonnant Saint Johnsbury, ils n'avaient trouvé que des *fast-foods*. Son puriste lui réitéra comment tous les maux de la terre imputés aux Américains tiraient leur origine de leur mauvaise alimentation. Le corps était un temple, l'empoisonner entraînait la souillure de l'âme.

— Et quand tu me manges ? le taquina Judith. Ton âme en pense quoi ?

Matéo fit quelques pas dans la chambre faiblement éclairée et s'installa sur un coin du lit pour la contempler. Judith se sentit désirée. Elle s'éloigna vers la grande fenêtre et continua de le toiser par le biais du miroir de la commode. Au-delà de la semaine de vacances qu'elle partageait avec lui, que leur réservait l'avenir ? Ils n'avaient jamais conjugué leur conversation au futur. Leur histoire avait la fragilité des châteaux de sable que la mer lavait chaque jour.

Elle se tourna vers son amant, qui n'avait pas bougé de sa couche. Tapotant l'oreiller près de lui, il l'invita à s'allonger. Elle lui proposa autre chose. Les lits étaient pour les couples. Ils n'en étaient pas vraiment un. Elle fit glisser sa serviette et recula pour s'appuyer contre la grande fenêtre panoramique. Matéo comprit l'invitation. Il se débarrassa de ses vêtements et s'approcha d'elle. Judith s'excita à la vue de son long membre dansant entre ses jambes. Il écrasa sa bouche contre la sienne, puis fit glisser sa langue le long de son corps jusqu'à sa toison humide. Pantelante, Judith peinait à rester debout. La montée du plaisir lui coupa les jambes. Matéo la souleva vers lui, pressant. Elle sentit sa verge durcie contre son ventre.

D'une main, elle s'accrocha à son cou, de l'autre, elle tenta de rejoindre son sac pour y prendre un condom.

— Je vais faire attention, lui promit-il.

Judith ne voulait pas prendre le risque de se retrouver enceinte.

— Je vais me retirer à temps, insista Matéo.

Judith fit taire sa raison et céda à l'élan de son corps.

Chaque mouvement de bassin la projetait contre la vitre. L'idée qu'on puisse les voir de la rue l'excita. Elle imagina un homme dans sa voiture en train de se masturber en les regardant. Cette scène fit grimper d'un cran sa jouissance. Elle empoigna le bassin de Matéo et l'incita à bouger plus rapidement. Le souffle de son amant s'accéléra. Il la prit sans ménagement.

La grande fenêtre vibra. Judith craignit qu'elle ne cède à leurs assauts. Matéo esquissa un geste pour se retirer, mais à la dernière minute, elle le força à demeurer en elle. Ils jouirent ensemble, étourdis par leurs cris emmêlés. On avait dû les entendre dans les chambres voisines. Peu leur importait. N'était-ce pas le but d'un séjour à l'hôtel, s'envoyer en l'air sans se soucier des autres ?

52

Dimanche 7 août, 16 h

Les rayons obliques du soleil embrasaient les vaguelettes du lac Willoughby. Le shérif McLunnan stationna sa
jeep à l'ombre. Avant de descendre, il jeta un air angoissé
à sa collègue, Brenda Mitchel. Elle lui serra le bras.

— Tout va bien se passer, Ken.

Il s'abîma dans ses grands yeux verts. Dans quelques
minutes, sa dernière enquête connaîtrait son dénouement. Il transpirait dans son uniforme noir, il avait tenu
à se présenter au rendez-vous en officiel.

Brenda sortit de voiture et se dirigea d'un pas
alerte vers la grève. Ken eut un pincement au cœur.
Qu'adviendrait-il d'eux après cette affaire ? Allaient-ils
se revoir dans des circonstances plus heureuses ? Peu de
choses le retenaient à Augusta, hormis sa promesse réi-
térée à Doris Cousineau, au début de l'été, de retrouver
sa fille disparue trois ans plus tôt. Quel homme serait-il,
pour Brenda comme pour lui-même, s'il devait terminer
sa carrière sur un échec ?

McLunnan sauta hors du véhicule. Devant lui, des bai-
gneurs insouciants s'amusaient avec leur chien, d'autres
se lançaient un frisbee. Brenda arpentait déjà la plage,

fraternisait avec les gens du coin. L'endroit lui était familier. Plus loin, au bout du sentier qui longeait la rive, une petite baie accueillait un autre type de clientèle, des locaux, homosexuels du troisième âge pour la plupart, qui y avaient établi leurs quartiers depuis plusieurs années. Récemment, des couples hétéros et même des familles avec enfants s'étaient invités à cette plage édénique.

La shérif gesticula pour qu'il s'approche. Son insistance avait quelque chose d'impératif. Elle avait rejoint un jeune Afro-Américain. McLunnan reconnut aussitôt Lewis Elbow, le comédien qu'ils avaient interrogé deux semaines auparavant, l'ex-petit ami de Stella. Ce dernier les avait informés plus tôt en matinée de la visite d'une détective du Québec. McLunnan pressa le pas, Brenda le prit à part.

— L'enquêtrice est en route. Elle n'a rien voulu lui dire au téléphone.

— Ils ont trouvé Stella ? insista-t-il.

Le visage de Brenda s'assombrit.

— Kenny *dear*, fit-elle en le retenant comme pour lui éviter une catastrophe.

Sa collègue n'avait pas besoin de lui en dire plus. McLunnan se dirigea vers Lewis Elbow.

— Je veux rencontrer cette policière avec vous. On vous suit à votre campement.

***

Depuis vingt minutes, les deux shérifs et Lewis Elbow piétinaient sous un soleil de plomb devant la roulotte du comédien, installée au White Cap Camping Grounds. Judith Allison s'y pointa seule, à pied, Matéo ayant préféré l'attendre à la plage.

Après les présentations, elle fouilla dans son sac.

— J'ai quelque chose à remettre à monsieur Elbow, dit-elle en tendant une photographie à l'intéressé.

Le teint café au lait du bébé dont il examinait, incrédule, le visage rieur, trahissait leur lien de parenté. Des larmes lui mouillèrent les joues. McLunnan s'approcha et regarda à son tour le portrait.

— Et la mère ? articula-t-il, le souffle court, dans un mauvais français.

La question transperça le cœur de Judith. En quoi avait-il besoin de connaître les circonstances sordides dans lesquelles Perséides avait perdu la vie ? Mais les deux policiers américains n'avaient pas l'intention de la laisser repartir sans l'avoir cuisinée. Le gros homme au teint rougeaud s'adressa à sa collègue. Une barre lui traversait le front.

— Je peux emprunter ton bureau, Brenda ?

— Pas de problème, Ken.

— Rejoignez-nous à Newport dans une heure, lui intima le vieil enquêteur d'un ton indiquant qu'il ne supportait pas d'être contrarié. Nous sommes dans le même bâtiment que la banque. On y sera plus à l'aise pour tirer cette affaire au clair. L'enfant a une grand-mère qui l'attend.

Judith les regarda s'éloigner. Ils s'engouffrèrent sans un mot dans une Sierra qui démarra dans la poussière. Après un timide merci, Lewis s'empressa d'aller rejoindre sa petite amie, qui avait observé la scène derrière la porte moustiquaire de la roulotte. Se battrait-il pour faire reconnaître sa paternité auprès des autorités américaines ? Elle le souhaitait. Dans la vie des filles, le père était important.

Judith emprunta le sentier qui menait à la plage nudiste dont lui avait parlé Matéo. Sans prendre le temps de le retrouver, elle se dévêtit sur la grève et plongea. Après quelques brassées, elle reprit pied. Un petit poisson lui chatouilla un orteil. L'eau était si claire qu'elle pouvait voir le bout de ses pieds. Au fond de la lagune, le sable blanc reflétait le ciel. On aurait dit une plage des Caraïbes. Elle fixa le lac devant elle. Elle n'en avait jamais découvert de si majestueux. Encastré dans les montagnes, il offrait une vue à couper le souffle. Éblouie par tant de beauté, Judith se laissa couler, les yeux ouverts dans les profondeurs chatoyantes, rêvant de ne jamais en ressortir. Elle refit surface en se couchant sur les vagues, sa peau blanche offerte en pâture aux rayons UVB. À travers les gouttelettes qui lui embuaient le regard, Judith repéra Matéo, nu comme un Robinson, qui lisait sur son rocher. Elle posa la main sur son ventre en songeant aux mots que Gisèle Houle, blessée, lui avait chuchotés à l'oreille : « N'attends pas trop longtemps. »